葛根湯の基原植物

クズ
Pueraria lobata
（葛根）

*Ephedra sinica**
（麻黄）

ナツメ
Zizyphus jujuba var. *inermis**（大棗）

シャクヤク
*Paeonia lactiflora**
（芍薬）

Cinnamomum cassia
（桂皮）

ショウキョウ
Zingiber officinale
（生姜）

*Glycyrrhiza uralensis**
（甘草）

*写真提供：東京薬科大学薬用植物園 三宅克典 博士

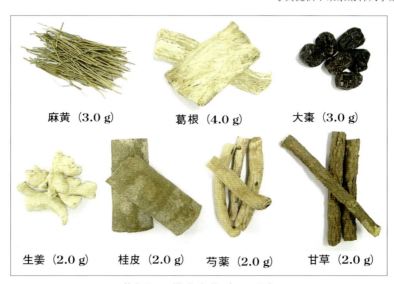

麻黄（3.0 g）　葛根（4.0 g）　大棗（3.0 g）
生姜（2.0 g）　桂皮（2.0 g）　芍薬（2.0 g）　甘草（2.0 g）

葛根湯の構成生薬（1日量）

葛根湯の製品（左：エキス顆粒，中央：ドリンク剤，右：エキス錠）

漢方薬の剤形

漢方薬の剤形としては煎剤（例：葛根湯，前ページ）が最も多く，散剤（例：当帰芍薬散），丸剤（例：八味地黄丸），外用剤の軟膏（例：紫雲膏）などがある．

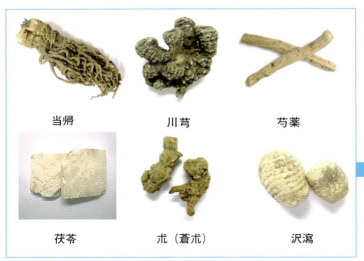

当帰芍薬散の構成生薬

粉末にした各生薬を均一に混合する．

当帰芍薬散

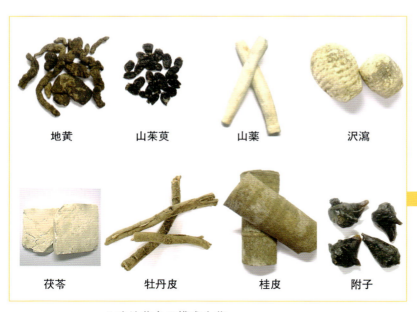

八味地黄丸の構成生薬

粉末にした各生薬を均一に混合した後，煉蜜を加えて練り，球形とする．

八味地黄丸

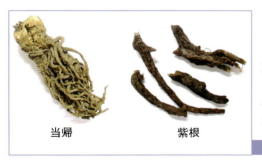

紫雲膏の構成生薬

加熱したゴマ油に蜜蝋，豚脂を加えて溶かした後，当帰，紫根を加え，抽出する．温時，綿布でろ過し，撹拌しながら冷却する．

紫雲膏

薬学生のための漢方薬入門

東京薬科大学名誉教授　　　　東京薬科大学薬学部教授
指田　豊　　　　　　　三巻祥浩

編著

［第5版］

東京　廣川書店　発行

―――― **執筆者**（五十音順）――――

黒 田 明 平	東京薬科大学教授
指 田 　 豊	東京薬科大学名誉教授
松 尾 侑希子	東京薬科大学講師
三 巻 祥 浩	東京薬科大学教授
横 須 賀 章 人	東京薬科大学准教授

薬学生のための 漢方薬入門 ［第5版］

| 編著者 | 指　田　　　豊（ゆたか）
三　巻　祥　浩（よしひろ） | 平成15年3月15日　初 版 発 行 ©
平成16年2月25日　第 2 版 発 行
平成24年3月15日　第 3 版 発 行
平成28年12月15日　第 4 版 発 行
令和4年3月30日　第 5 版
　　　　　　　　　1 刷 発 行 |

発 行 所　株式会社　廣 川 書 店

〒113-0033　東京都文京区本郷3丁目27番14号
電話 03(3815)3651　FAX 03(3815)3650

第 5 版発行に際して

　漢方エキス製剤が日常診療で広く処方されていることを背景に，薬剤師教育においても薬用植物学，生薬学，天然物化学に加え，漢方に関する講義が行われている．また，第十八改正日本薬局方においては新たに 2 品目の漢方エキス剤が追加され，局方収載の漢方薬は 37 品目となった．第 5 版では，初めて漢方を学ぶ薬学生はもとより，病院や保険薬局に勤務している薬剤師の漢方入門書としても必携の書となるように，第十八改正日本薬局方に準拠した内容に改訂し，さらに各章の記載内容を精査した．

　令和 4 年 1 月

編著者

まえがき

　我が国の医療は明治以降，西洋医学（現代医学）が中心になっているが，最近になり，漢方薬が病気の治療・予防のために盛んに使われるようになった．日本の医療の歴史の中でこれほど漢方薬が使われたことは過去になかった．これは漢方薬に西洋医学で使う医薬品に匹敵する薬効があること，西洋医学では治療法のない病気に対しても有効な漢方薬が存在すること，現代薬と併用することで好ましい治療効果をあげることがわかってきたためである．

　また，漢方薬のエキス製剤が開発されて服用が容易になったこと，1967年に健康保険が適用になったことも漢方薬の普及を促した．1990年には漢方の専門医制度が発足し，現在では医師の85％以上が何らかの形で漢方薬を使った経験をもっている．漢方薬の中には加齢により低下する免疫機能などの各種機能を改善するものもあり，高齢化社会の日本では漢方薬の需要は今後ますます増えていくものと思われる．

　ところで，薬科大学の生薬学関係の講義は普通は西洋医学的な基盤に立っている．しかも多くは基礎的な知識の修得に終わっており，学生は，生薬は医療現場で用いる医薬品であるという認識をなかなか持ち得なかった．しかし，医師の多くが生薬製剤である漢方薬を使っており，医師から漢方薬の処方せんを応需すれば薬剤師はこれを調剤しなければならない．

　1997年に，薬剤師は自分で調剤した処方について患者に使用のために必要な適正な情報を提供することが義務づけられた．漢方薬を調剤したときも，当然のことながら適切な情報提供を行う必要がある．2000年には漢方薬・生薬認定薬剤師制度が発足した．さらに，2002年に日本薬学会が発表した薬学教育のコアカリキュラムには，「自然が生み出す薬」として漢方薬と漢方医学の項目が明記され，薬剤師国家試験にも漢方に関する問題が出題されている．

　本書は，西洋医学的な薬学の知識はあるが漢方は初めてという薬学生の漢方入門のために編んだものである．漢方の理論は西洋医学と相容れない部分も多いが，本書は医療現場で医師が西洋医学的な治療に併せて漢方薬を処方した際に，その処方目的を理解し，内容について医師，患者に適切な情報を提供できるようになるための基礎知識の修得を目的とした．

　終わりに，本書の出版に多大のご尽力を賜わった廣川書店社長廣川節男氏ならびに同書店企画室長　島田俊二氏，編集室長　野呂嘉昭氏，課長　荻原弘子氏に厚くお礼申し上げる．

平成15年2月

著　者

本書では，人名，書名，処方名などの漢字表記にはなるべく振り仮名をつけた．ただしこれは中国の発音ではなく日本で習慣的に呼び慣わされているものである．

目次

第1章 漢方概論 …………………………………………………………………… *1*

 I 漢方の基礎 ………………………………………………………………… *3*

  I-1 漢方とは　*3*

  I-2 漢方の特質　*3*

  I-3 漢方の歴史　*5*

   I-3-1 漢方・生薬の原典　*5*

   I-3-2 中国での流れ　*7*

   I-3-3 日本での流れ　*7*

  I-4 漢方の基本概念　*10*

   I-4-1 病　因　*10*

   I-4-2 証　*10*

   I-4-3 陰・陽　*10*

   I-4-4 虚・実　*11*

   I-4-5 寒・熱　*11*

   I-4-6 表・半表半裏・裏　*12*

   I-4-7 三陰三陽（六病位）　*12*

   I-4-8 気・血・水　*13*

   I-4-9 五行説　*15*

  I-5 漢方の診察法　*16*

   I-5-1 望　診　*16*

   I-5-2 聞　診　*17*

   I-5-3 問　診　*17*

   I-5-4 切　診　*17*

 II 生薬と漢方薬 ……………………………………………………………… *20*

  II-1 生薬の品質と基原　*20*

   II-1-1 日本薬局方における主要成分の含量規格　*20*

   II-1-2 生薬の新旧と品質　*21*

   II-1-3 日本と中国で基原植物の異なる生薬の例　*21*

II-1-4　類似生薬名で別の基原植物が使用される例　**22**
　II-2　生薬の調製法　**22**
　　　II-2-1　生姜と乾姜　**23**
　　　II-2-2　乾地黄と熟地黄　**23**
　　　II-2-3　修治（加工）ブシ　**23**
　II-3　生薬の薬性と相互の働き　**24**
　　　II-3-1　五気の薬性分類　**24**
　　　II-3-2　その他の薬性分類　**24**
　　　II-3-3　五味の薬能分類　**25**
　　　II-3-4　生薬の相互作用　**26**
　II-4　漢方薬と民間薬　**27**
　II-5　漢方薬の名称　**27**
　II-6　漢方薬の配合原則　**30**
　II-7　漢方薬の剤形と調製法　**30**
　　　II-7-1　漢方薬の剤形　**30**
　　　II-7-2　湯剤の調製法　**30**
　　　II-7-3　漢方エキス剤　**31**
　II-8　漢方エキス剤の日本薬局方収載　**31**
　　　II-8-1　収載品目　**31**
　　　II-8-2　日本薬局方における漢方エキス剤の規格　**32**
　II-9　漢方薬の副作用と瞑眩　**33**

第2章　繁用漢方処方の解説と使用上の注意　……………………………　**35**

　I　医療用漢方エキス剤　……………………………………………　**37**
　I-1　漢方薬の薬価収載　**37**
　I-2　漢方薬の再評価　**38**
　I-3　漢方エキス剤の服用上の注意　**39**
　　　I-3-1　服用方法　**39**
　　　I-3-2　服用期間　**39**
　　　I-3-3　小児の服用量　**39**
　　　I-3-4　副作用ならびに注意事項　**40**
　II　医療用漢方処方各論　……………………………………………　**53**
　II-1　桂枝湯とその関連処方　**53**
　桂枝湯（ケイシトウ），桂枝加芍薬湯（ケイシカシャクヤクトウ），桂枝加芍薬大黄湯（ケイシカシャクヤクダイオウトウ），小建中湯（ショウケンチュウトウ），当帰建中湯

目　　次　　ix

(トウキケンチュウトウ)，黄耆建中湯（オウギケンチュウトウ），桂枝加朮附湯（ケイシカジュツブトウ），桂枝加竜骨牡蛎湯（ケイシカリュウコツボレイトウ），当帰四逆加呉茱萸生姜湯（トウキシギャクカゴシュユショウキョウトウ）

II-2　桂皮＋麻黄の組み合わせをもつ処方　**59**

葛根湯（カッコントウ），葛根湯加川芎辛夷（カッコントウカセンキュウシンイ），麻黄湯（マオウトウ），薏苡仁湯（ヨクイニントウ），小青竜湯（ショウセイリュウトウ），五積散（ゴシャクサン）

II-3　麻黄＋石膏の組み合わせをもつ処方　**64**

麻杏甘石湯（マキョウカンセキトウ），五虎湯（ゴコトウ），越婢加朮湯（エッピカジュツトウ），防風通聖散（ボウフウツウショウサン）

II-4　その他，麻黄が配合された処方　**67**

麻杏薏甘湯（マキョウヨクカントウ），神秘湯（シンピトウ），麻黄附子細辛湯（マオウブシサイシントウ）

II-5　柴胡剤　**69**

小柴胡湯（ショウサイコトウ），柴胡桂枝湯（サイコケイシトウ），大柴胡湯（ダイサイコトウ），四逆散（シギャクサン），柴胡加竜骨牡蛎湯（サイコカリュウコツボレイトウ），柴胡桂枝乾姜湯（サイコケイシカンキョウトウ），柴陥湯（サイカントウ），小柴胡湯加桔梗石膏（ショウサイコトウカキキョウセッコウ），柴朴湯（サイボクトウ），柴苓湯（サイレイトウ），乙字湯（オツジトウ）

II-6　黄連＋黄芩の組み合わせをもつ処方　**78**

黄連解毒湯（オウレンゲドクトウ），三黄瀉心湯（サンオウシャシントウ），清上防風湯（セイジョウボウフウトウ），半夏瀉心湯（ハンゲシャシントウ）

II-7　大黄が配合された処方　**81**

大黄甘草湯（ダイオウカンゾウトウ），調胃承気湯（チョウイジョウキトウ），大承気湯（ダイジョウキトウ），桃核承気湯（トウカクジョウキトウ），大黄牡丹皮湯（ダイオウボタンピトウ），通導散（ツウドウサン），麻子仁丸（マシニンガン），潤腸湯（ジュンチョウトウ），茵蔯蒿湯（インチンコウトウ），治打撲一方（チダボクイッポウ）

II-8　利水薬を中心とした処方　**88**

小半夏加茯苓湯（ショウハンゲカブクリョウトウ），二陳湯（ニチントウ），半夏厚朴湯（ハンゲコウボクトウ），平胃散（ヘイイサン），四君子湯（シクンシトウ），六君子湯（リックンシトウ），二朮湯（ニジュツトウ），竹筎温胆湯（チクジョウンタントウ），茯苓飲（ブクリョウイン），茯苓飲合半夏厚朴湯（ブクリョウインゴウハンゲコウボクトウ），啓脾湯（ケイヒトウ），半夏白朮天麻湯（ハンゲビャクジュツテンマトウ），参蘇飲（ジンソイン），五苓散（ゴレイサン），茵蔯五苓散（インチンゴレイサン），胃苓湯（イレイトウ），苓桂朮甘湯（リョウケイジュツカントウ），苓姜朮甘湯（リョウキ

ョウジュツカントウ），猪苓湯（チョレイトウ），苓甘姜味辛夏仁湯（リョウカンキョウミシンゲニントウ），真武湯（シンブトウ），防已黄耆湯（ボウイオウギトウ）

II-9　人参湯とその関連処方　**99**

人参湯（ニンジントウ），桂枝人参湯（ケイシニンジントウ），大建中湯（ダイケンチュウトウ），補中益気湯（ホチュウエッキトウ），清暑益気湯（セイショエッキトウ），加味帰脾湯（カミキヒトウ），清心蓮子飲（セイシンレンシイン）

II-10　当帰芍薬散関連処方と頻用駆瘀血剤　**104**

当帰芍薬散（トウキシャクヤクサン），加味逍遙散（カミショウヨウサン），温経湯（ウンケイトウ），女神散（ニョシンサン），桂枝茯苓丸（ケイシブクリョウガン）

II-11　地黄剤と四物湯を基礎とした処方　**107**

八味地黄丸（ハチミジオウガン），牛車腎気丸（ゴシャジンキガン），三物黄芩湯（サンモツオウゴントウ），四物湯（シモツトウ），猪苓湯合四物湯（チョレイトウゴウシモツトウ），温清飲（ウンセイイン），荊芥連翹湯（ケイガイレンギョウトウ），柴胡清肝湯（サイコセイカントウ），芎帰膠艾湯（キュウキキョウガイトウ），七物降下湯（シチモツコウカトウ），当帰飲子（トウキインシ），疎経活血湯（ソケイカッケツトウ），大防風湯（ダイボウフウトウ），十全大補湯（ジュウゼンダイホトウ），人参養栄湯（ニンジンヨウエイトウ），五淋散（ゴリンサン）

II-12　石膏剤　**117**

白虎加人参湯（ビャッコカニンジントウ），木防已湯（モクボウイトウ），釣藤散（チョウトウサン），消風散（ショウフウサン）

III-13　その他の処方　**120**

芍薬甘草湯（シャクヤクカンゾウトウ），甘麦大棗湯（カンバクタイソウトウ），抑肝散（ヨクカンサン），抑肝散加陳皮半夏（ヨクカンサンカチンピハンゲ），呉茱萸湯（ゴシュユトウ），麦門冬湯（バクモンドウトウ），炙甘草湯（シャカンゾウトウ），滋陰降火湯（ジインコウカトウ），清肺湯（セイハイトウ），香蘇散（コウソサン），酸棗仁湯（サンソウニントウ），安中散（アンチュウサン），升麻葛根湯（ショウマカッコントウ），排膿散及湯（ハイノウサンキュウトウ），十味敗毒湯（ジュウミハイドクトウ），川芎茶調散（センキュウチャチョウサン），竜胆瀉肝湯（リュウタンシャカントウ）

III　漢方の臨床 ……………………………………………… **131**

III-1　漢方処方の医療現場での使用状況　**131**

III-2　漢方の臨床症例　**132**

インフルエンザ，こむら返り症，肺がん，2型糖尿病，慢性頭痛，イレウス，月経困難症，月経前症候群，ホルモン療法中の更年期障害様症状，子宮内膜症による月経随伴性気胸，血液透析患者の頭痛，コレステロール系胆石，上腹部不定愁訴，こじれた

感冒，胃食道逆流症，化学療法による口内炎，メチルフェニデート投与による食欲低下，微小変化型ネフローゼ症候群，気管支喘息，パニック障害，神経症状，潰瘍性大腸炎，喉の違和感，アルツハイマー型認知症，抑うつ状態，冷え症，高齢者糖尿病，パクリタキセルによるしびれ，難治性アトピー性皮膚炎

第3章　漢方で使う主要生薬 ……………………………………… 161

I. 各　論 ……………………………………………………………… 165

1. 阿膠（アキョウ），2. 茵陳蒿（インチンコウ），3. 茴香（ウイキョウ），4. 延胡索（エンゴサク），5. 黄耆（オウギ），6. 黄芩（オウゴン），7. 黄柏（オウバク），8. 桜皮（オウヒ），9. 黄連（オウレン），10. 遠志（オンジ），11. 何首烏（カシュウ），12. 藿香（カッコウ），広藿香（コウカッコウ），13. 葛根（カッコン），14. 滑石（カッセキ），軟滑石（ナンカッセキ），15. 栝楼根（カロコン），16. 甘草（カンゾウ），17. 桔梗（キキョウ），桔梗根，18. 菊花（キクカ），19. 枳実（キジツ），20. 陳皮（チンピ），21. 羌活（キョウカツ），22. 杏仁（キョウニン），23. 苦参（クジン），24. 荊芥（ケイガイ），25. 桂皮（ケイヒ），26. 膠飴（コウイ），粉末飴，27. 紅花（コウカ），28. 香附子（コウブシ），29. 粳米（コウベイ），30. 厚朴（コウボク），31. 牛膝（ゴシツ），32. 呉茱萸（ゴシュユ），33. 牛蒡子（ゴボウシ），34. 五味子（ゴミシ），35. 柴胡（サイコ），36. 細辛（サイシン），37. 山査子（サンザシ），38. 山梔子（サンシシ），39. 山茱萸（サンシュユ），40. 山椒（サンショウ），41. 酸棗仁（サンソウニン），42. 山薬（サンヤク），43. 地黄（ジオウ），44. 地骨皮（ジコッピ），45. 紫根（シコン），46. 蒺藜子（シツリシ），47. 芍薬（シャクヤク），48. 縮砂（シュクシャ），49. 生姜（ショウキョウ），乾生姜（カンショウキョウ），50. 乾姜（カンキョウ），51. 升麻（ショウマ），52. 辛夷（シンイ），53. 石膏（セッコウ），54. 川芎（センキュウ），55. 前胡（ゼンコ），56. 蒼朮（ソウジュツ），57. 白朮（ビャクジュツ），58. 桑白皮（ソウハクヒ），59. 蘇葉（ソヨウ），60. 大黄（ダイオウ），61. 大棗（タイソウ），62. 沢瀉（タクシャ），63. 竹筎（チクジョ），64. 竹節人参（チクセツニンジン），65. 知母（チモ），66. 釣藤鉤・釣藤鈎（チョウトウコウ），67. 猪苓（チョレイ），68. 天麻（テンマ），69. 天門冬（テンモンドウ），70. 冬瓜子（トウガシ），71. 当帰（トウキ），72. 桃仁（トウニン），73. 独活（ドクカツ），74. 人参（ニンジン），75. 紅参（コウジン），76. 忍冬（ニンドウ），77. 貝母（バイモ），78. 麦門冬（バクモンドウ），79. 薄荷（ハッカ），80. 半夏（ハンゲ），81. 百合（ビャクゴウ），82. 白芷（ビャクシ），83. 枇杷葉（ビワヨウ），84. 檳榔子（ビンロウジ），85. 茯苓（ブクリョウ），86. 附子（ブシ），加工ブシ，87. 防已（ボウイ），88. 芒硝（ボウショウ），89. 防風（ボウフウ），90. 樸樕（ボクソク），91. 牡丹皮（ボタンピ），92. 牡蛎（ボレイ），93. 麻黄（マオウ），94. 麻子仁（マシ

ニン），95．木通（モクツウ），96．木香（モッコウ），97．薏苡仁（ヨクイニン），98．竜骨（リュウコツ），99．連翹（レンギョウ），100．蓮肉（レンニク）

II. 主要用語解説 …………………………………………………………………… ***217***

索　引 …………………………………………………………………………… ***229***

第1章

漢方概論

漢方の基礎

I-1 漢方とは

　古い歴史を持つ民族は必ずその民族特有の医学を持っている．民族医学が体系化された頃の内容があまり変わらないまま今日まで伝わっている場合，これを伝統医学という．中国では3000年前に現在の漢方の基礎となる伝統医学が完成した．その完成度は高いものであったが，その後も新しい経験や理論が加わり，発展してきた．古い時代に日本に伝わった中国の伝統医学に日本の風土や民族性を取り入れ，さらに改良を加えた日本独自の医学を漢方という．この言葉は江戸時代に渡来したオランダ医学（蘭方）と対比して創られたものである．中国では自国の伝統医学を中国医学（中医学），韓国では中国に源を持つ伝統医学を韓方医学（韓医学）と呼んでいる．したがって，漢方と中医学は同一のものではない．

　漢方は漢方医学ともいい，また東洋医学，和漢診療学もほぼ同じ意味で使われる．漢方は広い意味で薬物を使う湯液療法，鍼灸，気功などを包含しているが，狭い意味では湯液療法を指す．本書も湯液療法の解説書である．

　漢方の考えに従って処方された葛根湯，八味地黄丸などの医薬品を漢方薬といい，漢方薬の原料となる生薬を漢方生薬あるいは和漢薬という．漢方薬の英訳は Traditional Japanese Medicine もしくは Kampo Medicine であり，中国の伝統薬 Traditional Chinese Medicine と国際的にも区別して用いる．

I-2 漢方の特質

　漢方が体系化された時代は，中国でもヨーロッパでも人の身体の中のことはほとんどわかっていなかった．人体はブラックボックスであった．漢方では人の身体の中には人の生命活動をコントロールするもの（気・血・水など．単なる物質ではなく，身体の各所に影響を及ぼす力を持ったもの）がいくつかあり，これらが増減し過ぎたり，バランスが崩れると病気になったり死を迎えると考えた．このような考え方は内容に違いがあっても，世界の多くの地域の民族医学に共通している．たとえば，ギリシャのヒポクラテス Hippocrates（460 ～ 370 BC）は体内に血液，粘液，黄胆汁，黒胆汁があって，このバランスの崩れにより病気が起こると考えた．ギリシャ医学

から発展したアラビアのユナニー医学も同様であり，インドの伝統医学，アーユルヴェーダも人体をめぐる3種の体液，ヴァータ，ピッタ，カパのバランスが崩れると病気になるとしている．

　19世紀後半以後，ヨーロッパでは自然科学的・分析的な取り組みによりブラックボックスを開けて，人体の構造，機能，病気の原因を客観的，普遍的，論理的に探究する努力が続けられた．その結果，西洋医学は著しい進歩を遂げた．伝染病や多くの病気の原因が微生物であることを突き止め，ワクチン，抗血清，抗生物質が開発されて人々を病から救った．診断技術の高度化や安全で確実な手術の技術が進んだ．そのために西洋医学は現在の医療の中心になっており，現代医学ともよばれる．しかし問題点もある．原因がわからないと治療の方針が立たず，原因がわかっていてもまだ治療法のない病気もある．また，人の身体は精神も含めて複雑に絡み合って生命を維持し，健康を保っているが，西洋医学はそのことをあまり考えずに病気を取り除こうとしており，自動車や電気製品の修理と似たところがある．

　漢方の取り組み方は西洋医学のそれと対極にあるといえる．漢方ではブラックボックスを開けて病気の原因を細かく詮索することはせず，患者から発せられる精神面も含んだ総合的な身体の情報（証）を観察して，その患者の身体の状態が正常なときと比べて，どのように違っているかを判断し，病気により非正常になった患者の身体を正常に戻すという方法で病気に対処している．そのため病気の原因がわからなくても治療が可能であり，一つの治療で相関するいくつかの病気が改善されることもある．また，個体を対象にしているので同じ病気でも人それぞれで与える薬が異なるというのも漢方の特徴である．西洋医学では患者の遺伝子を解析して最もふさわしい薬を提供するゲノム医学が始まっているが，漢方では3000年前から個別化医療が行われていたのである．

　漢方は病気の原因を直接攻撃するものではないために，人の持つ自然治癒力を最大限に発揮させる医学ともいえる．老化に伴う自然治癒力の低下を抑える作用もあるので，漢方は高齢化社会にも有用な医学である．

　このように漢方と西洋医学は病気を治すアプローチの方法がまったく異なっており，それぞれに長所も短所もある．幸いに，日本はこの両医学を自由に使える環境にある．両者をうまく使い分け，患者に最良の医療を施すことがこれからの医療人に求められる．

　表1は漢方と西洋医学（現代医学）の特徴を対比させたものである．

表1　西洋医学と漢方の相違点

西洋医学	漢　　方
科　学　的	経　験　的
病因を除去	病態を正常化
分　析　的	総　合　的
局　所　的	全　体　的
一　般　的	個　人　的

I-3 漢方の歴史

I-3-1 漢方・生薬の原典

　中国では春秋戦国時代（前770～前221）に，現存する中国最古の医学書「黄帝内経」が編纂された．「黄帝内経」は「素問」と「霊枢」からなり，現在伝わっているものは前漢末から後漢のはじめ（約2000年前）に編集されたと考えられる．「素問」には人体の生理と病理が，「霊枢」には主に診断，治療，鍼灸術などの実際の治療法が書かれている．そのために「霊枢」は鍼灸の原典とされる．

　後漢の時代（25～220）には，張仲景によって「傷寒雑病論」が編纂された．この書は漢方（湯液療法）の具体的な治療法を書いたもので，現在使われている漢方の原典というべきものであり，「傷寒論」と「金匱要略」の2編として現代に伝わっている．「傷寒論」の傷寒は寒さに傷れるという意味で，ひどい寒さが原因となって起こった急性病の始まりから死に至るまでの過程の，そのときどきの病状と使うべき漢方薬が書かれている．「金匱要略」には，あらゆる分野の慢性病の治療法が書かれている．

　生薬に関する書としては後漢の時代に，中国最古の医薬品集ともいうべき「神農本草経」が纏められた．この書は極めて完成度の高い内容で，編著者はわかっていないが，張仲景や華佗のような名医がそれまでに知られていた知識を纏めたものといわれている．その原本は敦煌の遺跡からごく一部が見つかっているだけであるが，紀元500年頃に陶弘景が「神農本草経」に魏晋（220～420）以来の名医の経験を纏めた「名医別録」を加え，「神農本草経集注」を編纂したので，この書から「神農本草経」を復元できる．

　「神農本草経」には365種類の生薬が載っており，これらを上薬（上品）120種，中薬（中品）120種，下薬（下品）125種に分類している．上薬は寿命を延ばし，無毒で長期にわたって服用しても安全であること，中薬は性を養い（健康状態を維持する），無毒のものと有毒のものがあるので適宜使い分けること，下薬は病を治すためのもので有毒であるから長期の連用はしないこと，と記載されている（図1，表2）．

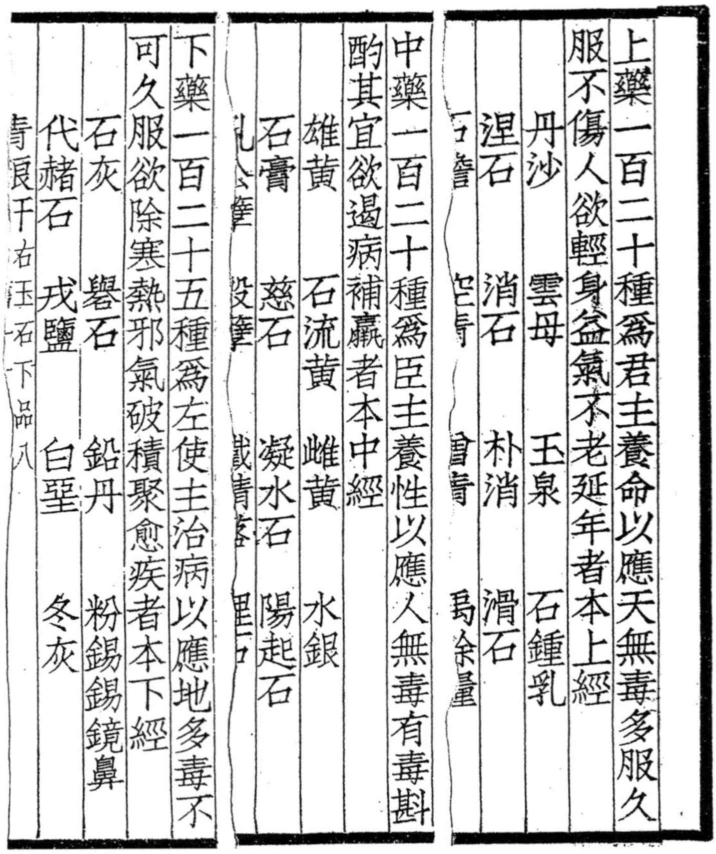

上藥一百二十種爲君主養命以應天無毒多服久
服不傷人欲輕身益氣不老延年者本上經
丹沙　雲母　玉泉　石鍾乳
涅石　消石　朴消　滑石
石膽　空青　曾青　禹餘糧
中藥一百二十種爲臣主養性以應人無毒有毒斟
酌其宜欲遏病補羸者本中經
雄黄　石流黄　雌黄　水銀
石膏　慈石　凝水石　陽起石
孔公孽　殷孽　鐵精落　理石
下藥一百二十五種爲左使主治病以應地多毒不
可久服欲除寒熱邪氣破積聚愈疾者本下經
石灰　礜石　鉛丹　粉錫錫鏡鼻
代赭石　戎鹽　白堊　冬灰
青琅玕右玉石下品八

図１　神農本草経の薬の分類

西洋医学の医薬品は「神農本草経」の下品にあたる．「神農本草経」が薬物を上薬，中薬，下薬というカテゴリーに分けて考えていることは，現代でも学ぶべきものがある．ただし，神仙思想の影響と思われる，身を軽くして老いない，水上を歩けるようになるというような誇大な薬効が書かれていたり，中薬に砒素化合物や水銀が含まれていたりするので，内容については検討する必要がある．しかし，漢方薬に常用される生薬の薬効の記載は現在でもそのまま通用するものも多い．この頃既に生薬の使い方は完成していたのである．

表２　神農本草経における生薬の分類

上品（上薬）	甘草　桂皮　柴胡　細辛　地黄　大棗 人参　麦門冬　茯苓　芒硝　牡蛎　竜骨
中品（中薬）	黄耆　黄芩　黄連　葛根　厚朴　五味子 山梔子　芍薬　生姜　川芎　当帰　麻黄
下品（下薬）	桔梗　杏仁　山椒　大黄　桃仁　半夏 附子　防已　牡丹皮

I-3-2　中国での流れ

「傷寒雑病論」が編纂された後は，中国の医学はこの考えが中心になった．隋・唐時代（581～907）には孫思邈（581～682）の「千金方」，「千金翼方」，王燾の「外台秘要方」（752）などが編纂された．北宋時代（960～1127）には陳師文らにより「太平恵民和剤局方」（1107～1110）が出版された．この書は皇帝の命により纏められた処方集で，現在使われている局方という言葉の源になっている．

金・元時代（1115～1368）にはそれまでの経験中心の医学に対して，五行説などの理論を取り込んだ医学が提唱された．李東垣，朱丹渓，劉河間，張子和はそれぞれ流派をつくり，独特の理論に基づいた治療を行い，金元四大家といわれている．このうち，温補派の李東垣と養陰派の朱丹渓の理論を継承した李朱医学が日本に伝えられて，後述する後世派の基礎となった．

明時代（1368～1644）には龔廷賢の「万病回春」（1587）が出ている．

清時代（1636～1912）には病気は寒だけではなく熱も原因で起こると考えられ，呉有性の「温疫論」（1642）をはじめとする温病学が登場した．

現代になり，1950年に毛沢東が中医学と西洋医学それぞれの長所を取り入れて治療にあたる中西医結合を提唱した．その結果，中医学の重要性が増し，従来多くの考え方のあった中医学は理論の統一が行われ，全国に中医学を専門に教育する中医学院が置かれ，ここで中医師の育成が行われるようになった．

一方，生薬に関しては隋・唐時代に蘇敬らにより「新修本草」（659）が出版された．これは皇帝の命によって編集された公定書（勅撰本）で，中国最初の薬局方ともいえる．北宋時代には新修本草以降に増加した生薬を加えて校定した劉翰・馬志の「開宝本草」（974），蘇頌の「図経本草」（1063），唐慎微の「経史証類備急本草」（1093），艾晟の「経史証類大観本草」（1108），寇宗奭の「本草衍義」（1119）が著わされた．

明時代には李時珍により「本草綱目」（1596）が発行された．この書は1892種の薬物を扱い，各地の民間薬的な使い方も丹念に集めた貴重な資料であるが，李時珍が過去の文献から自分の考えに合う部分だけを採用したり改変したりしているので，悪書であるという批判もある．

現在中国で出版されている中華人民共和国薬典は，日本の薬局方に相当する．

I-3-3　日本での流れ

日本には「古事記」（712）の因幡の白兎伝説にもあるように，日本独自の医療があったが，5～6世紀に新羅，高麗，百済などの医師により，日本の医療に比べて高度に発達した医学が日本に紹介された．7～8世紀には遣隋使や遣唐使により，中国の文化とともに中国の伝統医学も中国から直接導入されるようになった．701年には大宝律令が制定され，医薬の制度は唐の制度によることとなり，薬物は「神農本草経集注」が基準とされた．このことにより日本独自の医療（漢方と対比させて和方ということがある）は正当な医療の流れからはずされ，民間療法として

人々に伝承されるだけになった．しかし優れた効果を示す薬物も多く，ゲンノショウコ，十薬（ドクダミの地上部），黄柏（キハダの樹皮）などは今日の日本薬局方にも収載されている．黄柏のエキスは，陀羅尼助や御百草の名で胃腸薬として知られている．

753年には鑑真和上が各種の薬物を携えて来朝した．この当時，唐から伝わった薬物は正倉院（756）に保存され，現代まで伝わっている．

出雲広貞らが勅命によって纏めた「大同類聚方」（808）は日本初の局方ともいうべきもので，日本固有の処方や民間薬が集められていた．その後に出版された深根輔仁の「本草和名」（912）は「新修本草」の生薬の和名を考証した書であり，日本最古の医書といわれる丹波康頼の「医心方」（982）で使われる生薬も「新修本草」のものであった．

室町時代，田代三喜（1465～1537）が明に留学し，当時盛んであった金・元医学のうち，李朱医学を学んで1498年に帰国した．田代三喜の弟子の曲直瀬道三（1507～1594）は，この医学を基本とした医学を広めた．この医学は後に後世方医学と呼ばれるようになる．

江戸時代になると曲直瀬道三の医学が形式的で，実証的でないところがあることから，「傷寒論」と「金匱要略」に立ち返って，臨床，実証に徹するべきであるとする名古屋玄医（1625～1694），後藤艮山（1659～1733），山脇東洋（1705～1762），吉益東洞（1702～1773）らの医師があらわれた．この医学を古方医学と呼ぶ．腹診を重視し，日本の漢方の主流となった．なお，吉益東洞は「方極」（1755），「類聚方」（1764），「薬徴」（1771）を著わしたが，このうち「薬徴」は古方医学の薬物論の基本として重要である．何度かの改訂が行われたが，尾台榕堂の「重校薬徴」（1853）は今でも重要な文献になっている．

日本の漢方は後世派，古方派，両者の長所を取り入れた折衷派の3つの流れがあり，最近では現代中国の中医学に基づいて治療する流派もある．

一方，宣教師フランシスコ・ザビエルの来日（1549）の頃より西洋医学が日本に伝来されるようになった．当初はポルトガルが中心で南蛮医学と呼ばれたが，鎖国（1639）以後はオランダのみから伝えられ，蘭方医学と呼ばれた．ケンペル（E. Kaempfer），ツュンベリー（C. P. Thunberg），シーボルト（P. F. von Siebold），ポンペ（J. L. C. Pompe von Meerdervoort）らの医師の来日（1690, 1775, 1823, 1857），杉田玄白の「解体新書」（1744）の刊行，華岡青洲の通仙散による乳がんの摘出手術（1805）などを通して蘭方医学は着実に日本の医学の中に浸透していった．しかし，江戸末期においても我が国の医療の主流は漢方であった．

明治8年（1869）に時の政府は日本の医学を西洋医学（ドイツ医学）と定め，西洋医学の試験を合格した者のみに医師の開業免許を与えることにして，漢方を排斥した．漢方最後の巨匠といわれた浅田宗伯らの漢方医は1888年に侍医を解任された．そのため漢方は一時は見る陰もなく衰退し，一部の医師，薬剤師，薬種商の人達によって細々と引き継がれた．このような時代に西洋医学万能主義に警鐘を鳴らした和田啓十郎の「医界の鉄椎」（1910）や湯本求真の「皇漢医学」（1927）が発行され，漢方は少しずつ復興の兆しが見えてきた．

第二次大戦後の1950年には日本東洋医学会が結成された．1965年以降相次ぐ合成薬の副作用

事件が起き，漢方への関心が高まった．1967年に漢方エキス剤が初めて健康保険に採用され，急激に需要が増大した．漢方エキス剤が簡便で服用し易いことも需要の増大に結びついた．1975年には漢方210処方に対して，一般用医薬品としての製造承認の基準が定められた．1990年には漢方医の専門医制度が発足した．また，2000年には漢方薬・生薬認定薬剤師制度が発足した．2001年には医学教育のコアカリキュラムに漢方に関する内容が加わり，2007年からは全国80の医学部すべてで漢方医学教育が行われている．また，薬学教育のモデル・コアカリキュラム（2002年）にも漢方が明記され，薬学部においても従来の生薬学や天然物化学に加えて，漢方薬の講義や実習が取り入れられている．2012年には新モデル・コアカリキュラムが発表され，漢方薬に関する教育は医療薬学教育の分野（薬理・病態・薬物治療）の分野に移行された（表3）．薬学教育6年制の薬剤師国家試験では，薬剤師業務の分野で漢方薬に関する内容が出題されることになっている（表4）．今後，漢方が現代医療の一端を担うことは疑いないであろう．

表3 薬学教育新モデル・コアカリキュラム

E2	薬理・病態・薬物治療
GIO	患者情報に応じた薬の選択，用法・用量の設定および医薬品情報・安全性や治療ガイドラインを考慮した適正な薬物治療に参画できるようになるために，疾病に伴う症状などの患者情報を解析し，最適な治療を実施するための薬理，病態・薬物治療に関する基本的事項を修得する．
(10)	医療の中の漢方薬
GIO	漢方の考え方，疾患概念，代表的な漢方薬の適応，副作用や注意事項などに関する基本的事項を修得する．

【①漢方薬の基礎】
1. 漢方の特徴について概説できる．
2. 以下の漢方の基本用語を説明できる．
   陰陽，虚実，寒熱，表裏，気血水，証
3. 配合生薬の組み合わせによる漢方薬の系統的な分類が説明できる．
4. 漢方薬と西洋薬，民間薬，サプリメント，保健機能食品などとの相違について説明できる．

【②漢方薬の応用】
1. 漢方医学における診断法，体質や病態の捉え方，治療法について概説できる．
2. 日本薬局方に収載される漢方薬の適応となる証，症状や疾患について例示して説明できる．
3. 現代医療における漢方薬の役割について説明できる．

【③漢方薬の注意点】
1. 漢方薬の副作用と使用上の注意点を例示して説明できる．

表4 薬剤師国家試験出題基準

薬剤師業務	現代医療の中の生薬・漢方薬	漢方薬の基礎	漢方薬の特徴
			西洋薬との相違
		漢方処方の解析	漢方処方に配合されている代表的な生薬，その有効成分
		疾患別の漢方治療	代表的な漢方処方の適応症と配合生薬
			代表的な疾患に用いられる生薬および漢方処方の応用，使用上の注意
		漢方処方の応用	漢方エキス製剤の特徴，煎液との比較
			医療用と一般用漢方処方（漢方処方の製剤化）

I-4 漢方の基本概念

漢方を理解するためには漢方独特の用語とその背景にある考え方を知っておく必要がある．ここでは漢方の基本的な用語と考え方を簡単に解説する．

I-4-1 病　因

病気の原因を，内因，外因，不内外因の3つに分類する三因論がある．内因とは人の精神活動が病気の原因となるという考え方で，喜・怒・憂・思・悲・恐・驚を七情といい，特定の臓器と関連して病気を起こす．具体的には，喜＝心，怒＝肝，憂＝肺，思＝脾，悲＝肺，恐・驚＝腎の関連があり，怒ると肝を傷め，考えすぎると脾を傷めるということになる．外因とは環境や病原菌など，体の外から侵入してくるもののことで，外邪（がいじゃ），病邪（びょうじゃ），邪気（じゃき）などと呼び，風・寒・暑・湿・燥・火（激しい熱）の六淫（りくいん）に分類される．不内外因とは内因にも外因にもあてはまらないもので，暴飲暴食や疲労，外傷が該当する．

I-4-2 証（しょう）

証とは，患者の身体にあらわれている種々の状態を，陰・陽（いん・よう），虚・実（きょ・じつ），寒・熱（かん・ねつ），表・裏（ひょう・り），気・血・水（け・けつ・すい），六病位（ろくびょうい），五臓などの漢方の概念で捉え，これらを総合して得られる疾患の情報であり，治療の指示ともいえる．漢方では証に従って治療を行うのが原則であり，これを随証治療（ずいしょうちりょう）という．したがって，西洋医学で同じ病名であっても，漢方では証が違うため治療法が異なる（使用する漢方薬が異なる）場合が多い．これを同病異治という．一方，西洋医学で違う病名であっても，漢方では証が同じため同一の治療法が行われる場合がある．これを異病同治という．

I-4-3 陰・陽（いん・よう）

陰・陽は対立する2つの概念として幅広く使われている．たとえば，月は陰で太陽は陽，女は陰で男は陽，子供は陰で大人は陽，静止しているものは陰で動くものは陽などである．漢方の

虚・実，寒・熱，身体の下半身・上半身，腹・背，血・気なども陰・陽の関係にある（表5）．

また，体力があり病気と積極的に闘っている，すなわち発熱や炎症があり，尿の色が濃いというような状態を陽，体力がなく病気に積極的に反応せず，身体が冷えて，水のような無色の尿が出るような状態を陰ともいう．

表5 陰と陽

陰	月	地	夜	暗	裏	静	右	女	子
陽	日	天	昼	明	表	動	左	男	親

一般

陰	下半身	腹	血	寒	虚
陽	上半身	背	気	熱	実

人体

I-4-4 虚・実（きょ・じつ）

漢方で患者の体質を分類する重要な概念である．虚・実が異なれば使う漢方薬もまったく異なるので，漢方治療の際には，まず患者の虚・実を正しく見極めることが重要である．虚証は身体の活動性や新陳代謝レベル，器官の活動性が平均以下の場合で，その逆が実証である．ただし，中間証の人も多い（表6）．

表6 虚証と実証

	実 証	虚 証
行動	活発，積極的	大人しい，消極的
外観	筋肉質，たくましい	痩せている，水太りタイプ
顔	赤ら顔，肌につやがある	青白い，肌につやがない
目	いきいきしている	元気がない
声	大きい	小さい
疲労	すぐに回復する	回復が遅い
腹	弾力がある	弾力がなく柔らかい
脈	力強い	力がなく弱い
胃腸	便秘がちである	すぐ下痢をする
下剤	あまり効かない	よく効く

I-4-5 寒・熱（かん・ねつ）

寒・熱は体温の陰・陽であるが，実際の体温より患者の感じの方を重視する．体温計で熱があっても，患者が寒いと訴えれば寒証である．逆に平熱であっても，患者が熱感を訴えれば熱証である．客観的には尿の色（色の濃い尿：熱証，薄い尿：寒証），舌の色（赤っぽい：熱証，白っぽい：寒証）なども寒・熱の判断の指標となる．

I-4-6 表・半表半裏・裏

身体の最も浅い部位（皮膚や皮下組織層の組織群，四肢，頭部，肩背部，身体の末梢部など）を表，身体の最も深い部位（腸管とそこに隣接する臓器類，骨髄など）を裏，その中間（横隔膜とそれに隣接する臓器，胃，脾，肝，胆，肋膜，心，食道，気管支など）を半表半裏という．表証としては，悪寒，悪風，発熱，頭痛，のぼせ，手足の冷え，身体痛（項痛，腰背痛，四肢関節痛），耳鼻咽喉の諸症状などが，裏証としては，腹痛，嘔吐，腹部膨満感，下痢，便秘，小便が多いまたは少ない，血尿などがあげられる．半表半裏証としては，往来寒熱（1日のうちに，熱のある状態と寒さを感じる状態を繰り返すこと），胸脇苦満（上腹部，脇腹が張って苦しい状態），口苦（口内が苦く感じること），咽乾（咽喉粘膜の乾燥）などがある．病邪は表より進入し，半表半裏を経由して裏に達する．さらに進むと裏と同時に表や半表半裏にも病気の証があらわれる．裏と半表半裏が病邪に冒された状態は極めて重篤で，ここで治らなければ死の転帰をとる．

I-4-7 三陰三陽（六病位）

急性熱性病の病気の進行具合，病邪と体の抵抗力の関係，病気の位置を表したものである．病邪の強さに比べて体力の勝っている時期を陽病期，病邪の強さが勝り，体力が消耗し病邪と積極的に闘えなくなった時期を陰病期という．一般に実証タイプほど陽が強く，虚証タイプは陰の傾向にある．傷寒論では病気の進行によって陽病期を太陽病，少陽病，陽明病の3期に，陰病期を太陰病，少陰病，厥陰病の3期に分け，それぞれの病期にあらわれる証と与えるべき漢方薬が書かれている（図2）．

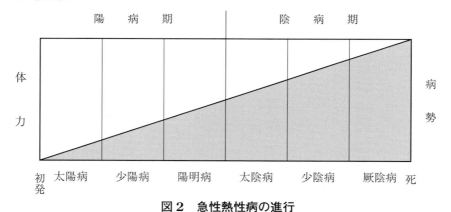

図2　急性熱性病の進行

太陽病

病気になった初期で，まだ体力が十分にある時期である．病邪は表の位置にある．傷寒論に「太陽之為病脈浮頭項強痛而悪寒」とあるように，脈は浮で頭痛，悪寒，発熱，項の強ばりがあり，関節痛，筋肉痛を伴う．

実証の人は汗をかかず，虚証の人は自汗（じわっと汗をかく）がある．治療には桂枝湯，葛根

湯，麻黄湯，小青竜湯などを使う．

少陽病

太陽病期に病気が治らず，病邪が半表半裏に侵入した時期である．脈は弦，緊の傾向となり，で胸脇苦満などの特徴的な腹証が認められるようになる．往来寒熱，白苔（舌の表面に白い苔のようなものが生じること．p.16 参照）を呈し，口中不快感，口苦を訴える．柴胡剤，瀉心湯類を用いる．

陽明病

病邪が裏に達した時期で，脈は沈，緊，食欲は減退し，舌苔は白苔から黄苔に変わる．持続性のある高熱が出て発汗し，うわごとをいうこともある．便秘や腹満感などの消化器症状が顕著となる．大黄剤を用いる．

太陰病

病位は陽明病と同じ裏であるが，病気と闘う体力が減少し，発熱はしない．下痢，腹痛，嘔吐などがみられる．建中湯類，人参湯，八味丸類を用いる．

少陰病

病位は裏と同時に表にある．脈は微，細，沈で，胸内苦悶し，強い倦怠感を覚え，臥床を好む．水様下痢，四肢厥冷（手足がひどく冷えること），意識朦朧などがあらわれる．附子剤を用いる．

厥陰病

病位は裏と半表半裏にある．全身が衰弱して体力がほとんどなく，ここで回復に向かわなければ死を迎える．消化能力がなく完穀下痢（食べたものが消化されず，そのままの形で排泄される下痢）が起こり，極度の四肢厥冷，極度の心臓衰弱，チアノーゼを呈する．ときに最後の力を振り絞るように発熱（虚熱），発汗がある．用いる漢方薬はあらわれる証によって不定である．

I-4-8　気・血・水

漢方は人体の持つ機能，たとえば血液，自律神経の働き，免疫機能，酵素，解毒機構，微生物の存在，酸素の働きなどがまったくわかっていない時代に完成された医学であるために，生体の働き，生命現象を気・血・水という独特の概念で説明している．すなわち，身体の中には気，血，水という3つのものがバランスをとって循環していて，どれかが増えたり減ったりあるいは停滞してバランスが崩れると病気になるという考えである．この3つは現代の空気，血液，水分と同等のようにも思われるが，もっと大きな意味を持つ実態のない概念である．

気

気は生命力や精神など目に見えないものを指す．気には生まれたときから持っている先天の気，飲食物から取り入れる水穀の気，呼吸によって取り入れる宗気（あとの2つを後天の気という）がある．また，体内を血とともにめぐる水穀の気を営気，血とは別にめぐる気を衛気という．気の異常には，気逆，気鬱，気虚の3種類がある．気の異常を治す漢方薬を気剤という．

気逆：気の上衝ともいう．気は体の中心部から末梢へ，上半身から下半身へめぐることが正常な循環であるが，これが逆に下から上（頭部）に逆流している状態である．冷えのぼせ，めまい，発作性の動悸，発作性の頭痛，発作性の腹痛，顔面紅潮，臍の上部の動悸（臍上悸），不眠などの所見がみられる．気逆を改善する生薬を降気薬（理気薬（行気薬）に含める場合もある）といい，黄連，桂皮，牡蛎，竜骨などは代表的な降気薬である．漢方薬としては桂枝加竜骨牡蛎湯や柴胡加竜骨牡蛎湯などのほか，胃の水滞が原因で気逆（気の上衝）が起こった場合には，苓桂朮甘湯が用いられる．

気鬱：気滞ともいい，気が循環障害を起こし，滞っている状態である．頭重感，不安感，憂うつ感，いらいら感，腹部膨満感，残尿感，喉の異物感（咽喉部閉塞感，咽中炙臠）などの所見がみられる．気鬱を改善する生薬を理気薬（行気薬）といい，枳実，香附子，厚朴，柴胡，蘇葉，陳皮，半夏などは代表的な理気薬である．漢方薬としては，胃腸の調子を整え，気のめぐりを改善する香蘇散，喉の異物感を伴う精神不安に有効な半夏厚朴湯などが用いられる．

気虚：気が不足した状態である．疲労倦怠感，無気力，抑うつ感，食欲不振，寝汗，情緒不安定などの所見がみられる．不足した気を補う生薬を補気薬といい，黄耆，膠飴，大棗，人参などは代表的な補気薬である．漢方薬としては，胃腸の調子を整え，疲労倦怠感を改善する補中益気湯や胃腸虚弱と冷え症を改善する人参湯などが用いられる．

血

身体の中にある液体のうち，赤い色をしたものが血である．西洋医学の血液とほぼ同等であるが，概念の範囲は広い．水とともに後天の気が変化してできたものとされている．血の異常には，血虚と瘀血の2種類がある．血の異常を治す漢方薬を血剤という．

血虚：血が不足した状態である．集中力の低下，眼精疲労，めまい，不眠，月経不順（過少），こむらがえり，手足のしびれ，知覚異常，頭髪が抜けやすい，爪が割れやすい，血色不良，皮膚の乾燥などの所見がみられる．不足した血を補う生薬を補血薬といい，芍薬，地黄，当帰などは代表的な補血薬である．漢方薬としては，四物湯や十全大補湯などが用いられる．

瘀血：血が滞った状態で，また血管外で固まった血（内出血など）も瘀血の病態に含める．頭重，肩こり，精神不安，月経不順，月経痛，皮膚の荒れ，出血しやすい，顔色や舌の色，唇の色，歯茎の色などが赤黒い，眼の下のくま，クモ状血管腫（毛細血管がクモの巣のように浮き出た状態），静脈瘤，下腹部のしこり（小腹急結，小腹硬満）などの所見がみられる．瘀血を改善する生薬を駆瘀血薬といい，紅花，桃仁，牡丹皮などは代表的な駆瘀血薬である．漢方薬としては，桂枝茯苓丸や桃核承気湯などが用いられる．

水

身体のなかにある液体のうち，無色のものを水という．このうち，粘るものを痰，さらさらしたものを飲といい，両者をあわせて痰飲ということがある．主な水の異常は水滞（水毒）である．水の異常を治す漢方処方を水剤という．

水滞：水は体の一部に偏って停滞した状態である．身体沈重感，頭痛（拍動性），頭重，めまい，肩こり，汗や唾液，鼻水などの分泌異常，冷え症，悪心，嘔吐，下痢，頻尿，むくみ，こわばり感，胃内振水音（胃部を軽くたたくと，水が入っている音がすること）などの所見がみられる．水滞を改善する生薬を駆水薬または利水薬といい，蒼朮，沢瀉，猪苓，白朮，茯苓などは代表的な駆水薬である．漢方薬としては，五苓散がよく用いられる．

I-4-9 五行説

五臓六腑

胸と腹のなかで様々な機能を営む場所を分類したもので，食べ物から栄養を取り出し，エネルギーに変える働きをする場所を六腑，それ以外の重要な働きをする場所を五臓という．

五臓は肝，心，脾，肺，腎である．六腑は胆，小腸，胃，大腸，膀胱の五臓に三焦を加えたもので，三焦は胸と腹全体で，横隔膜より上を上焦，横隔膜から臍までを中焦，それ以下を下焦という．

これらの臓腑の名称は西洋医学の内臓の名称と同じであるが，西洋医学が漢方で使用している名称を流用して内臓の各器官にあてはめたもので，関係はない．たとえば肝は情緒の安定に関係し，腎は尿をつくるほか，生命力や気力を生み出すところと考えられており，漢方でいう臓腑の働きは精神活動まで含めた非常に幅広いもので，働きはあっても解剖学的な実体はない．各臓腑の働きや相互関係などについては次の五行説を参照されたい．

五行説

中国の思想で，宇宙も身体も全て陰・陽とともに5つの概念（五行）が相互に関係しあって成立しているという説（陰陽五行説）である．日本の漢方（古方）で五行説の概念を用いることは少ないが，中医学や針灸術では重視する．

五行は木・火・土・金・水で代表される．五行は古くは土を中心にして四方（東南西北）に木・火・金・水を配したものであったが，その後，互いに対等な五角形の関係になり，相互に作用しあうと考えられるようになった（図3）．図の濃い線は相生関係といい，矢印の先のものを増やしたり強めたりする作用があり，淡い線は相剋関係といい，矢印の先のものを減じたり弱めたりする作用がある．

この関係は次のように説明される．

相生関係

木は燃やすと火を生じ，火は灰（土）を生じる．土（鉱石）から金属が採れ，冷たい金属の表面には水滴が付く．水によって木は生長する．

相剋関係

木は土を割って生え，土を積めば水流を変えることができる．水は火を消し，火は金属を融かし，金属でできた鉈で木を切り倒すことができる．

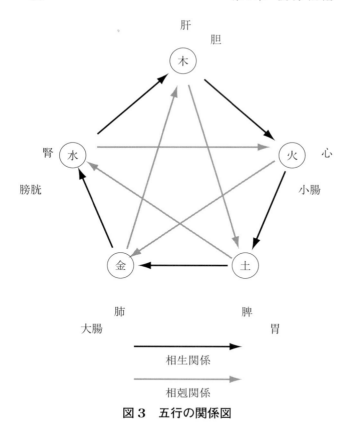

表7 五行の配当表

五行	木	火	土	金	水
自　　　　然					
五方	東	南	中央	西	北
五季	春	夏	長夏	秋	冬
五気	風	暑	湿	燥	寒
五能	生	長	化	収	蔵
五色	青	赤	黄	白	黒
五味	酸	苦	甘	辛	鹹
五禁	辛	鹹	酸	苦	甘
五穀	麦	黍	稷	稲	豆
五果	李	杏	棗	桃	栗
人　　　　体					
五臓	肝	心	脾	肺	腎
五腑	胆	小腸	胃	大腸	膀胱
五官	目	舌	口	鼻	耳
五主	筋	血脈	肌肉	皮毛	骨
五液	涙	汗	涎	涕	唾
五華	爪	面色	唇	体毛	髪
五志	怒	喜	思	憂	恐

図3 五行の関係図

　五行説では人体を含む世界のすべてのものに上記の関係があって，互いに影響を及ぼしあっていると考えている．五行の相関図と五行配当表をみると，たとえば肝（木に属す）の悪い人は相生関係の上位にある腎を鍛え，相剋関係の上位にある肺の力を弱めればよいことがわかる．

I-5　漢方の診察法

　漢方の診察法には望診，聞診，問診，切診がある．

I-5-1　望　診

　患者の体格，姿勢，歩き方，血色，肌のつや，皮膚の状態，唇・歯茎の色，目の輝きなどを観察する．これで実証か虚証か，熱証か，瘀血があるかなど，かなりの情報が得られる．舌の状態は重要で，それに基づいた診断を舌診いう．中医学で特に重視する．たとえば，赤ければ熱証，乾燥した白苔*があれば少陽病，舌の辺縁に歯痕を認めれば水滞や気虚，紫や赤黒い舌なら瘀血であることを示している．

---

*舌の表面にみられる苔状のもの．舌の脱落細胞，食物残渣，細菌の付着などで形成され，病状により変化する．

I-5-2 聞　診

耳で聞いて診察することであるが，鼻で臭いを嗅ぐことも含まれる．声の力強さ，咳や呼吸音，胃を圧したときの振水音，呼気や便の臭いなどで診断する．たとえば，力強く大きい声を発する人は実証であり，逆にか細く小さい声を発する人は虚証と判断する．

I-5-3 問　診

西洋医学の問診と同じで，患者に質問して病気の状態を把握する．寒気や冷えがあるか，汗が出るか，喉が渇くか，めまいがするか，大便や小便の出方はどうかなどを質問し，証の判断材料とする．

I-5-4 切　診

西洋医学の触診と同じであるが，これも漢方の考えで進める．脈診，腹診が特に重要である．

1）脈　診

脈は患者の手と反対側の手で診る．手首の橈骨茎状突起の内側に中指を置き，示指が掌側にくるようにして示指，中指，薬指をそろえて診る．脈の種類は数十種類あり，これだけで病状のかなりのことがわかるといわれている．主な脈を以下に示す．

- 浮（ふ）　軽く触ってすぐ感じる脈で，病気が表にあることを示している．
- 沈（ちん）　圧して初めて感じられる脈で，病気が裏にあることを示している．
- 緩（かん）　ゆっくりした脈で，病気が表に近く軽いこと，病状が回復していることを示している．

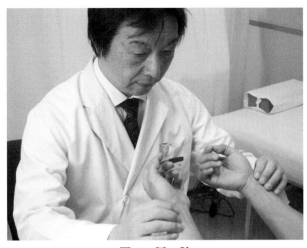

図4　脈　診

（写真提供　東海大学医学部　新井　信　博士）

緊　太くて力のある脈で，裏の実証，寒証で痛みがあることを示している．
数　早い脈で，体内に熱があることを示している．
遅　遅い脈で，体内に冷え（寒）があることを示している．
弦　弓の弦のように細くて力のある脈で，病気が半表半裏にあることを示している．
滑　滑らかな脈で実証，熱証であることを示している．
濇，渋　流れが滑らかではなく，滞るような感じの脈で，虚証で血虚，瘀血であること示している．
洪　幅の広い脈で，熱証であることを示している．

2）腹　診

日本で特に発達した診断法である．仰向けに寝て，足をのばした状態の患者の腹に触れ，圧して診察する．腹部の各部の名称とそこにあらわれる主な証を以下に示す．

胸脇　肋骨の下から脇腹あたりをいう．
　胸脇苦満　胸脇部を圧すと硬く抵抗があり，病人が苦痛を訴えるもの．上部消化器の炎症の体性反射と考えられ，柴胡剤を用いる目標となる．
心下　みぞおち，胸元のあたりをいう．
　心下痞　心下に自覚的につかえ感があるもの．
　心下痞硬（鞕）　心下痞があり，さらに他覚的な抵抗や圧痛がある状態で，瀉心湯類や人参湯などが適応となる．
　心下支飲　胃の部分を圧すと振水音がするもの．六君子湯などが適応となる．
臍上　臍より少し上の部分をいう．

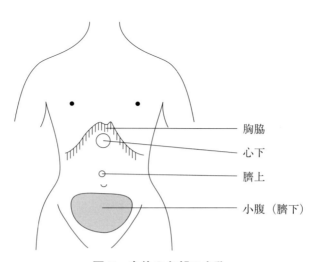

図5　身体の各部の名称

第1章　漢方概論

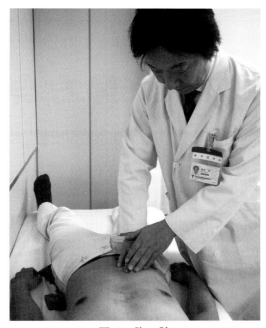

図6　腹　診
(写真提供　東海大学医学部　新井　信　博士)

- 臍上悸　腹部大動脈の動悸で，不安や緊張状態のとき，体力が落ちているときなどにあらわれる．桂枝加竜骨牡蛎湯，柴胡加竜骨牡蛎湯，柴胡桂枝乾姜湯などが適応となる．
- 小腹　少腹とも書く．下腹部，臍より下の腹部をいう．臍下も同じ．
- 小腹不仁　臍下不仁ともいい，臍より下に緊張感がなく，軽く触れても感覚を感じない状態をいう．腎の機能とともに生命力が衰えた状態（腎虚）であることを示しており，八味地黄丸や牛車腎気丸の適応証である．
- 小腹急結　左腸骨窩部に圧迫に過敏な抵抗があり，軽く触れただけでも痛みがある状態で，桃核承気湯の適応証である．
- 小腹満　下腹部が膨満している状態で，硬ければ小腹硬（鞕）満という．瘀血や水滞を示している．

その他
- 腹皮拘急（腹直筋の攣急）　腹部の皮膚や腹直筋が緊張した状態で，建中湯類，四逆散，芍薬甘草湯などが適応となる．
- 臍傍部圧痛　臍の下部に圧痛のある状態で，瘀血証であることを示している．桂枝茯苓丸などが適応となる．

II 生薬と漢方薬

　中国の伝承医学を日本に気候や風土，食生活，日本人の体質に合うように改良した伝統医学が漢方であり，漢方で用いる医薬品が漢方薬である．漢方薬は甘草湯などの一部の例外を除き，通常複数の生薬から構成されている．ここでは，漢方薬とそれに配合される生薬の総論を述べる．

II-1　生薬の品質と基原

　生薬は天然物であるがゆえに品質がばらつくという，医薬品としては非常に大きな問題をもっている．日本薬局方および日本薬局方外生薬規格では，生薬の規格を厳密に定めているので，漢方薬を調製する際にはこれらの規格に適合するものを用いるべきである．

II-1-1　日本薬局方における主要成分の含量規格

　日本薬局方では，重要な生薬の主要成分の含量規格を定めている．

　　延胡索：デヒドロコリダリン（硝化物として）0.08 % 以上
　　黄芩：バイカリン　10.0 % 以上
　　黄柏：ベルベリン（塩化物として）1.2 % 以上
　　黄連：ベルベリン（塩化物として）4.2 % 以上
　　葛根：プエラリン　2.0 % 以上
　　甘草：グリチルリチン酸　2.0 % 以上
　　厚朴：マグノロール　0.8 % 以上
　　柴胡：総サポニン（サイコサポニン a, d）0.35 % 以上
　　山梔子：ゲニポシド　2.7 % 以上
　　芍薬：ペオニフロリン　2.0 % 以上
　　蘇葉：ペリルアルデヒド　0.07 % 以上
　　大黄：センノシド A　0.25 % 以上
　　釣藤鈎：総アルカロイド（リンコフィリン，ヒルスチン）0.03 % 以上
　　陳皮：ヘスペリジン　4.0 % 以上
　　人参：ギンセノシド Rg_1　0.10 % 以上，ギンセノシド Rb_1　0.20 % 以上

牡丹皮（ボタンピ）：ペオノール　1.0％以上

麻黄：総アルカロイド（エフェドリン，プソイドエフェドリン）0.7％以上

II-1-2　生薬の新旧と品質

生薬は一般に新しいものがよいとされるが，特に新品がよいものと，逆に古いほうがよいとされるものもある．

新品がよい生薬：槐花（かいか），款冬花（かんとうか），菊花，赤小豆，蘇葉，沢蘭（たくらん），桃花（とうか），薄荷
古い方がよい生薬：枳実，呉茱萸，陳皮，半夏，麻黄，狼毒（ろうどく）（以上を六陳という），大黄

精油を主要成分として含む生薬は，新しいもののほうがよい場合が多い．以下に，日本薬局方において精油含量が定められている生薬を示す．

茴香：0.7 mL以上/50.0 g
桂皮：0.5 mL以上/50.0 g
香附子：0.3 mL以上/50.0 g
細辛：0.6 mL以上/30.0 g
山椒：1.0 mL以上/30.0 g
縮砂：0.6 mL以上/30.0 g
辛夷：0.5 mL以上/50.0 g
蒼朮：0.7 mL以上/50.0 g
丁子：1.6 mL以上/10.0 g
陳皮：0.2 mL以上/50.0 g
薄荷：0.4 mL以上/50.0 g
白朮：0.5 mL以上/50.0 g

II-1-3　日本と中国で基原植物の異なる生薬の例

以下のように，日本と中国で基原植物の異なる生薬がある．同じ薬効とみなして用いられる場合もあるが，日本薬局方の規格に従ったものを用いるべきである．

当帰　日本：トウキ *Angelica acutiloba* またはホッカイトウキ *A. acutiloba* var. *sugiyamae* の根
　　　中国：*Angelica sinensis* の根
川芎　日本：センキュウ *Cnidium officinale* の根茎
　　　中国：*Ligusticum chuanxiong* の根茎
山椒　日本：サンショウ *Zanthoxylum piperitum* の成熟した果皮

中国：中国では花椒と称し，*Zanthoxylum schinifolium* または *Z. bungeanum* の成熟した果皮を使用する．

陳皮 日本：ウンシュウミカン *Citrus unshiu* または *C. reticulata* の成熟した果皮
中国：*Citrus reticulata* またはその栽培品種の成熟した果皮

II-1-4 類似生薬名で別の基原植物が使用される例

　中国は国土が広く，また歴史が長いため，地域によってまったく異なった基原植物由来の生薬に対し，類似した生薬名が付いていることがある．漢方薬に用いる生薬のなかで，特に注意を要するものとして木通があげられる．木通はアケビ科アケビ *Akebia quinata* またはミツバアケビ *A. trifoliata* の茎を基原とする生薬であるが，中国で川木通，関木通と呼ばれているものはそれぞれ *Clematis armandii* または *C. montana*（キンポウゲ科）の茎，*Aristolochia manshuriensis*（ウマノスズクサ科）の茎を使用し，どちらも有毒植物である．特に，*Aristolochia manshuriensis* の茎は腎毒性や発がん性のあるアリストロキア酸を含んでいるので，絶対に使用してはならない．混同による事故を避ける目的で，木通は四国地方や長野県で産するアケビもしくはミツバアケビを使用し，中国からの輸入品は一般に市場には出回っていない．なお，中国ではアケビおよびミツバアケビとその変種の成熟果実を預知子と称し，薬用としている．

	R
アリストロキア酸 I	OCH₃
アリストロキア酸 II	H

II-2 生薬の調製法

　生薬とは植物などの天然物をそのまま，もしくは乾燥させるなど簡単な加工を施したものである．乾燥させることにより腐敗を防ぐことができ，さらに貯蔵や輸送も容易になる．乾燥以外にも生薬の調製過程で様々な加工が行われる場合がある．この加工を修治という．一般的には，湯通しや蒸すことによる虫害の防止や乾燥の促進（当帰，百合など），不要な部分をとることによる薬効の増加（麻黄：根節をとる，桂皮：コルク層を除く）などを目的に修治が行われるが，薬効の変化や毒性の軽減などを目的とする場合もある．

II-2-1　生姜と乾姜

生のヒネショウガをそのまま乾燥させたものが生姜で，蒸した後乾燥させたものが乾姜である．生姜は温性薬であるが，乾姜はさらに温性が強くなり（熱性薬），裏の冷えが強いようなときに用いる．

II-2-2　乾地黄と熟地黄

地黄には，根を乾燥させた乾地黄と酒などと蒸した熟地黄がある．乾地黄は甘・寒性で清熱作用や止血作用が強く，一方熟地黄は甘・微温性で補血作用が強い．甘味は熟地黄のほうが強い．本来，乾地黄と熟地黄は区別して使用するべきであるが，日本薬局方や漢方エキス剤では特に区別していない．

II-2-3　修治（加工）ブシ

ブシは冷えが強く，新陳代謝が減衰した状態には極めて効果的で有効な生薬であるが，猛毒で致死性のアルカロイドであるアコニチンを含むため，昔から様々な修治（加工）が施されてきた．日本薬局方では以下の3種の加工法が記載されており，またそれぞれの加工法で製した加工ブシの総アルカロイド量（ベンゾイルアコニンとして）が規定されている．アコニチンの8位のアセチル基が加水分解され，水酸基になることにより毒性は大きく減少する．

- 高圧蒸気処理により加工する．総アルカロイド0.7～1.5％
- 食塩，岩塩または塩化カルシウムの水溶液に浸せきした後，加熱または高圧蒸気処理により加工する．総アルカロイド0.1～0.6％
- 食塩の水溶液に浸せきした後，水酸化カルシウムを塗布することにより加工する．総アルカロイド0.5～0.9％

アコニチン　　　　　　　　　　　ベンゾイルアコニン

II-3　生薬の薬性と相互の働き

　東洋医学や漢方の根本の思想には，陰・陽の二元論が流れている．生薬についても，体を温めるもの（温）・冷やすもの（寒），余分な水分を排泄するもの（燥）・排泄を抑制するもの（潤）など，いくつかの観点から生薬の薬効が2つに分類されている．また，ある特定の2種類の生薬を組み合わせると相互作用によりお互いの薬効が強くなったり，一方の生薬が他方の生薬の副作用を防止したりする．

II-3-1　五気の薬性分類

　体を温める作用と冷やす作用という観点から，生薬を「寒」「熱」「温」「涼」の4つと，寒熱のどちらにも属さない「平」に分類したものを五気の薬性分類という．熱証を治す場合には寒（涼）性薬を，寒証を治す場合には熱（温）性薬を用いる．

表1　五気の薬性分類

五気	生　薬
熱	乾姜　呉茱萸　山椒　ブシ　良姜
温	黄耆　杏仁　桂皮　生姜　川芎　蒼朮　当帰　人参　麻黄
寒	黄芩　黄柏　黄連　枳実　柴胡　石膏　大黄　芒硝
涼	菊花　粳米　芍薬　小麦　薄荷　牡丹皮　薏苡仁　竜骨
平	葛根　甘草　桔梗　猪苓　天麻　桃仁　茯苓　牡蛎

II-3-2　その他の薬性分類

1）補性薬と瀉性薬

　補性薬とは体を補って強化する生薬で，瀉性薬は体内に蓄積している余分なものを体外に駆逐する生薬である．

補性薬：黄耆，膠飴，粳米，五味子，川芎，蒼朮，大棗，地黄，当帰，人参
瀉性薬：黄芩，黄柏，黄連，杏仁，柴胡，石膏，大黄，桃仁，芒硝，防風

2）燥性薬と潤性薬

　燥性薬とは体内の余分な水分を排泄する生薬で，潤性薬は体内の水分を保留し，体を潤す生薬である．

燥性薬：杏仁，蒼朮，沢瀉，猪苓，半夏，白朮，茯苓，木通

潤性薬：甘草，粳米，石膏，大棗，地黄，天門冬，麦門冬，麻子仁

3）升性薬と降性薬

升性薬とは興奮，発汗，止瀉，下部出血の止血など，作用が上に向いて働く生薬で，降性薬は鎮静，止汗，鎮吐，鎮咳，瀉下，利尿，のぼせを下げるなど，作用が下に向いて働く生薬である．

升性薬：乾姜，柴胡，生姜，升麻，人参，ブシ，防風
降性薬：黄芩，黄連，厚朴，蒼朮，大黄，沢瀉，半夏，茯苓，芒硝，牡蛎

4）散性薬と収性薬

散性薬とは発散，発汗など，作用が外に向かって働く生薬で，収性薬は収れん，止汗など，作用が内に向かって働く生薬である．

散性薬：菊花，荊芥，桂皮，厚朴，蘇葉，薄荷，防風，麻黄，木香，連翹
収性薬：阿膠，五味子，山茱萸，酸棗仁，地黄，人参，牡蛎，竜骨

II-3-3 五味の薬能分類

生薬はそれぞれ独特の味を有しており，その味によって五味「酸」「苦」「甘」「辛」「鹹」に分類する．これを生薬の薬味といい，薬効とも関連している．

1）酸味の薬能

酸味は散らばったものを収める働き，すなわち収れん，止瀉，止血，止汗作用がある．肝，胆，目，筋の機能を補う．
五味子，酸棗仁，山茱萸など

2）苦味の薬能

苦味は軟らかいものを引き締め，熱を冷まし，湿を乾かす作用がある．心，小腸の機能を補う．
黄芩，黄柏，黄連，枳実，柴胡，蒼朮，大黄，釣藤鉤，麻黄，山梔子など

3）甘味の薬能

甘味は激しいものを緩め（緩和），体力や気力を補う作用がある．脾，胃の機能を補う．
黄耆，葛根，甘草，杏仁，膠飴，大棗，地黄，人参，麦門冬，薏苡仁など

4）辛味の薬能

辛味は気や血の滞りを散らし，発散させる働きがある．肺，大腸，鼻，皮膚の機能を補う．
乾姜，桂皮，山椒，生姜，蘇葉，陳皮，薄荷，ブシ，防風，牡丹皮など

5）鹹味の薬能

鹹味（塩味）は水分の調節をして，乾きを潤し，硬いものを軟らかくする働きがある．腎，膀胱，耳，骨髄の機能を補う．
牡蛎など

II-3-4　生薬の相互作用

神農本草経では生薬を2種類（二味）組み合わせると，相互作用によりお互いの薬効が強くなったり，一方の生薬が他方の生薬の副作用を防止したりするとしている．相互作用は以下の7種で，これを生薬の七情という．書物や時代によって内容が異なる場合も多い．

1）単行

1種の生薬のみで最高の効果を示すもの．
　例：独参湯，甘草湯

2）相須

2種類の生薬が協力して効果を高めたり，新しい効果を発揮すること．
　例：石膏と知母：熱を冷ます作用が増強される．
　　　芍薬と甘草：鎮痙，鎮痛作用が増強される．
　　　当帰と川芎：血行を改善し，体を温める作用が増強される．

3）相使

片方の生薬の作用をもう一方の生薬が高めること．
　例：黄芩が大黄の瀉下，抗炎症作用を高める．
　　　桂皮は麻黄の発汗作用を高める．

4）相畏

片方の生薬の作用や副作用をもう一方の生薬が減じること．
　例：生姜は半夏の副作用を防止する．

5）相殺

2種類の生薬がお互いの毒性を減じること．

例：防風とブシ

なお，中医学では相畏と相殺を裏表の関係としている．すなわち相畏は相手から抑制される配合であり，抑制を受ける側からの配合関係で，相殺は相手を抑制する側からの配合関係と考える．たとえば，生姜は半夏の副作用を防止する（抑制する）ので生姜は半夏を相殺し，一方半夏は生姜により副作用が防止される（抑制される）ので，半夏は生姜を相畏する．

6）相悪

2種類の生薬がお互いの作用を弱めること．もしくは，片方の生薬がもう一方の生薬の作用を減じること．

　　例：黄連と川芎
　　　　黄連と生姜

7）相反

有害な副作用があらわれる，配合禁忌の組み合わせのこと．

　　例：烏頭と半夏
　　　　烏頭と貝母

II-4　漢方薬と民間薬

漢方薬と民間薬はどちらも天然の動植鉱物を用いるが，表2のような根本的な相違がある．

表2　漢方薬と民間薬の相違

漢方薬	民間薬
漢方医学という体系化された医学のなかで使用される．	昔からの人々の知恵と経験を基に使用される．
葛根湯や小柴胡湯など，正式な薬方名がある．	ドクダミ茶やセンブリ茶のように，慣用的な名前で呼ばれる．
使用にあたっては，専門的な知識と臨床経験が必要である．	経験的に使われるため，専門的な知識は必要ない．
一般に2種類以上の生薬を混合して用いる．使用する生薬の量は厳密に決まっている．	使用する生薬や薬用植物は1種類である．使用量は経験に基づく目安である．
原因療法的である．	対症療法的である．

II-5　漢方薬の名称

漢方薬には正式な薬方名があるが，その由来はいくつかに分類できる．

1) 中心となる生薬名を示したものの例

1 生薬：葛根湯，呉茱萸湯，猪苓湯，人参湯，麦門冬湯，茯苓飲，麻黄湯

2 生薬：桂枝茯苓丸，柴胡桂枝湯，当帰芍薬散，半夏厚朴湯，防已黄耆湯
香蘇散（香附子と蘇葉の各 1 文字），参蘇飲（人参と蘇葉の各 1 文字），二朮湯（蒼朮と白朮の 2 種の朮），二陳湯（陳皮と半夏，両者ともに古いほうがよい生薬）

3 生薬：柴胡桂枝乾姜湯，半夏白朮天麻湯

4 生薬：芎帰膠艾湯（川芎，当帰，阿膠，艾葉の各 1 文字）

2) 配合されているすべての生薬名を入れたものの例

2 種類：大黄甘草湯，芍薬甘草湯

3 種類：麻黄附子細辛湯，甘麦大棗湯（甘草，小麦，大棗）

4 種類：苓桂朮甘湯（茯苓，桂皮，蒼朮または白朮，甘草の各 1 文字），麻杏甘石湯（麻黄，杏仁，甘草，石膏の各 1 文字）

多種類：苓甘姜味辛夏仁湯（茯苓，甘草，生姜，五味子，細辛，半夏，杏仁の各 1 文字）

3) 生薬数を入れたものの例

三物黄芩湯，四物湯，四君子湯*，五虎湯，五苓散，六君子湯*，六味丸，八味地黄丸

4) 薬効を意味しているものの例

安中散：中（腹部）を安らかにし，消化機能をよくする．

温清飲：（上半身の）熱を冷まし，（下半身の）冷えを温める．

小建中湯：中（腹部）を穏やかに健康（丈夫）にする．

潤腸湯：腸を潤し，便通をよくする．

大建中湯：中（腹部）を強力に健康（丈夫）にする．

補中益気湯：中（腹部）を補い，気を益す（不足している気を増やす）．

抑肝散：（感情や自律神経をつかさどる）肝の興奮を抑える．

5) 数字が改善するものの数を示しているもの

五積散：体内にうっ積した 5 つの病毒［気・血・痰（水）・寒・食（胃腸障害）］を治す．

五淋散：5 種類の淋証（石淋：尿路結石，気淋：神経性瀕尿，膏淋：クリーム状の濁った尿，

---

*四君子湯は原典では，人参，茯苓，蒼朮または白朮，甘草の 4 種の生薬から構成されている．これらの生薬は作用が穏やかであることから，君子にたとえている．現在はこれに生姜，大棗を加えているので 6 種となっている．六君子湯も名称のとおり，原典では，人参，茯苓，蒼朮または白朮，甘草，陳皮，半夏の 6 種の生薬から構成されている．

労淋：疲労からくる慢性尿路疾患，熱淋：炎症性の尿路疾患）を治す．

6) 生薬数と薬効からなるものの例

三黄瀉心湯：3種の生薬（黄連，黄芩，大黄）で心窩部のつかえ感をとる．
七物降下湯：7種の生薬で血圧を降下させる．
十全大補湯：10種の生薬で体を強く補う．
十味敗毒湯：10種の生薬で毒を（皮膚から）敗退させる．

7) 中心となる生薬名と薬効からなるものの例

清上防風湯：防風が中心で，頭や顔の湿疹などの原因となる熱を冷ます．
桃核承気湯：桃仁が中心で，停留した気を下に送り出す（瀉下の形容）．
当帰建中湯：当帰が中心で，中（腹部）を穏やかに健康（丈夫）にする．
人参養栄湯：人参が中心で，体を養い，栄養をつける．
半夏瀉心湯：半夏が中心で，心窩部のつかえ感をとる．

8) 基本となる処方に生薬をいくつか加えたものの例

葛根湯加川芎辛夷：葛根湯 ＋ 川芎 ＋ 辛夷
桂枝加朮附湯：桂枝湯 ＋ 蒼朮または白朮 ＋ ブシ
桂枝加竜骨牡蛎湯：桂枝湯 ＋ 竜骨 ＋ 牡蛎
小柴胡湯加桔梗石膏：小柴胡湯 ＋ 桔梗 ＋ 石膏
白虎加人参湯：白虎湯 ＋ 人参
抑肝散加陳皮半夏：抑肝散 ＋ 陳皮 ＋ 半夏

9) 2つの漢方薬を合わせたものの例

胃苓湯：平胃散 ＋ 五苓散
柴陥湯：小柴胡湯 ＋ 小陥胸湯
柴朴湯：小柴胡湯 ＋ 半夏厚朴湯
柴苓湯：小柴胡湯 ＋ 五苓散

10) 四神に関連したものの例

小青竜湯，大青竜湯：東方の守護神である青竜に由来する．
白虎湯，白虎加人参湯：西方の守護神である白虎に由来する．
真武湯：別名を玄武湯という．玄武とは北方の守護神である黒い亀である．

II-6　漢方薬の配合原則

漢方処方に配合されている生薬は，君・臣・佐・使の関係があるとされる．君薬は治療の中心となる生薬，臣薬は君薬の作用を補強して強める生薬，佐薬は君薬・臣薬の効果を調節し，副作用を防止する生薬，または君薬・臣薬を助けて随伴症状や合併症を治療する生薬，使薬は各生薬を調和させ，服用しやすくする生薬である．このように解釈できる処方もあるが，はっきりしないものも多い．麻黄湯では，君薬は麻黄（発汗，解熱，鎮痛，鎮咳），臣薬は桂皮（麻黄の各作用を強化する），佐薬は杏仁（咳や痰などの随伴症状を改善する），使薬は甘草（各生薬の作用を調和させる）と考えることができる．

II-7　漢方薬の剤形と調製法

II-7-1　漢方薬の剤形

漢方薬の剤形として，湯剤，散剤，丸剤，膏剤，エキス剤がある．

- **湯剤**：土瓶などに生薬と水を入れて加熱し，生薬の成分を抽出したもので，いわゆる煎じ薬のことである．吸収がよく，効果が早くあらわれる．味や臭いにより，服用しにくいものもある．生薬の量の加減が自由にでき，また2類の漢方薬を合方する際，両処方に配合されている生薬の増加を防ぐことができる．
- **散剤**：生薬を粉末にし（粉末生薬），混合したもの．吸収のされやすさと効果があらわれるまでの時間は，湯剤と丸剤の中間程度である．湯剤よりも保存しやすい．
- **丸剤**：粉末生薬にハチミツなどを加えて丸く固めたもの．長期保存ができ，作用は穏やかで持続的といわれている．
- **膏剤**：生薬をゴマ油などで抽出し，ミツロウやワセリンなどを加えて半固形にしたもの．患部に塗布することを目的とする．現在，医療用として保険適用になっているものは紫雲膏のみである．
- **エキス剤**：湯剤はもとより，散剤や丸剤として調製されるものについても湯剤のように抽出後，水分を蒸発させて乾燥エキスとし，デンプンや乳糖のような賦形剤を加えて，錠剤，顆粒剤，カプセル剤に加工したもの．一般に漢方エキス剤と呼ばれている．

II-7-2　湯剤の調製法

一般に1日分の漢方薬を土瓶などの上が解放された容器に入れ，500〜600 mLの水を加えて30〜60分かけて半量に煮つめる．これを原則1日3回に分けて服用する．鉄製の土瓶は，生薬

成分と鉄が反応する可能性があるので用いない．また，夏場は短時間でも煎液が腐敗する場合があるので，2回目，3回目の分は冷蔵庫に保存し，服用するときに軽く温めて服用するとよい．黄連解毒湯や白虎加人参湯のように熱を冷ます処方は，冷たいままで服用するほうがよい．

　古典には次にように生薬の煎じ方が詳しく述べられているが，日本では重視していない．

　　・まず先に煎じるもの：茵陳蒿，葛根，枳実，粳米，酸棗仁，麻黄など
　　・煎じがらを除いてから加えるもの：阿膠，膠飴，芒硝など
　　・清酒を加えて煎じるもの：芎帰膠艾湯，当帰四逆加呉茱萸生姜湯など

　なお従来より大黄に含まれているセンノシドAは熱により分解しやすいことから，瀉下作用を目的として大黄を用いる場合は大黄を後から短時間煎じる（後煎）ほうがよいといわれてきた．しかし岡村らの研究により，大黄は通常の調製法であまり問題ないと考えられる[13]．

II-7-3　漢方エキス剤

　湯剤の難点は，毎日約1時間かけて煎じなければならないこと，処方によっては特異な臭いや味により服用が困難なことである．火力を調節して半自動的に煎じる装置も販売されているが，この操作も忙しい現代人には向いていない．そこで製薬会社の工場で煎じ液を濃縮エキスとし，賦形剤を加えて，錠剤，顆粒剤，カプセル剤に加工した漢方エキス剤が市販されるようになった．これは極めて便利で，今日の漢方薬の普及に大いに貢献している．たとえば，外出先での服用や葛根湯，芍薬甘草湯のようにすぐに服用したい場合に好都合である．以下に，漢方エキス剤の利点と欠点をまとめて示す．

　利点：煎じる手間が不要である．
　　　　保存や携帯に便利である．
　　　　比較的服用しやすい．
　　　　品質が安定している．
　欠点：製造過程で精油（揮発性）成分がかなり減少している．
　　　　大黄の量を減らすなど，配合量の調節ができない．
　　　　2剤を併用する場合，重複生薬の調節ができない．

II-8　漢方エキス剤の日本薬局方収載

II-8-1　収載品目

　2003年に漢方処方の局方収載原案作成に関するワーキンググループが組織され，漢方エキス剤を第十五改正日本薬局方から収載する作業が開始された．第十八改正日本薬局方には37品目の漢方エキス剤が収載されている（表3）．

表3 日本薬局方収載の漢方エキス剤

第十五改正日本薬局方	葛根湯エキス　加味逍遙散エキス　桂枝茯苓丸エキス 牛車腎気丸エキス　柴苓湯エキス　真武湯エキス 大黄甘草湯エキス　八味地黄丸エキス　半夏厚朴湯エキス 補中益気湯エキス　苓桂朮甘湯エキス
第十六改正日本薬局方	黄連解毒湯エキス　乙字湯エキス　葛根湯加川芎辛夷エキス 柴胡桂枝湯エキス　柴朴湯エキス　芍薬甘草湯エキス 十全大補湯エキス　小柴胡湯エキス　小青竜湯エキス 無コウイ大建中湯エキス　大柴胡湯エキス　釣藤散エキス 当帰芍薬散エキス　麦門冬湯エキス　半夏瀉心湯エキス 麻黄湯エキス　六君子湯エキス
第十七改正日本薬局方	加味帰脾湯エキス　呉茱萸湯エキス　五苓散エキス　桃核承気湯エキス 防已黄耆湯エキス　防風通聖散エキス　抑肝散エキス
第十八改正日本薬局方	温清飲エキス　白虎加人参湯エキス

II-8-2　日本薬局方における漢方エキス剤の規格

日本薬局方において漢方エキス剤の各条は，1日量当たりの指標成分の定量値，製法，性状，構成生薬の確認試験，純度試験（重金属，ヒ素），乾燥減量，灰分，指標成分の定量法，貯法で構成されている．なお，定量法は原則3成分を指標成分とする．小柴胡湯エキスの記載の概略を示す．

小柴胡湯エキス　Shosaikoto Extract

本品は定量するとき，製法の項に規定した分量で製したエキス当たり，サイコサポニン b_2 2〜8 mg，バイカリン（$C_{21}H_{18}O_{11}$：446.36）80〜240 mg およびグリチルリチン酸（$C_{42}H_{62}O_{16}$：822.93）17〜51 mg を含む．

製法　1）または2）の処方に従い生薬をとり，エキス剤の製法により乾燥エキスまたは軟エキスとする．処方1）サイコ7 g，ハンゲ5 g，ショウキョウ1 g，オウゴン3 g，タイソウ3 g，ニンジン3 g，カンゾウ2 g．処方2）サイコ6 g，ハンゲ5 g，ショウキョウ1 g，オウゴン3 g，タイソウ3 g，ニンジン3 g，カンゾウ2 g．

性状　本品は淡褐色〜黒灰褐色の粉末または軟エキスで，わずかに臭いがあり，味は初めやや甘く，後にやや辛く，苦い．

確認試験　薄層クロマトグラフィー（TLC）法により，以下の生薬成分を標準品と比較する．(1)サイコ：サイコサポニン b_2，(2)ショウキョウ：6-ギンゲロール，(3)オウゴン：オウゴニン，(4)ニンジン：ギンセノシド Rb_1，(5)カンゾウ：リクイリチン．

純度試験　(1)重金属：乾燥エキス 1.0 g に対して30 ppm以下．(2)ヒ素：乾燥エキス 0.67 g に

対して 3 ppm 以下.

乾燥減量 乾燥エキス：10.0 % 以下（1 g, 105 ℃, 5 時間），軟エキス 66.7 % 以下（1 g, 105 ℃, 5 時間）.

定量法 高速液体クロマトグラフィー（HPLC）法により，サイコのサイコサポニン b_2, オウゴンのバイカリン，カンゾウのグリチルリチン酸を定量する．それぞれの定量において，試験条件，システム適合性（システムの性能，システム再現性）が記載されている．

貯法 気密容器

II-9　漢方薬の副作用と瞑眩

医薬品である以上，漢方薬でも副作用は発症する．胃腸障害（食欲不振，悪心，嘔吐，下痢など）や過敏症（発疹，発赤，瘙痒など）のような比較的軽症なものから，肝機能障害，偽アルドステロン症，うっ血性心不全，間質性肺炎といった重篤なものまで発症する場合がある．証が合っていれば副作用は発症しないという漢方の考え方もあるが，基本的には各生薬や生薬成分に着目し，さらに臨床報告に基づき，副作用が発症する可能性について常に注意を払っておく必要がある．詳細は第 2 章で述べる．

一方，漢方の治療過程で，服用後症状が一過性に悪化した後，快方に向かうことがある．この症状の悪化を副作用と区別して瞑眩（めんげん）という．吉益東洞は「瞑眩せざれば病癒えず」といっているが，不明な点も多いので服用後症状が悪化したり，副作用と思われるものが発症した場合は安易に瞑眩と判断せず，医師や薬剤師に相談するべきである．

参 考 文 献

1) 西山秀雄，漢方医学の基礎と診療，創元社（1969）
2) 藤平　健，小倉重成，漢方概論，創元社（1979）
3) 桑木崇秀，健保適用エキス剤による漢方診療ハンドブック，創元社（1985）
4) 花輪壽彦，漢方診療のレッスン，金原出版（1995）
5) 寺澤捷年，絵でみる和漢診療学，医学書院（1996）
6) 寺澤捷年，症例から学ぶ和漢診療学（第 2 版），医学書院（1998）
7) 小曽戸洋，漢方の歴史，大修館（1999）
8) 中村健介，漢方入門，丸善（2000）
9) 岡村信幸，病態からみた漢方薬物ガイドライン第 3 版，京都廣川書店（2016）
10) 野村靖幸（編集），漢方医療薬学の基礎，廣川書店（2010）
11) 第十八改正日本薬局方解説書，廣川書店（2021）
12) 袴塚高志，漢方処方エキスの日本薬局方収載と一般用漢方製剤承認基準の見直し，ファルマシア，**47**, 413-418（2011）
13) 岡村信幸ら，大黄の煎液調製時におけるセンノシド A 含量と瀉下活性，*J. Trad. Med.*, **19**, 114-118（2002）

第2章

繁用漢方処方の解説と使用上の注意

医療用漢方エキス剤

I-1 漢方薬の薬価収載

1967年に医療用として4品目の漢方薬，葛根湯，当帰芍薬散，五苓散，十味敗毒湯が薬価収載されて以後，患者ならびに医療関係者の強い要望により現在では148処方が薬価収載されている．薬価収載されるにあたっては，西洋薬と同様な臨床試験が行われたわけではなく，傷寒論や金匱要略をはじめとする古典の記載を解釈し，それを基に適応症が設定された．例として呉茱萸湯をあげる．

ツムラ呉茱萸湯エキス顆粒（医療用）の添付文書では，【効能又は効果】の項で，**手足の冷えやすい中程度以下の体力のものの次の諸症：習慣性片頭痛，習慣性頭痛，嘔吐，脚気，衝心**，と記載されている．これは，傷寒論における以下の記載に基づき承認されたものと考えられる．

　　少陰病　吐利　手足逆冷　煩躁欲死者　呉茱萸湯主之

　　乾嘔　吐涎沫　頭痛者　呉茱萸湯主之

少陰病であるから，体力よりも病邪のほうが勝っている，すなわち体力的にはあまり強くないことが推察される．吐は嘔吐，利は下痢（利と痢は異なるという解釈もあるが，ここではそこまで深く考察はしない），手足逆冷は手足が冷えあがること，煩躁欲死者は死んでしまうかのごとくひどくもだえ苦しむことを意味し，このような場合には呉茱萸湯が主治するというのが前半の記載の解釈である．後半は，嘔吐するが食物を吐くのではなく，涎（よだれ）や唾，胃液のようなものを吐き，頭痛する人は呉茱萸湯が主治すると解釈される．このような病状は片頭痛の特徴的な症状であり，この記載をもとに上記効能・効果が承認されたと考えられる．なお，実際には脚気，衝心に用いられることはなく，ほとんどが習慣性片頭痛，習慣性頭痛に使用されている．

片頭痛発作に対する医薬品として，セロトニン受容体作動薬（5-$HT_{1B/1D}$作動薬：イミグラン®, スマトリプタンコハク酸塩；ゾーミッグ®, ゾルミトリプタン；レルパックス®, エレトリプタン臭化水素酸塩など）が開発されているが，それらの化学構造と，呉茱萸の主要成分であるエボジアミン（インドール型アルカロイド）の化学構造の類似性に興味が持たれる．

エボジアミン　　　　　　　スマトリプタンコハク酸塩

I-2　漢方薬の再評価

　漢方薬は長い歴史を持ち，有効性を支持する多くの症例報告もあるが，近年，医療現場においてEBM（Evidence-Based Medicine＝根拠に基づく医療）が重視されてきていることから，漢方薬をできる限り新薬と同じ手法でその有効性と安全性を再評価することが強く求められるようになってきた．1990年に，漢方エキス製剤の臨床評価法に関する研究班が設置され，1991年には，小柴胡湯，小青竜湯，桂枝加芍薬湯，大黄甘草湯，白虎加人参湯，芍薬甘草湯，黄連解毒湯，六君子湯が厚生省（現在の厚生労働省）によって再評価品目に指定された．その後，小青竜湯のアレルギー性鼻炎・気管支炎に対する有効性[1]，大黄甘草湯の便秘症に対する有効性[2]が公表され，薬食審査発0407第1号（平成26年4月7日）医療用医薬品再評価結果において，安全性や有効性などの観点からこれら8品目の製造販売の承認を取り消すことはない旨の通知が出された．

　小青竜湯：通年性鼻アレルギーに対する二重盲検比較試験において，くしゃみ発作，鼻汁，鼻閉などの症状を改善し，最終全般改善率は以下の通りであった．

	改善率（％）		U検定
	中程度改善以上	軽度改善以上	
小青竜湯群	44.6（41/92）	83.7（77/92）	p＜0.0001
プラセボ群	18.1（17/94）	44.6（41/94）	

（再評価結果公表年月1996年3月）

　大黄甘草湯：便秘症と診断された患者を対象とした二重盲検比較試験において，以下の通りであった．

	有効率（％）
大黄甘草湯群	86.4（38/44）
プラセボ群	44.7（21/47）

（再評価結果公表年月1995年3月）

I-3　漢方エキス剤の服用上の注意

　漢方薬は本来，湯剤，散剤，丸剤など古典で示された剤形で服用するのが効果的と考えられる．しかしながら，現在，簡便性と服用のしやすさから医療現場では，一部の漢方を専門に取り扱っている薬局や病院を除き，もっぱらエキス剤が使用されている．第十八改正日本薬局方では，37種の漢方エキス剤が収載されている．漢方エキス剤の各論を述べる前に，漢方エキス剤の服用上の注意をまとめて記述する．

I-3-1　服用方法

　一般に食前（空腹時）あるいは食間（食後2時間）に湯に溶かして服用するのが通例であるが，その理由としていくつかの説がある．アルカロイド類は空腹時の胃酸濃度が濃いときのほうがイオン型になるため吸収が抑えられ，強いアルカロイドの作用が緩和されるといわれている．実際，麻黄のエフェドリンについてそのような研究・報告がある[3]．一方で，配糖体類は腸内細菌により加水分解を受けた後吸収されることが多く，服用後いち早く腸管に達する空腹時のほうが効果的と推定される．また，西洋薬の多くが食後に服用するように指示されるのが一般的なので，相互作用を避けるためには時間をずらしたほうがよいと考えられる．食前のほうが食物の影響も受けにくい．しかしながら，胃腸の弱い人は食前よりも食後に服用するほうが胃腸に対する負担が少ない．

　一般に漢方の煎じ薬は温かいうちに（冷やして保存後は温めて），またエキス剤は湯に溶かして服用すると効果的である．しかし，湯に溶かすと特異な臭や味により服用しづらくなる処方は，そのまま散剤として服用するほうがコンプライアンスの向上につながる．一方，石膏の配合量が多い処方や明らかに実熱証に用いる処方は，冷水で服用するほうが効果的といわれている．なお，温清飲，茯苓飲，清心蓮子飲のように飲がつく処方は，本来，不定期に冷服する煎剤であることを意味している．

　口内炎に対して半夏瀉心湯を使用する場合は，口に含んで，ゆっくり服用することができる．

I-3-2　服用期間

　急性の感冒や痛みならば数回の服用で効果が期待できるが，一般には2週間を目安に効果，病状の変化，副作用の発生の有無を確認することが望ましい．

I-3-3　小児の服用量

　生後3か月未満の乳児には使用しない．服用量の目安は，15歳～7歳：大人（成人）の2/3，7歳～4歳：1/2，4歳～2歳：1/3，2歳未満：1/4である．臭いや味のためにやむを得ず服用が困難な場合は，ジュースに混ぜたり，ハチミツと混合するなどして服用させる方法もあるが，

最小限の量に止めることが望ましい．最近，ゼリー状にしたり，坐薬にするなど剤形を工夫して投与することが試みられている[4]．

I-3-4　副作用ならびに注意事項

漢方薬は一般に副作用が少ないといわれているが，医薬品である以上，副作用がまったくないわけではなく，ときには重篤な副作用が発現することがある．漢方処方の各論を述べる前に，基本的な注意事項をあげておく．

1）共通の注意事項

1）漢方エキス剤の使用にあたっては，患者の証（陰・陽，虚・実，寒・熱，表・裏，気・血・水）を考慮して投与する．さらに経過を十分に観察し，症状・所見の改善が認められないときは処方を再考するなど，漫然と投与し続けない．

2）一般に高齢者では生理機能が低下している場合が多いので，減量するなど注意して投与する．

3）妊娠中の投与に関する安全性は確立していないので，妊婦または妊娠している可能性のある婦人には，治療上の有益性が危険性を上回ると判断される場合のみ投与する．ただし，大黄，芒硝，駆瘀血生薬を含む処方では別項で述べる注意がさらに必要である．

4）2種の漢方エキス剤を併用する場合は，含有生薬の重複に注意する．特に，甘草，麻黄，（加工）ブシ（末），大黄，芒硝などが重複しないように気をつける必要がある．また，小柴胡湯と半夏瀉心湯のように名称からは推定し難いが，含有生薬が極めて類似してものがあることを常に念頭に入れておく必要がある．実際に，感冒で喉の痛みに小柴胡湯加桔梗石膏，消化器症状に半夏瀉心湯が処方された例もある．この2処方により，1日量として，黄芩，甘草，人参が5.5 g，半夏は10 gにもなる．

5）ほとんどの処方において，小児に対する安全性は確立していない．特に，ブシを含む処方は注意が必要である．

6）漢方エキス製剤には，賦形剤としと乳糖あるいはデンプンが使われている．したがって，乳糖不耐症体質の患者に投与する場合は，腹部膨満感や下痢などをきたす可能性もあるが，牛乳200 mLに含まれる乳糖の量が10 g程度であることを考えると，漢方エキス剤1包中の乳糖の量は多くて牛乳25 mL相当であり，それほど神経質になる必要はないと考えられる．

2）個々の処方に対する注意事項

［禁　忌］

1）甘草を1日量として2.5 g以上含む処方は，以下の患者に対して使用禁忌である．症状が悪化するおそれがある．

第2章　繁用漢方処方の解説と使用上の注意

・アルドステロン症の患者
・ミオパチーのある患者
・低カリウム血症のある患者

該当処方
　黄連湯，甘麦大棗湯，桔梗湯，芎帰膠艾湯，桂枝人参湯，五淋散，炙甘草湯，芍薬甘草湯，小青竜湯，人参湯，排膿散及湯，半夏瀉心湯，附子人参湯

エキス剤を併用すると，1処方に含まれる甘草の量が 2.5 g 以下であっても，多くの場合で 2.5 g を超えるので注意が必要である．

2）小柴胡湯は，以下の患者に対して使用禁忌である．

・インターフェロン製剤を投与中の患者（間質性肺炎の発症頻度が上がる）
・肝硬変，肝がんの患者（間質性肺炎が起こり，重篤な転帰に至ることがある）
・慢性肝炎における肝機能障害で，血小板数が 10 万/mm^3 以下の患者（肝硬変に移行していることが疑われる）

また，慢性肝炎における肝機能障害で小柴胡湯を投与中は血小板数の変化に注意し，血小板数の減少が認められた場合は投与を中止する．

重大な副作用の項でも述べるが，間質性肺炎の発症に黄芩が関与していることが推察されているので，以下の処方でも同様の注意が必要である．

温清飲，黄連解毒湯，乙字湯，荊芥連翹湯，五淋散，柴陥湯，柴胡加竜骨牡蛎湯，柴胡桂枝湯，柴胡桂枝乾姜湯，柴胡清肝湯，柴朴湯，柴苓湯，三黄瀉心湯，三物黄芩湯，潤腸湯，小柴胡湯加桔梗石膏，辛夷清肺湯，清上防風湯，清心蓮子飲，大柴胡湯，二朮湯，女神散，半夏瀉心湯，防風通聖散，竜胆瀉肝湯

[**重大な副作用**]
1）間質性肺炎：現在までに，間質性肺炎の発症（因果関係が否定できないものも含む）が以下の処方で報告されている．

温清飲，黄連解毒湯，乙字湯，荊芥連翹湯，牛車腎気丸，五淋散，柴胡加竜骨牡蛎湯，柴胡桂枝湯，柴胡桂枝乾姜湯，柴朴湯，柴苓湯，三黄瀉心湯，三物黄芩湯，芍薬甘草湯，潤腸湯，

小柴胡湯，小柴胡湯加桔梗石膏，小青竜湯，辛夷清肺湯，清心蓮子飲，清肺湯，大建中湯，大柴胡湯，二朮湯，麦門冬湯，半夏瀉心湯，防已黄耆湯，防風通聖散，補中益気湯，抑肝散，竜胆瀉肝湯

間質性肺炎を発症した場合，副腎皮質ホルモン剤の投与など早期に適切な処置を行わないと，死亡等の重篤な転帰に至ることがある．患者の状態を十分に観察し，発熱，咳嗽，呼吸困難，肺音の異常（捻髪音）などがあらわれたときは，ただちに投与を中止するとともに，胸部X線，胸部CTなどの検査を実施する．また，患者に対しては，発熱，咳嗽，呼吸困難などがあらわれたときは，服用を中止し，ただちに連絡するように指導する．なお，黄芩が配合されている処方で間質性肺炎の発症の報告が多いことから，柴陥湯，柴胡清肝湯，清上防風湯，女神散においても発症の可能性は否定できないと推定される．ただし，発症頻度は10万人に対して4人程度で，高齢者に好発し，服薬開始から症状発現までの期間は6か月未満がほとんどで，多くは2か月以内である．

潤腸湯による間質性肺炎発症例[5]：70代女性，便秘症，潤腸湯エキス 7.5 g/日，約3か月投与
 投与開始日：便秘症にて本剤投与開始
 投与約3か月目：労作時の呼吸困難が出現
 投与中止日：A病院を受診．胸部レントゲンおよびCTにて間質性肺炎の像を認め，血液ガス上，低酸素血症が確認された（room air にて PaO_2 67.6 torr）．CRP 1.4 mg/dL．この時点で，本剤と酪酸菌製剤を中止，新たにクラリスロマイシンの内服（400 mg/日）を開始
 中止7日後：異常陰影，低酸素血症改善傾向（room air にて PaO_2 78.5 torr）
 中止13日後：精査のため，B病院に入院
 中止42日後：再増悪が認められないため退院
血清学的に異型肺炎を示唆する所見は得られなかった．気管支肺胞洗浄液中の総細胞数の増加，リンパ球比率の増加，CD4/8比の低下を認めた．
 参考：薬剤性肺炎の補助診断方法として，シアル化糖鎖抗原（KL-6）が有用であることが報告されている（正常値 500 U/mL 以下）．KL-6は薬剤性肺炎発症により高値を示し，軽快時に低下する．さらに，一般の細菌性感染症では高値を示すことが少ない．薬剤性肺炎の診断には，この血清 KL-6 の活用法と鑑別に重要な感染症診断法の進歩状況を知っておく必要がある[6]．

2) 偽アルドステロン症ならびにミオパチー（myopathy）：甘草を含む処方では，低カリウム血症，血圧上昇，ナトリウムや体液の貯留，浮腫，体重増加など，アルドステロン症類似（偽アルドステロン症）の症状があらわれることがあるので，観察（血清カリウム値の測定など）を十

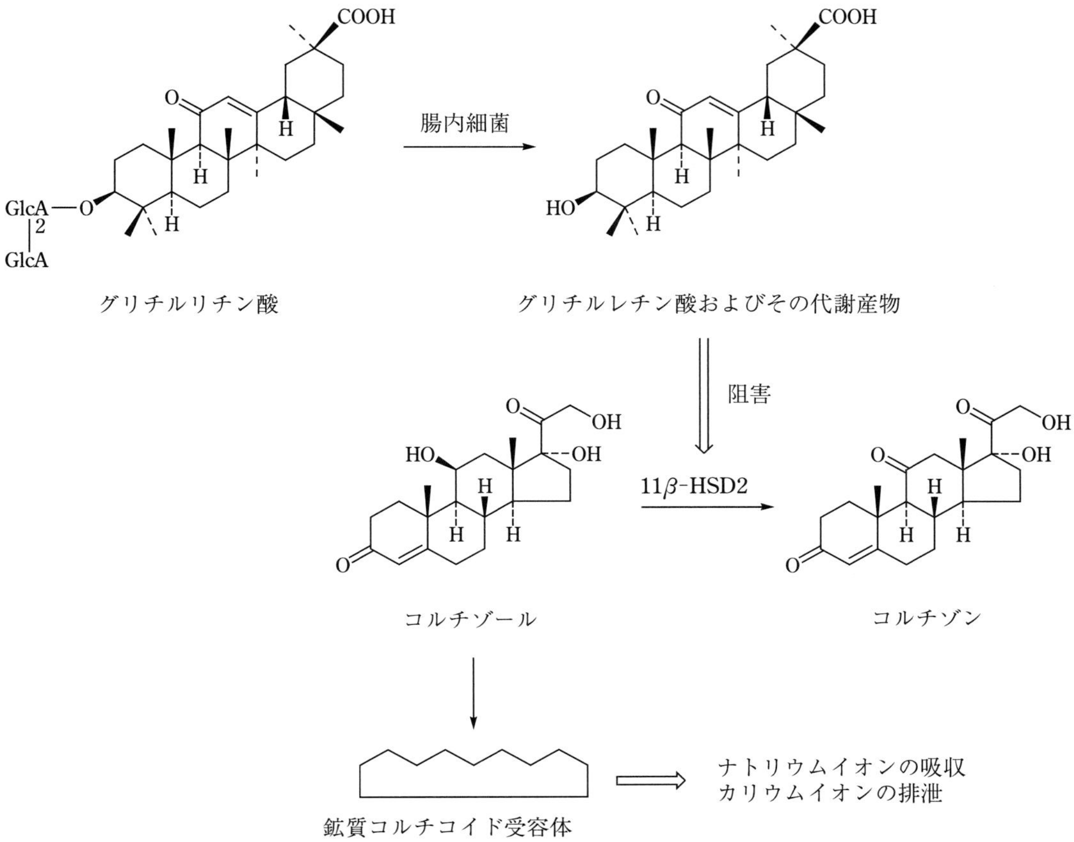

グリチルリチン酸　　腸内細菌→　グリチルレチン酸およびその代謝産物

阻害　11β-HSD2

コルチゾール　　　　　　　　　　　　コルチゾン

鉱質コルチコイド受容体　⇒　ナトリウムイオンの吸収　カリウムイオンの排泄

図1

分に行い，異常が認められた場合には投与を中止し，カリウム剤の投与など適切な処置を行う．また，低カリウム血症の結果としてミオパチーがあらわれることがあるので，脱力感，四肢痙攣，麻痺などの異常が認められた場合には投与を中止し，カリウム剤の投与など適切な処置を行う．小柴胡湯，芍薬甘草湯，抑肝散においては，低カリウム血症の結果としてミオパチー，横紋筋融解症があらわれることがあるので，脱力感，筋力低下，筋肉痛，四肢痙攣，麻痺，クレアチニンキナーゼ（CK）値の上昇，血中および尿中のミオグロビンの上昇が認められた場合には投与を中止し，カリウム剤の投与など適切な処置を行う．なお，カリウム剤の投与よりも，抗アルドステロン薬のスピロノラクトンの投与のほうが，有効性が高いと言われている．

　甘草による偽アルドステロン発症のメカニズムを図1に示す．甘草に含まれるグリチルリチン酸は，服用後腸内細菌によりグリチルレチン酸となって体内に吸収される．グリチルレチン酸およびその代謝産物は2型11β-ヒドロキシステロイド脱水素酵素（11β-HSD2）を阻害し，その結果蓄積した体内コルチゾールが鉱質コルチコイド受容体を活性化して，ナトリウムイオンの吸収とカリウムイオンの排泄を促進する．11β-HSD2活性は加齢に従って低下することが明らかとなっているので[7]，加齢も偽アルドステロン症発症の重要なリスク因子と考えられる．

3）うっ血性心不全，心室細動，心室頻拍：芍薬甘草湯の長期服用により，うっ血性心不全，心室細動，心室頻拍があらわれることがあるので，観察（血清カリウム値の測定など）を十分に行い，動悸，息切れ，倦怠感，めまい，失神などの異常が認められた場合には投与を中止し，適切な処置を行う．したがって，芍薬甘草湯の投与は治療上必要最小限の期間にとどめる．また抑肝散の服用により心不全があらわれることがあるので，観察を十分に行い，体液貯留，急激な体重増加，心不全症状・徴候（息切れ，心胸比拡大，胸水など）などが認められた場合には投与を中止し，適切な処置を行う．

芍薬甘草湯によるうっ血性心不全発症例[8]：70代女性，しびれ，鉄欠乏性貧血，高血圧症，芍薬甘草湯エキス 7.5 g/日，約 3.5 か月投与

 投与開始日：脊柱管狭窄症によるしびれに対して本剤投与開始

 投与約2か月目：ときどき息切れが出現

 投与約3か月目：息切れの悪化

 投与約3.5か月目：投与中止．呼吸苦出現し，安静でも改善せず，近医受診．血圧 224/50 mmHg と高値のため，A病院を紹介受診．胸部レントゲンCTにて肺うっ血を認めた．さらに，低酸素血症（room air にて PaO_2 57.0 torr），低カリウム血症（1.93 mEq/L），代謝性アルカローシス（pH 7.562）を認め，精査加療目的で入院となる．すべての薬剤を中止し，酸素投与，カリウム補正，利尿剤投与にて治療．

 中止4日後：呼吸苦消失し，血圧 146/72 mmHg，カリウム値 3.40 mEq/L と改善

 中止48日後：退院

芍薬甘草湯による心室細動発症例[8]：80代女性，腰椎症，高血圧症，芍薬甘草湯エキス 7.5 g/日，93日間投与

 投与開始日：腰椎症に対して本剤投与開始

 投与93日目：本剤の投与中止

 中止1日後：四肢の脱力感，著明な低カリウム血症（1.6 mEq/L）の状態で入院した．夕方に心室細動発現を認めたが，胸部叩打法にて回復に成功した．しかし，約2.5時間後に再度心室細動となったために叩打したが心室細動は停止せず，200 J DC shock 2回施行し回復に成功した．中心静脈ラインを取り，カリウム補正，心室性不整脈コントロールを開始した後は次第に安定した状態となった．以後意識状態は正常化したが，低カリウム血症の状態はしばらく持続し，致死性不整脈が発生する状態が続いた．その後，正常範囲内で電解質コントロールが可能な状態となった．

 中止43日後：退院

臨床検査値

	投与94日目 (中止1日後)	中止3日後	中止7日後	中止14日後	中止35日後
Na (mEq/L)	147	134	136	139	138
K (mEq/L)	1.6	2.3	4.2	4.5	5.1
Cl (mEq/L)	93	85	95	101	99
CK (CPK) (IU/L)	1792	1730	114	29	31

4) 肝機能障害と黄疸

① AST (GOT), ALT (GPT), ALP, γ-GTP などの著しい上昇を伴う肝機能障害と黄疸の発症が以下の処方で報告されているので，全身倦怠感，黄疸など肝機能障害の疑いが認められた場合は投与を中止し，適切な処置を行う．なお，柴苓湯においては劇症肝炎の発症の報告がある．

黄連解毒湯，乙字湯，加味逍遙散，柴胡桂枝乾姜湯，柴朴湯，柴苓湯，三黄瀉心湯，三物黄芩湯，小柴胡湯，辛夷清肺湯，清心蓮子飲，清肺湯，女神散，防風通聖散，抑肝散，六君子湯，竜胆瀉肝湯

② AST (GOT), ALT (GPT), ALP, γ-GTP などの上昇を伴う肝機能障害と黄疸の発症が以下の処方で報告されているので，全身倦怠感，黄疸など肝機能障害の疑いが認められた場合は投与を中止し，適切な処置を行う．

茵蔯蒿湯，温清飲，葛根湯，荊芥連翹湯，桂枝茯苓丸，牛車腎気丸，柴胡加竜骨牡蛎湯，柴胡桂枝湯，芍薬甘草湯，十全大補湯，潤腸湯，小柴胡湯加桔梗石膏，小青竜湯，清上防風湯，大建中湯，大柴胡湯，二朮湯，人参養栄湯，麦門冬湯，半夏瀉心湯，防已黄耆湯，補中益気湯，麻黄附子細辛湯

葛根湯加川芎辛夷，桂枝茯苓丸加薏苡仁，柴陥湯，柴胡清肝湯は上記処方の関連処方であるので，肝機能障害の発症には同様に注意を払う必要がある．

女神散による肝機能障害発症例[9]：30代女性，月経前緊張症，慢性甲状腺炎，女神散エキス7.5 g/日，113日投与

投与開始日：月経前緊張症にて本剤投与開始

投与70日目：全身倦怠感出現，継続投与

投与105日目：近医にて健康診断を受ける．AST (GOT) 205 IU/L, ALT (GPT) 337 IU/L, γ-GTP 164 IU/L

投与 113 日目：本剤の投与中止

中止 2 日目：外来受診，全身倦怠感，入院予約．AST（GOT）239 IU/L，ALT（GPT）337 IU/L，γ-GTP 180 IU/L

中止 6 日目：入院．安静加療と伴に，5％グルコース 500 mL の補液およびグリチルリチン・グリシン・システイン配合剤等経静脈内投与開始

中止 9 日目：全身倦怠感，軽快傾向

中止 13 日目：全身倦怠感，ほぼ消失

中止 18 日目，21 日目：外出許可，帰院後著変なし

中止 24 日目：退院

中止 30 日目：外来受診，症状出現なし．AST（GOT）35 IU/L，ALT（GPT）43 IU/L，γ-GTP 111 IU/L

5）腸間膜静脈硬化症：茵蔯蒿湯，温清飲，黄連解毒湯，加味帰脾湯，加味逍遙散，荊芥連翹湯，五淋散，柴胡清肝湯，辛夷清肺湯，清上防風湯，清肺湯，防風通聖散，竜胆瀉肝湯の長期服用により，腸間膜静脈硬化症があらわれることがある．腹痛，下痢，便秘，腹部膨満などが繰り返しあらわれた場合，または便潜血陽性になった場合には投与を中止し，CT や大腸内視鏡などの検査を実施するとともに，適切な処置を行う．上記処方の投与による腸間膜静脈硬化症までの期間は 4 〜 50 年とかなり長期であるが，自覚症状がないまま進行するため，約半数が結腸切除術に至っている．発症の原因として、山梔子に含まれるゲニポシドの関与が強く疑われている．

加味逍遙散による腸間膜静脈硬化症発症例[10]：60 代女性，うつ病，高血圧症，過敏性腸症候群，気管支喘息，加味逍遙散 7.5 g/日，約 10 年

発現 9 年以前：うつ病にて本剤投与開始

発現日：腹痛・嘔吐出現にて近医受診，腹部 X 線検査にて腸閉塞の診断
　　　　A 病院受診・入院（9 日間），以後腸閉塞症状にて入退院を繰り返す．

発現 152 日目：腹痛・嘔吐，入院（8 日間）

発現 164 日目：腹痛・嘔吐，入院（10 日間）

発現 177 日目：腹痛・嘔吐，精査・加療目的で入院

　　　　腹部 X 線にて右側腹部に網目状石灰化を，腹部造影 CT にて盲腸から上行結腸の腸管壁および付随腸間膜内に線状石灰化を認めた．注腸 X 線にて上行結腸び慢性狭小化と，盲腸から横行結腸右側に拇指圧痕像を認めた．特発性腸間膜静脈硬化症と確定診断し，本剤投与中止

中止 16 日目：腹腔鏡補助下右半結腸切除術を施行．盲腸から肝彎曲部漿膜面が暗紫色を呈し，腸管および結腸間膜硬化を認めた．組織検査にて粘膜固有層から粘膜下

層間質に，硝子様物質（コンゴレッド染色陰性）沈着を確認
手術12日後：軽快退院
手術36日後：回復

[副作用]

1) 過敏症：桂皮もしくは人参を含有する処方では，発疹，発赤，瘙痒，蕁麻疹などの過敏症が発症することがある．また，以下の処方は桂皮や人参を含まないが，過敏症の発症が報告されている．

温清飲，越婢加朮湯，黄連解毒湯，乙字湯，加味逍遙散，荊芥連翹湯，三物黄芩湯，芍薬甘草湯，十味敗毒湯，消風散，辛夷清肺湯，真武湯，清上防風湯，治頭瘡一方，猪苓湯，当帰芍薬散，半夏厚朴湯，防已黄耆湯，防風通聖散，麻黄附子細辛湯，抑肝散

柴胡清肝湯，猪苓湯合四物湯，抑肝散加陳皮半夏は上記処方の関連処方であるので，過敏症の発症には同様に注意を払う必要がある．

2) 湿疹，皮膚炎の悪化：以下の処方で，湿疹，皮膚炎が悪化することがある．

黄耆建中湯，葛根湯，葛根湯加川芎辛夷，加味帰脾湯，桂枝湯，十全大補湯，消風散（患部が乾燥している場合），升麻葛根湯，清暑益気湯，清心蓮子飲，大防風湯，人参養栄湯，半夏白朮天麻湯，補中益気湯

3) 消化器障害：山梔子，酸棗仁，地黄，石膏，川芎，大黄，当帰，芒硝，麻黄，薏苡仁を含む処方では，食欲不振，胃部不快感，悪心，嘔吐，腹痛，軟便，下痢などの消化器症状があらわれることがある．以下の処方はこれらの生薬を含まないが，消化器障害の発症が報告されている．

桂枝茯苓丸，柴胡加竜骨牡蛎湯，柴胡桂枝湯，柴朴湯，柴苓湯，芍薬甘草湯，小柴胡湯，大建中湯，猪苓湯，六君子湯

4) 肝機能異常：以下処方で，AST（GOT），ALT（GPT）などの上昇が起こることがある．

呉茱萸湯，五苓散，芍薬甘草湯，大建中湯，当帰四逆加呉茱萸生姜湯，当帰芍薬散，通導散，八味地黄丸，半夏厚朴湯，白虎加人参湯，麻黄湯，抑肝散，六君子湯

5）膀胱炎，膀胱炎様症状：柴胡桂枝湯，柴朴湯，柴苓湯，小柴胡湯の服用により，膀胱炎，あるいは血尿，残尿感，頻尿，排尿痛などの膀胱炎様症状があらわれることがある．関連処方である乙字湯，柴陥湯，柴胡加竜骨牡蛎湯，柴胡桂枝乾姜湯，小柴胡湯加桔梗石膏，大柴胡湯においても，同様の副作用が発症する可能性は否定できないので注意する．

6）その他の副作用：
① ブシを含む処方では，心悸亢進，のぼせ，舌のしびれ，悪心などの副作用があらわれることがある．
② 麻黄を含む処方では，食欲不振，胃部不快感，悪心，嘔吐などの消化器症状のほか，不眠，発汗過多，頻脈，動悸，全身脱力感，精神興奮などの自律神経興奮作用，排尿障害があらわれることがある．
③ 柴苓湯の服用により，全身倦怠感があらわれることがある．
④ 抑肝散の服用により，傾眠，倦怠感があらわれることがある．

[慎重投与]

1）酸棗仁，地黄，石膏，川芎，大黄，当帰，芒硝，麻黄を含む処方は，胃腸が虚弱，あるいは著しく虚弱な患者に対して使用すると消化器症状があらわれることがあるので，（一部処方を除き）慎重に投与する．

2）地黄，川芎，大黄，当帰，麻黄を含む処方は，食欲不振，悪心，嘔吐のある患者に対して使用するとこれらの症状が悪化することがあるので，（一部処方を除き）慎重に投与する．

3）石膏，大黄，麻黄を含む処方は，著しく体力が衰えている患者，あるいは病後の虚弱期の患者に対して使用すると副作用があらわれやすくなり，また，その症状が増強されることがあるので，（一部処方を除き）慎重に投与する．

4）ブシを含む処方は，体力の充実している患者，暑がりで，のぼせが強く，赤ら顔の患者に対して使用すると副作用があらわれやすくなり，また，その症状が増強されることがあるので，慎重に投与する．

5）麻黄を含む処方は，発汗傾向の著しい患者，狭心症，心筋梗塞などの循環器系の障害のある患者，またはその既往歴のある患者，重症高血圧症の患者，高度の腎障害のある患者，排尿障害のある患者，甲状腺機能亢進症の患者に対して使用するとそれらの疾患および症状が悪化することがあるので，慎重に投与する．

6）黄連解毒湯，桂枝茯苓丸，柴陥湯，柴朴湯，柴苓湯，四逆散，十味敗毒湯，小柴胡湯，消風散などの処方は，著しく体力の衰えている患者に対しては慎重に投与する．このほかの実証用の処方も同様である．

7）大建中湯は，肝機能障害のある人には慎重に投与する．肝機能障害が悪化することがある．

8）紅花，牛膝，大黄，桃仁，ブシ，芒硝，牡丹皮，薏苡仁を含む処方では，流早産の危険性があるので（ブシにおいては，副作用が発現しやすくなるので），妊婦または妊娠している可能性のある婦人には投与しないことが望ましい．大黄と芒硝には子宮収縮作用があり，さらに大黄には骨盤内臓器の充血を引き起こす作用がある．また大黄を含む処方は，大黄の含有成分であるアントラキノン誘導体が母乳中に移行し，乳児に下痢を引き起こすことがあるので，授乳中の婦人に対しては慎重に投与する．

[相互作用]

1）1日量として甘草2.5g以上を含む処方および当帰四逆加呉茱萸生姜湯，小柴胡湯は，甘草含有製剤，グリチルリチン酸およびその塩類を含有する製剤（グリチロン®など），ループ系利尿薬（フロセミド，ブメタニド，アゾセミド，トラセミド），チアジド系利尿薬（ヒドロクロロチアジド，トリクロルメチアジド，ベンチルヒドロクロロチアジド），チアジド系類似（非チアジド系）利尿薬（トリパミド，インダパミド，メフルシド）との併用に注意する．偽アルドステロン症，低カリウム血症があらわれやすくなる．なお，β_2刺激薬（イソプレナリン塩酸塩，トリメトキノール塩酸塩，サルブタモール硫酸塩，テルブタリン硫酸塩，ツロブテロール塩酸塩，プロカテロール塩酸塩，フェノテロール臭化水素酸塩，クレンブテロール塩酸塩，サルメテロールキシナホ酸塩，インデカテロールマレイン酸塩，ホルモテロールフマル酸塩水和物）やキサンチン系製剤の副作用に低カリウム血症があるが，現在のところ甘草との併用に注意は喚起されていない．

2）1日量として甘草2.5g未満を含む処方は，甘草含有製剤，グリチルリチン酸およびその塩類を含有する製剤との併用に注意する．偽アルドステロン症，低カリウム血症があらわれやすくなる．

3）麻黄を含む処方は，麻黄含有製剤，エフェドリン類含有製剤，モノアミン酸化酵素（MAO）阻害剤（セレギリン塩酸塩，ラサギリンメシル酸塩，サフィナミドメシル酸塩），甲状腺製剤（乾燥甲状腺，レボチロキシンナトリウム（T_4）水和物，リオチロニンナトリウム（T_3）），カテコールアミン製剤（アドレナリン，ノルアドレナリン），キサンチン系製剤（テオフィリン，アミノフィリン，ジプロフィリン，プロキシフィリン），その他交感神経興奮薬との併用に注意する．交感神経刺激作用が増強され，不眠，発汗過多，頻脈，動悸，全身脱力感，精神興奮などがあらわれやすくなる．

4）ニューキノロン系の抗生物質（ノルフロキサシン，シプロフロキサシン塩酸塩，ロメフロキサシン塩酸塩，トスフロキサシントシル酸塩，プルリフロキサシン，メシル酸ガレノキサシン水和物，シタフロキサシン水和物）およびテトラサイクリン系の抗生物質（テトラサイクリン塩酸塩，デメチルクロルテトラサイクリン塩酸塩，ドキシサイクリン塩酸塩水和物，ミノサイクリン塩酸塩）は，カルシウムとの相互作用により吸収が抑制されるので注意が必要であるが，漢方エキス剤においては，石膏，牡蛎，竜骨を含む処方であっても相互作用を起こすほどの無機塩は

含まれていないことが報告されている[11]．一方，*in vitro*での評価ではあるが，ニューキノロン系抗生物質と柴胡加竜骨牡蛎湯エキス顆粒や桂枝加竜骨牡蛎湯エキスとの相互作用の報告もある[12]．念のため，石膏，牡蛎，竜骨を含む漢方薬とニューキノロン系抗生物質およびテトラサイクリン系抗生物質との同時服用は避けたほうがよいと考えられる．特に，安中散などを散剤として服用する場合は，服用間隔を2時間ほどあける必要がある．

5) 特に今まで注意は喚起されていなかったが，滑石（主として含水ケイ酸アルミニウムおよび二酸化ケイ素からなる）が配合された漢方薬（五淋散，猪苓湯，防風通聖散）とニューキノロン系抗生物質およびテトラサイクリン系抗生物質との相互作用，$α$-グルコシダーゼ阻害薬（ボグリボース，アカルボース，ミグリトール）と大建中湯との相互作用（大建中湯にはマルトースを主成分とする膠飴を含むため，$α$-グルコシダーゼ阻害薬により未消化の糖質が増加し，腹部膨満感の悪化や腸閉塞症状をきたすおそれがある），石膏，牡蛎，竜骨を含む漢方薬と活性型ビタミンD_3製剤（アルファカルシドール，カルシトリオール，ファレカルシトリオール，エルデカルシトール）との相互作用（高カルシウム血症の発現）にも，念のため注意する．

6) グレープフルーツジュースに含まれるフラノクマリン類が，薬物代謝酵素チトクロームP450（CYP）のサブファミリーであるCYP3A4を阻害し，ジヒドロピリジン系カルシウム拮抗薬（アムロジピンベシル酸塩，エホニジピン塩酸塩エタノール付加物，シルニジピン，ニカルジピン塩酸塩，ニソルジピン，ニトレンジピン，ニフェジピン，ニルバジピン，バルニジピン塩酸塩，フェロジピン，ベニジピン塩酸塩，マニジピン塩酸塩，アゼルニジピン，アラニジピン）をはじめとする多くの医薬品のバイオアベイラベリティーを増大させることが報告されている[13]．フラノクマリン類は，枳実，羌活，白芷，防風などにも含まれており，雲南羌活に含まれるフラノクマリン類がCYP3A4を阻害することが報告されているが[14]，今のところ漢方薬によるCYP阻害に関する明確なデータはなく，臨床上も問題にはなっていない．しかしながら，フラノクマリン類に限らず，生薬成分と西洋薬との相互作用は未知な部分が多く，今後の基礎研究や臨床情報に常に注意をはらっておく必要がある．

7) 漢方薬中の有効成分の多くは配糖体として存在しており，腸内細菌により代謝を受けて活性本体となるものも多い．たとえば，大黄に含まれているセンノシドAは腸内細菌（*Bifidobacterium*属菌ならびに*Peptostreptococcus*属菌）により代謝を受けてレインアンスロンとなり，瀉下作用を発揮する．消化管から吸収されにくく，殺菌的に作用する抗生物質と大黄甘草湯の併用により，大黄甘草湯の瀉下作用が有意に抑制されたという報告がある[15]．また，甘草のグリチルリチン酸は，*Eubacterium*属菌の$β$-グルクロニダーゼによりグルチルレチン酸となって吸収され，黄芩のバイカリンは，*Streptococcus*属菌や*Escherichia coli*の$β$-グルクロニダーゼによりバイカレインとなって吸収される．抗生物質と漢方薬の併用による相互作用については不明な点も多いが，漢方薬の薬効が抗生物質により影響を受ける可能性があることは，常に念頭に置いておく必要がある．別に，生菌製剤であるラックビー®，ミヤBM®などの連続投与も腸内細菌叢に影響を与えるが，漢方薬との具体的な相互作用については分かっていない[16]．

[その他の注意]

1) 山梔子含有製剤の長期投与（多くは5年以上）により，大腸の色調異常，浮腫，びらん，潰瘍，狭窄を伴う腸管膜静脈硬化症があらわれるおそれがある．長期投与する場合にあたっては，定期的にCT，大腸内視鏡などの検査を行うことが望ましい．

2) 大黄の瀉下作用には個人差があるので，大黄を含む処方は症状に応じて，用法，用量を適宜増減する．

3) 芒硝（硫酸ナトリウム）を含む処方は，治療上食塩制限が必要な患者に継続投与する場合には注意する．

4) 加味帰脾湯や人参養栄湯など遠志を含む処方は，血中1,5-アンヒドロ-D-グルシトール（1-デオキシグルコース；糖尿病で低値を示す）を増加させる場合がある．

参 考 文 献

1) 馬場駿吉ら，小青竜湯の通年性鼻アレルギーに対する効果，耳鼻臨床，**88**，389-405（1995）
2) 三好秋馬ら，新たな判定基準によるツムラ大黄甘草湯エキス顆粒（医療用）（TJ-84）の便秘症に対する臨床効果，消化器科，**22**，314-328（1996）
3) 友金幹視ら，漢方薬の投与方法が成分の血中濃度に及ぼす影響，和漢医薬学雑誌，**8**，402-403（1991）
4) 加納公子，内田 寛，漢方製剤の剤形検討，月刊薬事，**36**，1997-2005（1994）；藤井裕治ら，五苓散坐薬の乳児感冒性嘔吐症及び乳児嘔吐下痢症への治療効果，漢方医学，**19**，187-189（1995）；吉田政己，幼小児の嘔吐に対する五苓散坐薬の効果，月刊東洋医学，**28**，36-38（2000）；池野一秀，こどもに漢方薬を飲んでもらう工夫，漢方と診療，**3**，14-16（2012）
5) 医薬品・医療用具等安全性情報234号，潤腸湯
6) 中島正光，生薬からみた漢方の副作用，漢方医薬学雑誌，**14**，43（2006）
7) Campino, C. et al., Age-Related Changes in 11β-Hydroxysteroid Dehydrogenase Type 2 Activity in Normotensive Subjects, Am. J. Hypertens., **26**, 481-487（2013）
8) 医薬品・医療用具等安全性情報177号，芍薬甘草湯
9) 医薬品・医療用具等安全性情報233号，女神散
10) 医薬品・医療用具等安全性情報305号，加味逍遙散
11) 伏見裕利ら，石膏の溶出量に関する研究：原子吸光光度法によるカルシウムの測定，第17回和漢医薬学会大会，名古屋（2000）；赤瀬朋秀，抗生物質と漢方薬の薬物相互作用 その1，漢方調剤研究，**10**，36-40（2002）
12) 沼尻幸彦ら，金属カチオン含有漢方エキス顆粒製剤とオフロキサシン同時懸濁時のキレート形成に関する基礎的検討，薬局薬学，**10**，246-251（2018）
13) 太田富久，グレープフルーツジュースと薬物代謝，ファルマシア，**38**，1057-1061（2002）
14) 谷口雅彦ら，雲南羌活（*Pleurospermum rivulorum*）より得られる新ビクマリンおよびトリクマリン類の構造と薬物代謝酵素CYP3A阻害活性，第41回天然有機化合物討論会，名古屋（1999）
15) Matsui, E. et al., The Influence of Glycyrrhiza and Antibiotics on the Purgative Action of Sennoside A from Daiokanzoto in Mice, Biol. Pharm. Bull., **34**, 1438-1442（2011）
16) 腸内細菌に着目した漢方薬研究の最前線，日本生薬学会第67回年会，東京（2021）；石原三也ら，

腸内細菌叢に影響する薬剤と漢方薬の併用実態調査, 薬学雑誌, **122**, 695-701（2002）

医療用漢方処方各論

　臨床の現場で頻用され，薬学生，薬剤師が知っておくべき漢方処方を述べる．多くの成書が処方を読み順でならべているのに対し，本書ではできるかぎり配合生薬の類似したグループごとにまとめて解説した．常に配合生薬を念頭に置き，処方の使い方，副作用を考えていかなければならない薬剤師にとっては，このほうがよいと思われたからである．副作用，併用注意に関しては，先に述べた内容と重複する部分もあるが，対象となる生薬をあげ，注意を喚起するようにした．漢方処方の副作用は，配合生薬から当然予想されるものでありながら，使用頻度の少ない処方では注意がなされていない場合がある．重大な副作用を未然に防ぐために，薬剤師は各処方の配合生薬について十分に理解しておく必要がある．なお，配合生薬の量，朮を蒼朮，白朮のどちらを使うかは，ツムラ医療用漢方エキス製剤に準じた．また，小柴胡湯や半夏瀉心湯などでは，心窩部のつかえをとる作用の強い竹節人参を使用するべきであるという意見もあるが，漢方エキス剤で竹節人参を使用している例がないため，すべて人参として処方を説明した．地黄も本来ならば，清熱効果を強く期待する三物黄芩湯では乾地黄，人参養栄湯など四物湯加減方では熟地黄を用いるなど，乾地黄と熟地黄で使い分けをする必要があると考えられるが，日本薬局方ならびに医療用エキス剤で両者を区別していないため，すべて地黄とした．そのほか，枳実と枳殻，(漢)防已と木防已も特に区別せず，枳実，防已で統一した．第十八改正日本薬局方にエキス剤が収載されている処方には，(日局)を付記した．効能・効果は，新一般用漢方処方の手引き[6]の記載を，適応はツムラ医療用漢方エキス製剤の添付文書[9]の記載をほぼそのまま掲載した．両者の記載は必ずしも一致していないので注意する．たとえば，新一般用漢方処方の手引きでは，五虎湯の効能・効果として咳，気管支喘息，気管支炎，小児喘息，感冒に加えて，痔の痛みを謳っているが，ツムラ五虎湯エキス顆粒（医療用）の適応は，咳と気管支喘息のみである．

II-1　桂枝湯とその関連処方

　自然の発汗があり，体力が虚弱な人のかぜの初期に桂枝湯が適応されるが，桂枝湯を基本にしていろいろな処方がつくられている．

桂枝湯（ケイシトウ）：傷寒論，金匱要略

処方の構成 ◆◆ 桂皮（4.0 g），芍薬（4.0 g），甘草（2.0 g），生姜（1.5 g），大棗（4.0 g）．

処方構成の解説 ◆◆ 桂皮には解肌の作用があり，体表の機能が衰えているときに（表の虚），これを補うものである．よって，必ずしも発汗剤でなく，表が虚して発汗しているときは，これを補って体表の機能を回復させ，汗を止める作用もある．さらに，のぼせを下げ，体を温めて悪寒や頭痛を発散させる作用，健胃作用などがある．甘草には鎮咳，鎮痛・鎮痙，抗炎症，緩和作用があるが，芍薬と組むと互いの鎮痛・鎮痙作用が増強し，体の筋の緊張を和らげる．生姜は脾胃を温め，消化機能を向上させる．大棗には緩和，滋養・強壮，補気，鎮静作用が期待されるが，生姜が配合されている処方では多くの場合で大棗も同時に加えられており，生姜の刺激を緩和する．

効能・効果 ◆◆ 体力が虚弱で，汗が出るものの次の症状：かぜの初期．

適応 ◆◆ 体力が衰えたときのかぜの初期

副作用 ◆◆ 重大な副作用：偽アルドステロン症，ミオパチー（甘草）．その他の副作用：発疹，発赤，瘙痒などの過敏症（桂皮）．

相互作用 ◆◆ 併用注意：甘草含有製剤，グリチルリチン酸およびその塩類を含有する製剤（甘草）．

その他の注意 ◆◆ 湿疹，皮膚炎が悪化することがある．

桂枝加芍薬湯（ケイシカシャクヤクトウ）：傷寒論

処方の構成 ◆◆ 桂皮（4.0 g），芍薬（6.0 g），甘草（2.0 g），生姜（1.0 g），大棗（4.0 g）．

処方構成の解説 ◆◆ 桂枝湯中の芍薬の量を増したものである．桂枝湯が表寒虚証の太陽病の治療剤として用いられるのに対し，桂枝加芍薬湯は裏寒虚証の太陰病の治療に用いられる．本方の目標に腹直筋の緊張があげられる．芍薬＋甘草の組み合わせにより腹直筋の緊張を和らげ，腹痛，下痢，便秘を治す．本処方が適する下痢は大便が柔らかで快通しない（裏急後重），いわゆるしぶり腹である．

効能・効果 ◆◆ 体力中等度以下で，腹部膨満感のあるものの次の諸症：しぶり腹，腹痛，下痢，便秘．

適応 ◆◆ 腹部膨満感のある次の諸症：しぶり腹，腹痛．

副作用 ◆◆ 重大な副作用：偽アルドステロン症，ミオパチー（甘草）．その他の副作用：発疹，発赤，瘙痒などの過敏症（桂皮）．

相互作用 ◆◆ 併用注意：甘草含有製剤，グリチルリチン酸およびその塩類を含有する製剤（甘草）．

桂枝加芍薬大黄湯（ケイシカシャクヤクダイオウトウ）：傷寒論

処方の構成 ◆◆ 桂皮（4.0 g），芍薬（6.0 g），甘草（2.0 g），生姜（1.0 g），大棗（4.0 g），大黄（2.0 g）．

処方構成の解説 ◆◆ 桂枝加芍薬湯に大黄を加えたものである．基本的な用い方は桂枝加芍薬湯と同じであるが，やや実証タイプで腹痛があり，多くは便秘するものに用いる．

効能・効果 ◆◆ 体力中等度以下で，腹部膨満感，腹痛があり，便秘するものの次の諸症：便秘，しぶり腹．

適応 ◆◆ 比較的体力のない人で，腹部膨満し，腸内の停滞感あるいは腹痛などを伴うものの次の諸症：1. 急性腸炎，大腸カタル　2. 常習便秘，宿便，しぶり腹．

慎重投与 ◆◆ 下痢，軟便のある患者，著しく胃腸の虚弱な患者（大黄）．

副作用 ◆◆ 重大な副作用：偽アルドステロン症，ミオパチー（甘草）．その他の副作用：発疹，発赤，瘙痒などの過敏症（桂皮）．食欲不振，腹痛，下痢などの消化器症状（大黄）．

妊婦，産婦，授乳婦への投与 ◆◆ 妊婦または妊娠している可能性のある婦人には投与しないことが望ましい（大黄）．また，授乳中の婦人には慎重に投与すること（大黄）．

相互作用 ◆◆ 併用注意：甘草含有製剤，グリチルリチン酸およびその塩類を含有する製剤（甘草）．大黄含有製剤（大黄）．

その他の注意 ◆◆ 大黄の瀉下作用には個人差があるので，症状に応じて，用法，用量を適宜増減すること．

小建中湯（ショウケンチュウトウ）：傷寒論，金匱要略

処方の構成 ◆◆ 桂皮（4.0 g），芍薬（6.0 g），甘草（2.0 g），生姜（1.0 g），大棗（4.0 g），粉末飴（10.0 g）あるいは膠飴（20.0 g）．

処方構成の解説 ◆◆ 桂枝加芍薬湯に膠飴を加えたものである．基本的な用い方は桂枝加芍薬湯と同じであるが，脾胃の気を補い，滋養・強壮効果のある膠飴が加えられたぶん，やせ型で疲労しやすい腺病質の人に適する．胃腸が弱く栄養が身につかず，神経質，虚弱体質で，よく腹痛を訴えたり，下痢をする小児の体質改善薬としても頻用される．

効能・効果 ◆◆ 体力虚弱で，疲労しやすく腹痛があり，血色がすぐれず，ときに動悸，手足のほてり，冷え，ねあせ，鼻血，頻尿および多尿を伴うものの次の諸症：小児虚弱体質，疲労倦怠，慢性胃腸炎，腹痛，神経質，小児夜尿症，夜泣き．

適応 ◆◆ 体質虚弱で疲労しやすく，血色がすぐれず，腹痛，動悸，手足のほてり，冷え，頻尿および多尿などのいずれかを伴う次の諸症：小児虚弱体質，疲労倦怠，神経質，慢性胃腸炎，小児夜尿症，夜泣き．

副作用 ◆◆ 重大な副作用：偽アルドステロン症，ミオパチー（甘草）．その他の副作用：発疹，発赤，瘙痒などの過敏症（桂皮）．

相互作用 ◆◆ 併用注意：甘草含有製剤，グリチルリチン酸およびその塩類を含有する製剤（甘草）．

当帰建中湯（トウキケンチュウトウ）：金匱要略

処方の構成 ◆◆ 桂皮（4.0 g），芍薬（5.0 g），甘草（2.0 g），生姜（1.0 g），大棗（4.0 g），当帰（4.0 g）．

処方構成の解説 ◆◆ **桂枝加芍薬湯**に当帰を加えたものである．基本的な用い方は桂枝加芍薬湯と同じであるが，補血，血行改善，冷えに効果のある当帰が加えられたぶん，疲労しやすい婦人の月経痛，下腹部痛に適する．

効能・効果 ◆◆ 体力虚弱で，疲労しやすく血色のすぐれないものの次の諸症：月経痛，月経困難症，月経不順，腹痛，下腹部痛，腰痛，痔，脱肛の痛み，病後・術後の体力低下．

適応 ◆◆ 疲労しやすく，血色のすぐれないものの次の諸症：月経痛，下腹部痛，痔，脱肛の痛み．

慎重投与 ◆◆ 著しく胃腸の虚弱な患者，食欲不振，悪心，嘔吐のある患者（当帰）．

副作用 ◆◆ 重大な副作用：偽アルドステロン症，ミオパチー（甘草）．その他の副作用：発疹，発赤，瘙痒などの過敏症（桂皮など）．食欲不振，胃部不快感，悪心，下痢などの消化器症状（当帰）．

相互作用 ◆◆ 併用注意：甘草含有製剤，グリチルリチン酸およびその塩類を含有する製剤（甘草）．

参考 ◆◆ **当帰建中湯**にさらに黄耆を加えたものを**帰耆建中湯**（キギケンチュウトウ；傷寒論，金匱要略）といい，血行が悪く，発汗，盗汗（ねあせ）を伴う人の病中，病後の体力回復，虚弱体質改善，痔疾，蓐瘡（床ずれ）などに応用される．エキス剤は一般用医薬品としてのみ製造，販売されている．

黄耆建中湯（オウギケンチュウトウ）：金匱要略

処方の構成 ◆◆ 桂皮（4.0 g），芍薬（6.0 g），甘草（2.0 g），生姜（1.0 g），大棗（4.0 g），粉末飴（10.0 g）あるいは膠飴（20.0 g），黄耆（4.0 g）．

処方構成の解説 ◆◆ **小建中湯**に黄耆を加えたものである．基本的な用い方は小建中湯と同じであるが，補気，皮膚の栄養を高め，汗を調節する作用のある黄耆が加えられたぶん，さらに虚して，発汗，盗汗を伴う人に適する．

効能・効果 ◆◆ 体力虚弱で，疲労しやすいものの次の諸症：虚弱体質，病後の衰弱，ねあせ，湿疹・皮膚炎，皮膚のただれ，腹痛，冷え症．

適応 ◆◆ 身体虚弱で疲労しやすいものの次の諸症：虚弱体質，病後の衰弱，ねあせ．

副作用 ◆◆ 重大な副作用：偽アルドステロン症，ミオパチー（甘草）．その他の副作用：発疹，発赤，瘙痒などの過敏症（桂皮など）．

相互作用 ◆◆ 併用注意：甘草含有製剤，グリチルリチン酸およびその塩類を含有する製剤（甘草）．

その他の注意 ◆◆ 湿疹，皮膚炎が悪化することがある．

参考 ◆◆ 粉末飴あるいは膠飴を加えない場合もある．

桂枝加朮附湯（ケイシカジュツブトウ）：方機（吉益東洞経験方）

処方の構成 ◆◆ 桂皮（4.0 g），芍薬（4.0 g），甘草（2.0 g），生姜（1.0 g），大棗（4.0 g），蒼朮（4.0 g），日局加工ブシ末（0.5 g）．

処方構成の解説 ◆◆ 桂枝湯に体内の余分な水分を取り除く作用のある蒼朮（利水剤）と，体を強く温め，強心，鎮痛作用のあるブシを加えたものである．したがって，桂枝湯よりもさらに寒証で，痛みと水滞のある人に適する．

効能・効果 ◆◆ 体力虚弱で，発汗があり，手足が冷えてこわばり，ときに尿量が少ないものの次の諸症：関節炎，神経痛．

適応 ◆◆ 関節痛，神経痛．

慎重投与 ◆◆ 体力の充実している患者，暑がりで，のぼせが強く，赤ら顔の患者（ブシ）．

副作用 ◆◆ 重大な副作用：偽アルドステロン症，ミオパチー（甘草）．その他の副作用：発疹，発赤，瘙痒などの過敏症（桂皮）．心悸亢進，のぼせ，舌のしびれ，悪心など（ブシ）．

妊婦，産婦，授乳婦への投与 ◆◆ 妊婦または妊娠している可能性のある婦人には投与しないことが望ましい（ブシ）．

小児への投与 ◆◆ 小児等には慎重に投与すること（ブシ）．

相互作用 ◆◆ 併用注意：甘草含有製剤，グリチルリチン酸およびその塩類を含有する製剤（甘草）．ブシ含有製剤（ブシ）．

参考 ◆◆ 桂枝加朮附湯に茯苓を加えたものを**桂枝加苓朮附湯（ケイシカリョウジュツブトウ；方機（吉益東洞経験方））**といい，ほぼ同様の目的で用いられる．茯苓には水滞を除く作用があり，蒼朮＋茯苓の組み合わせでその作用はさらに強くなる．よって，桂枝加苓朮附湯は，桂枝加朮附湯よりもより水滞の症状が強くなった場合に用いる．湿度の高い日本の気候に合った処方といえる．本書では，桂枝湯とその関連処方に分類したが，附子剤に分類する場合もある．ブシは，新陳代謝を亢進・復興させる生薬であり体力が衰えて全身的に冷えの強い症状に使用される漢方薬に限られて配合されている．

桂枝加竜骨牡蛎湯（ケイシカリュウコツボレイトウ）：金匱要略

処方の構成 ◆◆ 桂皮（4.0 g），芍薬（4.0 g），甘草（2.0 g），生姜（1.5 g），大棗（4.0 g），竜骨（4.0 g），牡蛎（3.0 g）．

処方構成の解説 ◆◆ 桂枝湯に竜骨と牡蛎を加えたものである．竜骨，牡蛎には，カルシウムや必須アミノ酸が多く含まれており，気を落ちつかせ，疲労を治し，強壮・強精作用が期待される．

効能・効果 ◆◆ 体力中等度以下で，疲れやすく，神経過敏で，興奮しやすいものの次の諸症：神経質，不眠症，小児夜泣き，夜尿症，眼精疲労，神経症．

適応 ◆◆ 下腹直腹筋に緊張のある比較的体力の衰えているものの次の諸症：小児夜尿症，神経衰弱，性的神経衰弱，遺精，陰萎．

副作用 ◆◆ 重大な副作用：偽アルドステロン症，ミオパチー（甘草）．その他の副作用：発疹，発赤，瘙痒などの過敏症（桂皮）．

相互作用 ◆◆ 併用注意：甘草含有製剤，グリチルリチン酸およびその塩類を含有する製剤（甘草）．

当帰四逆加呉茱萸生姜湯（トウキシギャクカゴシュユショウキョウトウ）：傷寒論

処方の構成 ◆◆ 桂皮（3.0 g），芍薬（5.0 g），甘草（2.0 g），生姜（1.0 g），大棗（5.0 g），当帰（3.0 g），呉茱萸（2.0 g），細辛（2.0 g），木通（3.0 g）．

処方構成の解説 ◆◆ 当帰四逆湯に呉茱萸と生姜を加えたものであるが，桂枝湯に当帰，呉茱萸，細辛，木通を加えたものと考えるほうが理解しやすい．四逆とは手足の冷えを意味し，体力虚弱による冷えに対し当帰，呉茱萸，細辛で体を温め，さらに冷えにより停滞した水を利水作用のある木通で改善する．また，呉茱萸には鎮痛作用がある．したがって，桂枝湯の証があり，さらに体の中心や手足が冷え，冷えのために血のめぐりが悪くなることによって起こる諸症状に用いられる．

効能・効果 ◆◆ 体力中等度以下で，手足の冷えを感じ，下肢の冷えが強く，下肢または下腹部が痛くなりやすいものの次の諸症：冷え症，しもやけ，頭痛，下腹部痛，腰痛，下痢，月経痛．

適応 ◆◆ 手足の冷えを感じ，下肢が冷えると下肢または下腹部が痛くなりやすいものの次の諸症：しもやけ，頭痛，下腹部痛，腰痛．

慎重投与 ◆◆ 著しく胃腸の虚弱な患者，食欲不振，悪心，嘔吐のある患者（当帰）．

副作用 ◆◆ 重大な副作用：偽アルドステロン症，ミオパチー（甘草）．その他の副作用：発疹，発赤，瘙痒などの過敏症（桂皮など）．食欲不振，胃部不快感，悪心，下痢などの消化器症状

(当帰).肝機能異常（AST（GOT），ALT（GPT）などの上昇）．

相互作用 ◆◆ 併用注意：甘草含有製剤，グリチルリチン酸およびその塩類を含有する製剤，ループ系利尿薬，チアジド系利尿薬（甘草）．

II-2　桂皮 ＋ 麻黄 の組み合わせをもつ処方

桂皮と麻黄を組み合わせると発汗剤として作用し，この組み合わせをもつ処方を桂麻剤という．よって，無汗であることが証として重要である．

葛根湯（カッコントウ）：傷寒論，金匱要略（日局）

処方の構成 ◆◆ 桂皮（2.0 g），芍薬（2.0 g），甘草（2.0 g），生姜（2.0 g），大棗（3.0 g），葛根（4.0 g），麻黄（3.0 g）．

処方構成の解説 ◆◆ 桂皮と麻黄を組み合わせをもつ発汗剤の代表であるが，別の見方をすると，**桂枝湯**に葛根と麻黄が加えられた処方とも考えられる．桂皮と麻黄により発汗させ，皮膚の水分代謝をよくして解熱し，葛根により肩から首筋のこりをとる．これにより無汗の人のかぜの初期の症状（悪寒，発熱，頭痛，肩のこわばり）を解消するが，かぜの症状がなくとも，肩こりを目標としても使用できる．また，かぜによる熱性の下痢にも有効である．桂皮と麻黄を含む発汗剤は比較的体力のある人向きであるが，葛根湯には生姜，大棗のような虚証向けの生薬も配合されており，麻黄湯（後述）よりは虚証の人に適する．

効能・効果 ◆◆ 体力中等度以上のものの次の諸症：かぜの初期（汗をかいていないもの），鼻かぜ，鼻炎，頭痛，肩こり，筋肉痛，手や肩の痛み．

適応 ◆◆ 自然発汗がなく頭痛，発熱，悪寒，肩こりなどを伴う比較的体力のあるものの次の諸症：感冒，鼻かぜ，熱性疾患の初期，炎症性疾患（結膜炎，角膜炎，中耳炎，扁桃腺炎，乳腺炎，リンパ腺炎），肩こり，上半身の神経痛，蕁麻疹．

慎重投与 ◆◆ 病後の衰弱期，著しく体力の衰えている患者，著しく胃腸の虚弱な患者，食欲不振，悪心，嘔吐のある患者，発汗傾向の著しい患者，狭心症，心筋梗塞などの循環器系の障害のある患者，またはその既往歴のある患者，重症高血圧症の患者，高度の腎障害のある患者，排尿障害のある患者，甲状腺機能亢進症の患者（麻黄）．

副作用 ◆◆ 重大な副作用：偽アルドステロン症，ミオパチー（甘草）．AST（GOT），ALT（GPT），ALP，γ-GTP の上昇を伴う肝機能障害，黄疸．その他の副作用：発疹，発赤，瘙痒などの過敏症（桂皮）．不眠，発汗過多，頻脈，動悸，全身脱力感，精神興奮などの自律神経興奮（麻黄）．食欲不振，胃部不快感，悪心，嘔吐などの消化器症状，排尿障害（麻黄）．

相互作用 ◆◆ 併用注意：甘草含有製剤，グリチルリチン酸およびその塩類を含有する製剤（甘草）．麻黄含有製剤，エフェドリン類含有製剤，モノアミン酸化酵素（MAO）阻害剤，甲状腺

製剤，カテコールアミン製剤，キサンチン系製剤，その他交感神経興奮薬（麻黄）．
その他の注意 ◆◆ 湿疹，皮膚炎が悪化することがある．

葛根湯加川芎辛夷（カッコントウカセンキュウシンイ）：本朝経験方（日局）

処方の構成 ◆◆ 桂皮（2.0 g），芍薬（2.0 g），甘草（2.0 g），生姜（1.0 g），大棗（3.0 g），葛根（4.0 g），麻黄（3.0 g），川芎（2.0 g），辛夷（2.0 g）．

処方構成の解説 ◆◆ 葛根湯に川芎と辛夷を加えたものである．辛夷は鼻腔に停滞した膿汁を排泄する働きがあり，川芎は血行を改善して鼻づまりを解消し，辛夷の働きを助ける．

効能・効果 ◆◆ 比較的体力のあるものの次の諸症：鼻づまり，蓄膿症（副鼻腔炎），慢性鼻炎．

適応 ◆◆ 鼻づまり，蓄膿症，慢性鼻炎．

慎重投与 ◆◆ 著しく胃腸の虚弱な患者，食欲不振，悪心，嘔吐のある患者（川芎，麻黄）．病後の衰弱期，著しく体力の衰えている患者，発汗傾向の著しい患者，狭心症，心筋梗塞などの循環器系の障害のある患者，またはその既往歴のある患者，重症高血圧症の患者，高度の腎障害のある患者，排尿障害のある患者，甲状腺機能亢進症の患者（麻黄）．

副作用 ◆◆ 重大な副作用：偽アルドステロン症，ミオパチー（甘草）．その他の副作用：発疹，発赤，瘙痒などの過敏症（桂皮）．食欲不振，胃部不快感，悪心，嘔吐，下痢などの消化器症状（川芎，麻黄）．不眠，発汗過多，頻脈，動悸，全身脱力感，精神興奮などの自律神経興奮，排尿障害（麻黄）．

相互作用 ◆◆ 併用注意：甘草含有製剤，グリチルリチン酸およびその塩類を含有する製剤（甘草）．麻黄含有製剤，エフェドリン類含有製剤，モノアミン酸化酵素（MAO）阻害剤，甲状腺製剤，カテコールアミン製剤，キサンチン系製剤，その他交感神経興奮薬（麻黄）．

その他の注意 ◆◆ 湿疹，皮膚炎が悪化することがある．葛根湯で，AST（GOT），ALT（GPT），ALP，γ-GTPの上昇を伴う肝機能障害，黄疸が報告されているので，本処方でも同様の副作用が発生する可能性がある．

麻黄湯（マオウトウ）：傷寒論（日局）

処方の構成 ◆◆ 麻黄（5.0 g），桂皮（4.0 g），杏仁（5.0 g），甘草（1.5 g）．

処方構成の解説 ◆◆ 麻黄は交感神経興奮薬であるエフェドリンを含み，鎮咳作用がある．杏仁も，かつては杏仁水が鎮咳・去痰薬として日局に収載されていた．一方，先に述べたように麻黄と桂皮の組み合わせには強い発汗作用があり，皮膚の水分代謝を改善して解熱させる．甘草はこれら生薬の効果を緩和し，また，それ自体に鎮咳，鎮痛・鎮痙，抗炎症作用がある．漢方製剤は配合生薬の数が少ないほど各生薬の効果が強く発揮されるので，麻黄湯は作用の強い方剤である．

効能・効果 ◆◆ 体力充実して，かぜのひきはじめで，悪寒がして発熱，頭痛があり，咳が出て身体のふしぶしが痛く，汗が出ていないものの次の諸症：かぜ，鼻かぜ，気管支炎，鼻づまり．

適応 ◆◆ 悪寒，発熱，頭痛，腰痛，自然に汗の出ないものの次の諸症：感冒，インフルエンザ（初期のもの），関節リウマチ，喘息，乳児の鼻閉塞，哺乳困難．

慎重投与 ◆◆ 病後の衰弱期，著しく体力の衰えている患者，著しく胃腸の虚弱な患者，食欲不振，悪心，嘔吐のある患者，発汗傾向の著しい患者，狭心症，心筋梗塞などの循環器系の障害のある患者，またはその既往歴のある患者，重症高血圧症の患者，高度の腎障害のある患者，排尿障害のある患者，甲状腺機能亢進症の患者（麻黄）．

副作用 ◆◆ 重大な副作用：偽アルドステロン症，ミオパチー（甘草）．その他の副作用：発疹，発赤，瘙痒などの過敏症（桂皮）．不眠，発汗過多，頻脈，動悸，全身脱力感，精神興奮などの自律神経興奮，食欲不振，胃部不快感，悪心，嘔吐などの消化器症状，排尿障害（麻黄）．肝機能異常（AST（GOT），ALT（GPT）などの上昇）．

相互作用 ◆◆ 併用注意：甘草含有製剤，グリチルリチン酸およびその塩類を含有する製剤（甘草）．麻黄含有製剤，エフェドリン類含有製剤，モノアミン酸化酵素（MAO）阻害剤，甲状腺製剤，カテコールアミン製剤，キサンチン系製剤，その他交感神経興奮薬（麻黄）．

参考 ◆◆ **麻黄湯**と桂枝湯の合方で，麻黄などの配合量を減らしたものに**桂麻各半湯（ケイマカクハントウ；傷寒論）**がある．やや虚弱な人の感冒，咳嗽，皮膚の痒みなどに応用される．

薏苡仁湯（ヨクイニントウ）：明医指掌

処方の構成 ◆◆ **麻黄（4.0 g），桂皮（3.0 g），甘草（2.0 g）**，薏苡仁（10.0 g），蒼朮（4.0 g），芍薬（3.0 g），当帰（4.0 g）．

処方構成の解説 ◆◆ 麻黄湯から杏仁をとり，薏苡仁以下を加えたものである．冷えと水滞による神経痛，リウマチ，関節炎に頻用される．薏苡仁，蒼朮の利水作用，麻黄と桂皮の発汗作用によって水滞をとり，当帰により体を温めて血行を改善して，総合的に慢性に経過するリウマチ体質の改善を目標とする．芍薬と甘草の組み合わせもあるので，鎮痛効果も期待できる．

効能・効果 ◆◆ 体力中等度で，関節や筋肉の腫れや痛みのあるものの次の諸症：関節痛，筋肉痛，神経痛．

適応 ◆◆ 関節痛，筋肉痛．

慎重投与 ◆◆ 著しく胃腸の虚弱な患者，食欲不振，悪心，嘔吐のある患者（当帰，麻黄）．病後の衰弱期，著しく体力の衰えている患者，発汗傾向の著しい患者，狭心症，心筋梗塞などの循環器系の障害のある患者，またはその既往歴のある患者，重症高血圧症の患者，高度の腎障害のある患者，排尿障害のある患者，甲状腺機能亢進症の患者（麻黄）．

副作用 ◆◆ 重大な副作用：偽アルドステロン症，ミオパチー（甘草）．その他の副作用：発疹，

発赤，瘙痒などの過敏症（桂皮）．食欲不振，胃部不快感，悪心，嘔吐，腹痛，下痢などの消化器症状（当帰，麻黄，薏苡仁）．不眠，発汗過多，頻脈，動悸，全身脱力感，精神興奮などの自律神経興奮，排尿障害（麻黄）．

相互作用 ◆◆ 併用注意：甘草含有製剤，グリチルリチン酸およびその塩類を含有する製剤（甘草）．麻黄含有製剤，エフェドリン類含有製剤，モノアミン酸化酵素（MAO）阻害剤，甲状腺製剤，カテコールアミン製剤，キサンチン系製剤，その他交感神経興奮薬（麻黄）．

小青竜湯（ショウセイリュウトウ）：傷寒論，金匱要略（日局）

処方の構成 ◆◆ 麻黄（3.0 g），桂皮（3.0 g），甘草（3.0 g），半夏（6.0 g），乾姜（3.0 g），五味子（3.0 g），芍薬（3.0 g），細辛（3.0 g）．

処方構成の解説 ◆◆ 麻黄湯から杏仁をとり，半夏以下の生薬を加えたものである．胃腸管，心下，胸中に水滞があり，この水滞が原因で気の上衝が起こり，発熱，鼻水，痰，咳嗽などの症状が発生すると考えられる．水滞があっても，桂皮，麻黄を含むので無汗であることが必須である．桂皮と麻黄の組み合わせにより発汗させて発熱，頭痛，悪寒をとり，半夏は咳を止め，胃の上部，心下の水滞をとる．細辛，五味子は胸中，気管の水滞をとり，鎮咳・去痰の目的で配合されている．細辛は体を温め，新陳代謝を亢進させる．乾姜は胃腸を温めて消化機能を向上させる一方，半夏の刺激を和らげる目的で配合されている．芍薬は筋の緊張を和らげる．

効能・効果 ◆◆ 体力中等度またはやや虚弱で，うすい水様の痰を伴う咳や鼻水が出るものの次の諸症：気管支炎，気管支喘息，鼻炎，アレルギー性鼻炎，むくみ，かぜ，花粉症．

適応 ◆◆ 下記疾患における水様の痰，水様鼻汁，鼻閉，くしゃみ，喘鳴，咳嗽，流涙：気管支炎，気管支喘息，鼻炎，アレルギー性鼻炎，アレルギー性結膜炎，感冒．

禁忌 ◆◆ 次の患者には投与しないこと：アルドステロン症の患者，ミオパチーのある患者，低カリウム血症のある患者．

慎重投与 ◆◆ 病後の衰弱期，著しく体力の衰えている患者，著しく胃腸の虚弱な患者，食欲不振，悪心，嘔吐のある患者，発汗傾向の著しい患者，狭心症，心筋梗塞などの循環器系の障害のある患者またはその既往歴のある患者，重症高血圧症の患者，高度の腎障害のある患者，排尿障害のある患者，甲状腺機能亢進症の患者（麻黄）．

副作用 ◆◆ 重大な副作用：間質性肺炎．偽アルドステロン症，ミオパチー（甘草）．AST（GOT），ALT（GPT），ALP，γ-GTPの上昇を伴う肝機能障害，黄疸．その他の副作用：発疹，発赤，瘙痒などの過敏症（桂皮）．不眠，発汗過多，頻脈，動悸，全身脱力感，精神興奮などの自律神経興奮，食欲不振，胃部不快感，悪心，嘔吐，腹痛，下痢などの消化器症状，排尿障害（麻黄）．

相互作用 ◆◆ 併用注意：甘草含有製剤，グリチルリチン酸およびその塩類を含有する製剤，ループ系利尿薬，チアジド系利尿薬（甘草）．麻黄含有製剤，エフェドリン類含有製剤，モノア

ミン酸化酵素（MAO）阻害剤，甲状腺製剤，カテコールアミン製剤，キサンチン系製剤，その他交感神経興奮薬（麻黄）．

臨床成績 ◆◆ 本処方は通年性鼻アレルギーに対する二重盲検比較臨床試験において，くしゃみ発作，鼻汁，鼻閉等の症状を改善し，最終全般改善率は以下の成績であった．

	改善率（％）	
	中等度改善以上	軽度改善以上
小青竜湯群	44.6（41/92）	83.7（77/92）
プラセボ群	18.1（17/94）	43.6（41/94）

参考 ◆◆ 麻黄湯の麻黄の量を増量し，さらに石膏，生姜，大棗を加えた処方を**大青竜湯（ダイセイリュウトウ；傷寒論，金匱要略）**といい，麻黄湯証の表証が一層強くなり，熱が体の内部まで及び，口渇，煩燥する人に使用する．エキス剤が製造されていないため，麻黄湯＋越婢加朮湯（後述）あるいは桂枝湯＋麻杏甘石湯（後述）で対応するが，前者では麻黄の量が多くなるので注意が必要である．

五積散（ゴシャクサン）：太平恵民和剤局方

処方の構成 ◆◆ 麻黄（1.0 g），桂皮（1.0 g），甘草（1.0 g），蒼朮（3.0 g），厚朴（1.0 g），陳皮（2.0 g），生姜（1.0 g），大棗（1.0 g），半夏（2.0 g），茯苓（2.0 g），当帰（2.0 g），芍薬（1.0 g），川芎（1.0 g），桔梗（1.0 g），枳実（1.0 g），白芷（1.0 g）．

処方構成の解説 ◆◆ 五積散という名称は体内にうっ積した5つの病毒[気・血・痰（水滞）・寒・食（胃腸障害）]を治す薬という意味であるが，5つの処方[**麻黄湯：麻黄，桂皮，甘草（杏仁なし）**．平胃散（後述）：蒼朮，厚朴，陳皮，生姜，大棗，甘草．二陳湯（後述）：半夏，茯苓，陳皮，生姜，甘草．四物湯（後述）：当帰，芍薬，川芎（地黄なし）．その他：桔梗，枳実，白芷]の合方という考え方もある．したがって，慢性に経過した様々な疾患に応用可能であるが，基本的に症状はあまり強くなく，胃腸が虚弱傾向にあり，冷えとのぼせがある人に適する．

効能・効果 ◆◆ 体力中等度またはやや虚弱で，冷えがあるものの次の諸症：胃腸炎，腰痛，神経痛，関節痛，月経痛，頭痛，更年期障害，感冒．

適応 ◆◆ 慢性に経過し，症状の激しくない次の諸症：胃腸炎，腰痛，神経痛，関節痛，月経痛，頭痛，冷え症，更年期障害，感冒．

慎重投与 ◆◆ 著しく胃腸の虚弱な患者，食欲不振，悪心，嘔吐のある患者（川芎，当帰，麻黄）．病後の衰弱期，著しく体力の衰えている患者，発汗傾向の著しい患者，狭心症，心筋梗塞などの循環器系の障害のある患者，またはその既往歴のある患者，重症高血圧症の患者，高度の腎

障害のある患者，排尿障害のある患者，甲状腺機能亢進症の患者（麻黄）．

副作用 ◆◆ 重大な副作用：偽アルドステロン症，ミオパチー（甘草）．その他の副作用：食欲不振，胃部不快感，悪心，嘔吐，下痢などの消化器症状（川芎，当帰，麻黄）．不眠，発汗過多，頻脈，動悸，全身脱力感，精神興奮など自律神経興奮，排尿障害（麻黄）．発疹，発赤，瘙痒などの過敏症（桂皮など）．

相互作用 ◆◆ 併用注意：甘草含有製剤，グリチルリチン酸およびその塩類を含有する製剤（甘草）．麻黄含有製剤，エフェドリン類含有製剤，モノアミン酸化酵素（MAO）阻害剤，甲状腺製剤，カテコールアミン製剤，キサンチン系製剤，その他交感神経興奮薬（麻黄）．

II-3　麻黄 ＋ 石膏 の組み合わせをもつ処方

麻黄と石膏の組み合わせは熱性疾患による熱感や口渇をさまし，止汗的に作用する．

麻杏甘石湯（マキョウカンセキトウ）：傷寒論

処方の構成 ◆◆ 麻黄（4.0 g），杏仁（4.0 g），甘草（2.0 g），石膏（10.0 g）．

処方構成の解説 ◆◆ 麻黄湯から桂皮をとり，石膏を加えた処方である．石膏は強い寒性薬であり，熱を解き，熱による口渇などを止める．麻黄は桂皮と組むと強い発汗剤となるが，石膏と組み合わせると止汗的に作用する．杏仁は鎮咳・去痰を目的に，甘草は処方全体を緩和するほか，鎮咳，鎮痛・鎮痙，抗炎症を目的に加えられている．

効能・効果 ◆◆ 体力中等度以上で，咳が出て，ときに喉が渇くものの次の諸症：咳，小児喘息，気管支喘息，気管支炎，かぜ，痔の痛み．

適応 ◆◆ 小児喘息，気管支喘息．

慎重投与 ◆◆ 病後の衰弱期，著しく体力の衰えている患者，胃腸の虚弱な患者（石膏，麻黄）．食欲不振，悪心，嘔吐のある患者，発汗傾向の著しい患者，狭心症，心筋梗塞などの循環器系の障害のある患者，またはその既往歴のある患者，重症高血圧症の患者，高度の腎障害のある患者，排尿障害のある患者，甲状腺機能亢進症の患者（麻黄）．

副作用 ◆◆ 重大な副作用：偽アルドステロン症，ミオパチー（甘草）．その他の副作用：食欲不振，胃部不快感，悪心，嘔吐，軟便，下痢などの消化器症状（石膏，麻黄）．不眠，発汗過多，頻脈，動悸，全身脱力感，精神興奮などの自律神経興奮，排尿障害（麻黄）．

相互作用 ◆◆ 併用注意：甘草含有製剤，グリチルリチン酸およびその塩類を含有する製剤（甘草）．麻黄含有製剤，エフェドリン類含有製剤，モノアミン酸化酵素（MAO）阻害剤，甲状腺製剤，カテコールアミン製剤，キサンチン系製剤，その他交感神経興奮薬（麻黄）．

五虎湯（ゴコトウ）：万病回春

処方の構成 ◆◆ 麻黄（4.0 g），杏仁（4.0 g），甘草（2.0 g），石膏（10.0 g），桑白皮（3.0 g）．

処方構成の解説 ◆◆ 麻杏甘石湯に肺熱を冷まし，鎮咳・去痰作用をもつ桑白皮を加えたものである．麻杏甘石湯が急性の咳嗽発作に頓用されることが多いのに対し，五虎湯は継続的に用いるのに適する．

効能・効果 ◆◆ 体力中等度以上で，咳が強く出るものの次の諸症：咳，気管支喘息，気管支炎，小児喘息，感冒，痔の痛み．

適応 ◆◆ 咳，気管支喘息．

慎重投与 ◆◆ 病後の衰弱期，著しく体力の衰えている患者，胃腸の虚弱な患者（石膏，麻黄）．食欲不振，悪心，嘔吐のある患者，発汗傾向の著しい患者，狭心症，心筋梗塞などの循環器系の障害のある患者，またはその既往歴のある患者，重症高血圧症の患者，高度の腎障害のある患者，排尿障害のある患者，甲状腺機能亢進症の患者（麻黄）．

副作用 ◆◆ 重大な副作用：偽アルドステロン症，ミオパチー（甘草）．その他の副作用：食欲不振，胃部不快感，悪心，嘔吐，軟便，下痢などの消化器症状（石膏，麻黄）．不眠，発汗過多，頻脈，動悸，全身脱力感，精神興奮などの自律神経興奮，排尿障害（麻黄）．

相互作用 ◆◆ 併用注意：甘草含有製剤，グリチルリチン酸およびその塩類を含有する製剤（甘草）．麻黄含有製剤，エフェドリン類含有製剤，モノアミン酸化酵素（MAO）阻害剤，甲状腺製剤，カテコールアミン製剤，キサンチン系製剤，その他交感神経興奮薬（麻黄）．

越婢加朮湯（エッピカジュツトウ）：金匱要略

処方の構成 ◆◆ 麻黄（6.0 g），甘草（2.0 g），石膏（8.0 g），蒼朮（4.0 g），生姜（1.0 g），大棗（3.0 g）．

処方構成の解説 ◆◆ 麻杏甘石湯から杏仁をとり，蒼朮以下を加えたものである．麻黄と石膏により止汗して，皮膚の分泌を抑制し，さらに蒼朮の利水効果により水滞をとる．生姜は脾胃を温めて保護し，大棗と甘草は処方全体を緩和するなど，副作用を防ぐ目的で配合されている．全体として，小便が不利で体がむくむ一方，熱感があり，発汗して分泌物が多い状態に用いる．

効能・効果 ◆◆ 体力中等度以上で，むくみがあり，喉が渇き，汗が出て，ときに尿量が減少するものの次の諸症：むくみ，関節の腫れや痛み，関節炎，湿疹・皮膚炎，夜尿症，目のかゆみ・痛み．

適応 ◆◆ 浮腫と汗が出て小便不利のあるものの次の諸症：腎炎，ネフローゼ，脚気，関節リウマチ，夜尿症，湿疹．

慎重投与 ◆◆ 病後の衰弱期，著しく体力の衰えている患者，胃腸の虚弱な患者（石膏，麻黄）．食欲不振，悪心，嘔吐のある患者，発汗傾向の著しい患者，狭心症，心筋梗塞などの循環器系の障害のある患者，またはその既往歴のある患者，重症高血圧症の患者，高度の腎障害のある患者，排尿障害のある患者，甲状腺機能亢進症の患者（麻黄）．

副作用 ◆◆ 重大な副作用：偽アルドステロン症，ミオパシー（甘草）．その他の副作用：食欲不振，胃部不快感，悪心，嘔吐，軟便，下痢などの消化器症状（石膏，麻黄）．不眠，発汗過多，頻脈，動悸，全身脱力感，精神興奮などの自律神経興奮，排尿障害（麻黄）．

相互作用 ◆◆ 併用注意：甘草含有製剤，グリチルリチン酸およびその塩類を含有する製剤（甘草）．麻黄含有製剤，エフェドリン類含有製剤，モノアミン酸化酵素（MAO）阻害剤，甲状腺製剤，カテコールアミン製剤，キサンチン系製剤，その他交感神経興奮薬（麻黄）．

防風通聖散（ボウフウツウショウサン）：宣明論（日局）

処方の構成 ◆◆ 麻黄（1.2 g），石膏（2.0 g），生姜（0.3 g），白朮（2.0 g），甘草（2.0 g），大黄（1.5 g），芒硝（0.7 g），当帰（1.2 g），川芎（1.2 g），芍薬（1.2 g），薄荷（1.2 g），連翹（1.2 g），荊芥（1.2 g），防風（1.2 g），黄芩（2.0 g），山梔子（1.2 g），滑石（3.0 g），桔梗（2.0 g）．

処方構成の解説 ◆◆ 麻黄から甘草までは越婢加朮湯から大棗を除いたものであり，甘草，大黄，芒硝は調胃承気湯（後述）の組み合わせ，当帰，川芎，芍薬は四物湯（後述）から地黄を除いた組み合わせである．多くの生薬が配合されているので，各生薬の個性は顕著にはあらわれないが，全体として，発汗作用，血行促進作用，消炎，解熱作用，瀉下作用，利尿作用が期待され，体内の水滞，宿便を排泄し解毒する処方といえる．肥満体質者の体質改善薬として応用される．

効能・効果 ◆◆ 体力充実して，腹部に皮下脂肪が多く，便秘がちなものの次の諸症：高血圧や肥満に伴う動悸・肩こり・のぼせ・むくみ・便秘，蓄膿症（副鼻腔炎），湿疹，皮膚炎，ふきでもの（にきび），肥満症．

適応 ◆◆ 腹部に皮下脂肪が多く，便秘がちなものの次の諸症：高血圧の随伴症状（動悸，肩こり，のぼせ），肥満症，むくみ，便秘．

慎重投与 ◆◆ 下痢，軟便のある患者（大黄，芒硝）．胃腸の虚弱な患者（石膏，川芎，大黄，当帰，芒硝，麻黄）．食欲不振，悪心，嘔吐のある患者（川芎，当帰，麻黄）．病後の衰弱期，著しく体力の衰えている患者（石膏，大黄，麻黄）．発汗傾向の著しい患者，狭心症，心筋梗塞などの循環器系の障害のある患者，またはその既往歴のある患者，重症高血圧症の患者，高度の腎障害のある患者，排尿障害のある患者，甲状腺機能亢進症の患者（麻黄）．

副作用 ◆◆ 重大な副作用：間質性肺炎．偽アルドステロン症，ミオパチー（甘草）．AST（GOT），ALT（GPT），ALP，γ-GTP の著しい上昇を伴う肝機能障害，黄疸．腸間膜静脈硬化症（山梔

子）．その他の副作用：食欲不振，胃部不快感，悪心，嘔吐，腹痛，軟便，下痢などの消化器症状（石膏，川芎，大黄，当帰，芒硝，麻黄）．不眠，発汗過多，頻脈，動悸，全身脱力感，精神興奮などの自律神経興奮，排尿障害（麻黄）．発疹，瘙痒などの過敏症．

妊婦，産婦，授乳婦への投与 ◆◆ 妊婦または妊娠している可能性のある婦人には投与しないことが望ましい（大黄，芒硝）．また，授乳中の婦人には慎重に投与すること（大黄）．

相互作用 ◆◆ 併用注意：甘草含有製剤，グリチルリチン酸およびその塩類を含有する製剤（甘草）．麻黄含有製剤，エフェドリン類含有製剤，モノアミン酸化酵素（MAO）阻害剤，甲状腺製剤，カテコールアミン製剤，キサンチン系製剤，その他交感神経興奮薬（麻黄）．大黄含有製剤（大黄）．

その他の注意 ◆◆ 大黄の瀉下作用には個人差があるので，症状に応じて，用法，用量を適宜増減すること．本処方には芒硝が含まれているので，治療上食塩制限が必要な患者に継続投与する場合は注意すること．

参考 ◆◆ 防風通聖散を投与すると，メタボリックシンドロームの改善に寄与するという腸内細菌 *Akkermansia muciniphila* が増加するという報告がある．

II-4　その他，麻黄が配合された処方

麻杏薏甘湯（マキョウヨクカントウ）：金匱要略

処方の構成 ◆◆ 麻黄（4.0 g），杏仁（3.0 g），甘草（2.0 g），薏苡仁（10.0 g）．

処方構成の解説 ◆◆ 麻黄湯から桂皮をとり，薏苡仁を加えたものである．本処方では，麻黄と杏仁は利水薬として考えると理解しやすい．すなわち，麻黄は発汗により体表の水分を発散し，杏仁と協力して上部の水滞をとる．薏苡仁も水滞をとり，甘草が処方を緩和する．ただし，全体として鎮痛効果は強くなく，水滞と冷えによる軽い痛みや，乾燥し，角質化した疣贅（いぼ）をとるのに適する．

効能・効果 ◆◆ 体力中等度なものの次の諸症：関節痛，神経痛，筋肉痛，いぼ，手足の荒れ（手足の湿疹・皮膚炎）．

適応 ◆◆ 関節痛，神経痛，筋肉痛．

慎重投与 ◆◆ 病後の衰弱期，著しく体力の衰えている患者，著しく胃腸の虚弱な患者，食欲不振，悪心，嘔吐のある患者，発汗傾向の著しい患者，狭心症，心筋梗塞などの循環器系の障害のある患者，またはその既往歴のある患者，重症高血圧症の患者，高度の腎障害のある患者，排尿障害のある患者，甲状腺機能亢進症の患者（麻黄）．

副作用 ◆◆ 重大な副作用：偽アルドステロン症，ミオパチー（甘草）．その他の副作用：食欲不振，胃部不快感，悪心，嘔吐，下痢などの消化器症状（麻黄，薏苡仁）．不眠，発汗過多，頻

脈，動悸，全身脱力感，精神興奮などの自律神経興奮，排尿障害（麻黄）．
相互作用 ◆◆ 併用注意：甘草含有製剤，グリチルリチン酸およびその塩類を含有する製剤（甘草）．麻黄含有製剤，エフェドリン類含有製剤，モノアミン酸化酵素（MAO）阻害剤，甲状腺製剤，カテコールアミン製剤，キサンチン系製剤，その他交感神経興奮薬（麻黄）．

神秘湯（シンピトウ）：外台秘要方

処方の構成 ◆◆ **麻黄（5.0 g），杏仁（4.0 g），甘草（2.0 g）**，厚朴（3.0 g），蘇葉（1.5 g），陳皮（2.5 g），柴胡（2.0 g）．

処方構成の解説 ◆◆ **麻黄湯から桂皮をとり**，厚朴以下を加えたものである．厚朴は胸腹部膨満感をとり，咳嗽，不安を鎮め，蘇葉は鬱した気を発散する作用がある．さらに，気をめぐらせて消化機能を改善し，また鎮咳・去痰作用のある陳皮，胸脇部の炎症を抑え，鎮静作用のある柴胡を加えたものである．喀痰が少なく，精神的な影響の強い，慢性に経過した小児喘息の補助療法に適する．熱証には用いない．

効能・効果 ◆◆ 体力中等度で，咳，喘息，息苦しさがあり，痰が少ないものの次の諸症：小児喘息，気管支喘息，気管支炎．

適応 ◆◆ 小児喘息，気管支喘息，気管支炎．

慎重投与 ◆◆ 病後の衰弱期，著しく体力の衰えている患者，著しく胃腸の虚弱な患者，食欲不振，悪心，嘔吐のある患者，発汗傾向の著しい患者，狭心症，心筋梗塞などの循環器系の障害のある患者，またはその既往歴のある患者，重症高血圧症の患者，高度の腎障害のある患者，排尿障害のある患者，甲状腺機能亢進症の患者（麻黄）．

副作用 ◆◆ 重大な副作用：偽アルドステロン症，ミオパチー（甘草）．その他の副作用：食欲不振，胃部不快感，悪心，嘔吐などの消化器症状（麻黄）．不眠，発汗過多，頻脈，動悸，全身脱力感，精神興奮などの自律神経興奮，排尿障害（麻黄）．

相互作用 ◆◆ 併用注意：甘草含有製剤，グリチルリチン酸およびその塩類を含有する製剤（甘草）．麻黄含有製剤，エフェドリン類含有製剤，モノアミン酸化酵素（MAO）阻害剤，甲状腺製剤，カテコールアミン製剤，キサンチン系製剤，その他交感神経興奮薬（麻黄）．

麻黄附子細辛湯（マオウブシサイシントウ）：傷寒論

処方の構成 ◆◆ **麻黄（4.0 g）**，細辛（3.0 g），日局加工ブシ末（1.0 g）．

処方構成の解説 ◆◆ 発汗，鎮咳，解熱作用のある**麻黄**に，体を強く温める細辛とブシが加えられたものである．さらに，細辛には鎮痛，鎮咳・去痰作用，ブシには鎮痛，強心，新陳代謝の改善作用がある．したがって，虚弱で，発熱があっても熱感がなく，ひどく寒く感じる感冒に応用される．傷寒論では少陰病期に用いる処方である．

効能・効果 ◆◆ 体力虚弱で，手足に冷えがあり，ときに悪寒があるものの次の諸症：かぜ，アレルギー性鼻炎，気管支炎，気管支喘息，神経痛．

適応 ◆◆ 悪寒，微熱，全身倦怠，低血圧で頭痛，めまいあり，四肢に疼痛冷感あるものの次の諸症：感冒，気管支炎．

慎重投与 ◆◆ 体力の充実している患者，暑がりで，のぼせが強く，赤ら顔の患者（ブシ）．著しく胃腸の虚弱な患者，食欲不振，悪心，嘔吐のある患者，発汗傾向の著しい患者，狭心症，心筋梗塞などの循環器系の障害のある患者，またはその既往歴のある患者，重症高血圧症の患者，高度の腎障害のある患者，排尿障害のある患者，甲状腺機能亢進症の患者（麻黄）．

副作用 ◆◆ 重大な副作用：AST（GOT），ALT（GPT），ALP，γ-GTPの上昇を伴う肝機能障害，黄疸．その他の副作用：のぼせ，舌のしびれ，心悸亢進，悪心など（ブシ）．不眠，発汗過多，頻脈，動悸，全身脱力感，精神興奮などの自律神経興奮，口渇，食欲不振，胃部不快感，悪心，嘔吐などの消化器症状，排尿障害（麻黄）．発疹，発赤などの過敏症．

妊婦，産婦，授乳婦への投与 ◆◆ 妊婦または妊娠している可能性のある婦人には投与しないことが望ましい（ブシ）．

小児への投与 ◆◆ 小児等には慎重に投与すること（ブシ）．

相互作用 ◆◆ 併用注意：麻黄含有製剤，エフェドリン類含有製剤，モノアミン酸化酵素（MAO）阻害剤，甲状腺製剤，カテコールアミン製剤，キサンチン系製剤，その他交感神経興奮薬（麻黄）．ブシ含有製剤（ブシ）．

参考 ◆◆ 本書では，その他，麻黄が配合された処方に分類したが，附子剤に分類する場合もある．

II-5 柴胡剤

多くの漢方処方に柴胡が配合されているが，ここでは1日量として柴胡5g以上を含むものを柴胡剤としてとりあげる．柴胡剤の多くは同時に黄芩もしくは枳実が配合されており，柴胡の作用を強化している．柴胡剤は少陽病期に用いる代表的な処方で，病邪が半表半裏（具体的には，呼吸器から上部消化器）の位置にあり，陽病であるから熱すなわち炎症が生じていると考える．胸脇苦満が柴胡剤の適応の重要な指針になるが，これは胸脇部における炎症の体性反射によるものと推定される．また，少陽の熱により，悪心，食欲不振，微熱，口苦，舌苔を伴う場合が多い．柴胡剤は応用範囲の広い処方で，呼吸器，上部消化器の炎症性疾患はもとより，精神・神経系疾患，免疫系が関与した疾患にも処方され，効果をあげている．

小柴胡湯（ショウサイコトウ）：傷寒論，金匱要略（日局）

処方の構成 ◆◆ 柴胡（**7.0 g**），黄芩（**3.0 g**），半夏（5.0 g），生姜（1.0 g），大棗（3.0 g），人参

（3.0 g），甘草（2.0 g）．

処方構成の解説 ◆◆ 柴胡剤の基本であり，柴胡剤のうち配合されている柴胡の量が最も多い．**柴胡と黄芩**により呼吸器，上部消化器の炎症をとる．その炎症により生じる悪心・嘔吐を半夏が抑え，生姜は脾胃を温め，消化機能を向上させると同時に半夏の副作用を減じる．大棗は生姜の刺激を緩和し，さらに滋養・強壮，補気効果をもたらす．人参には滋養・強壮，補気，胃腸機能の改善作用が期待される．甘草は処方全体を緩和するが，同時に，鎮咳，鎮痛・鎮痙，抗炎症作用ももつ．本剤には比較的作用の強い柴胡，黄芩，半夏と，虚証向けの生薬である生姜，大棗，人参がバランスよく配合されており，体力が中程度の人に適する．

効能・効果 ◆◆ 体力中等度で，ときに脇腹（腹）からみぞおちあたりにかけて苦しく，食欲不振や口の苦味があり，舌に白苔がつくものの次の諸症：食欲不振，悪心，胃炎，胃痛，胃腸虚弱，疲労感，かぜの後期の諸症状．

適応 ◆◆ 1. 体力中等度で上腹部がはって苦しく，舌苔を生じ，口中不快，食欲不振，時により微熱，悪心などのあるものの次の諸症：諸種の急性熱性病，肺炎，気管支炎，気管支喘息，感冒，リンパ腺炎，慢性胃腸障害，産後回復不全　2. 慢性肝炎における肝機能障害の改善．

禁忌 ◆◆ 次の患者には投与しないこと：インターフェロン製剤（インターフェロン α，インターフェロン β）を投与中の患者．肝硬変，肝癌の患者．慢性肝炎における肝機能障害で，血小板数が10万/mm³ 以下の患者．

警告 ◆◆ 本剤の投与により，間質性肺炎が起こり，早期に適切な処置を行わない場合，死亡等の重篤な転帰にいたることがあるので，患者の状態を十分に観察し，発熱，咳嗽，呼吸困難，肺音の異常（捻髪音），胸部X線異常などがあらわれた場合には，ただちに投与を中止する．発熱，咳嗽，呼吸困難などがあらわれた場合には，本剤の服用を中止し，ただちに連絡するよう患者に対し注意を行う．

慎重投与 ◆◆ 著しく体力の衰えている患者．慢性肝炎における肝機能障害で，血小板数が15万/mm³ 以下の患者．

副作用 ◆◆ 重大な副作用：間質性肺炎（黄芩の関与が疑われる）．偽アルドステロン症，ミオパチー，横紋筋融解症（甘草）．AST（GOT），ALT（GPT），ALP，γ-GTPの著しい上昇を伴う肝機能障害，黄疸．その他の副作用：発疹，瘙痒，蕁麻疹などの過敏症（人参）．食欲不振，胃部不快感，悪心，嘔吐，腹痛，下痢，便秘などの消化器症状．膀胱炎，血尿，残尿感，頻尿，排尿痛などの膀胱炎様症状．

相互作用 ◆◆ 併用注意：甘草含有製剤，グリチルリチン酸およびその塩類を含有する製剤，ループ系利尿薬，チアジド系利尿薬（甘草）．

その他の注意 ◆◆ 慢性肝炎における肝機能障害で本剤を長期にわたり投与するときは，血小板数の変化に注意し，血小板数の減少が認められた場合には，投与を中止する．

柴胡桂枝湯（サイコケイシトウ）：傷寒論，金匱要略（日局）

処方の構成 ◆◆ 柴胡（5.0 g），黄芩（2.0 g），半夏（4.0 g），生姜（1.0 g），大棗（2.0 g），人参（2.0 g），甘草（2.0 g），桂皮（2.0 g），芍薬（2.0 g）．

処方構成の解説 ◆◆ 小柴胡湯に桂皮と芍薬を加えたものである．桂皮が配合されていることから表証（発熱，悪寒，頭痛，発汗）があり，芍薬を含むことから腹直筋の緊張や痛みがある状態に用いる．小柴胡湯より柴胡，黄芩の量がそれぞれ2 g，1 g減じられており，小柴胡湯よりもやや虚証の人に適する．

効能・効果 ◆◆ 体力中等度またはやや虚弱で，多くは腹痛を伴い，ときに微熱，寒気，頭痛，悪心などがあるものの次の諸症：胃腸炎，かぜの中期から後期の諸症状．

適応 ◆◆ 発熱汗出て，悪寒し，身体痛み，頭痛，吐き気のあるものの次の諸症：感冒・流感・肺炎・肺結核などの熱性疾患，胃潰瘍・十二指腸潰瘍・胆のう炎・胆石・肝機能障害・膵臓炎などの心下部緊張疼痛．

副作用 ◆◆ 重大な副作用：間質性肺炎（黄芩の関与が疑われる）．偽アルドステロン症，ミオパチー（甘草）．AST（GOT），ALT（GPT），ALP，γ-GTPの上昇を伴う肝機能障害，黄疸．その他の副作用：発疹，発赤，瘙痒，蕁麻疹などの過敏症（桂皮，人参）．下痢，便秘，消化不良などの消化器症状．膀胱炎，血尿，残尿感，頻尿，排尿痛などの膀胱炎様症状．

相互作用 ◆◆ 併用注意：甘草含有製剤，グリチルリチン酸およびその塩類を含有する製剤（甘草）．

その他の注意 ◆◆ 小柴胡湯がインターフェロン製剤と併用禁忌であることから，本処方もインターフェロン製剤との併用は行わないことが望ましい．

大柴胡湯（ダイサイコトウ）：傷寒論，金匱要略（日局）

処方の構成 ◆◆ 柴胡（6.0 g），黄芩（3.0 g），半夏（4.0 g），生姜（1.0 g），大棗（3.0 g），枳実（2.0 g），芍薬（3.0 g），大黄（1.0 g）．

処方構成の解説 ◆◆ 小柴胡湯から人参と甘草をとり，枳実，芍薬，大黄を加えたものである．枳実は胸脇部のつかえをとる作用，芍薬は筋の緊張をゆるめ，痛みを緩和する作用，大黄は抗炎症と瀉下作用がある．これらと，柴胡と黄芩の作用が協力し，胸脇部の緊張と炎症をとる作用の強い処方で，体力が充実した人に適する．このことは，人参，甘草が除かれていることからも理解できる．

効能・効果 ◆◆ 体力が充実して，脇腹からみぞおちあたりにかけて苦しく，便秘の傾向のあるものの次の諸症：胃炎，常習便秘，高血圧や肥満に伴う肩こり・頭痛・便秘，神経症，肥満症．

適応 ◆◆ 比較的体力のある人で，便秘がちで，上腹部が張って苦しく，耳鳴り，肩こりなど伴うものの次の諸症：胆石症，胆のう炎，黄疸，肝機能障害，高血圧症，脳溢血，蕁麻疹，胃酸過多症，急性胃腸カタル，悪心，嘔吐，食欲不振，痔疾，糖尿病，ノイローゼ，不眠症．

慎重投与 ◆◆ 下痢，軟便のある患者，著しく胃腸の虚弱な患者（大黄）．著しく体力の衰えている患者（大黄など）．

副作用 ◆◆ 重大な副作用：間質性肺炎（黄芩の関与が疑われる）．AST（GOT），ALT（GPT），ALP，γ-GTP の上昇を伴う肝機能障害，黄疸．その他の副作用：食欲不振，腹痛，下痢（大黄）．

妊婦，産婦，授乳婦への投与 ◆◆ 妊婦または妊娠している可能性のある婦人には投与しないことが望ましい（大黄）．また，授乳中の婦人には慎重に投与すること（大黄）．

相互作用 ◆◆ 併用注意：大黄含有製剤（大黄）．

その他の注意 ◆◆ 大黄の瀉下作用には個人差があるので，症状に応じて，用法，用量を適宜増減すること．小柴胡湯がインターフェロン製剤と併用禁忌であることから，本処方もインターフェロン製剤との併用は行わないことが望ましい．また，膀胱炎様症状（血尿，残尿感，頻尿，排尿痛）の発現にも注意する．

四逆散（シギャクサン）：傷寒論

処方の構成 ◆◆ 柴胡（5.0 g），枳実（2.0 g），芍薬（4.0 g），甘草（1.5 g）．

処方構成の解説 ◆◆ 4種の生薬からなる柴胡剤で，配合生薬の数が少ないぶん，各生薬の作用が強くあらわれる．すなわち，胸脇部の膨満感とつかえ感をとる作用，筋の緊張をゆるめ痛みを緩和する作用が強い．精神神経用薬としても有効例の報告が多い．

効能・効果 ◆◆ 体力中等度以上で，胸腹部に重苦しさがあり，ときに不安，不眠などがあるものの次の諸症：胃炎，胃痛，腹痛，神経症．

適応 ◆◆ 比較的体力のあるもので，大柴胡湯証と小柴胡湯証との中間証を表すものの次の諸症：胆嚢炎，胆石症，胃炎，胃酸過多，胃潰瘍，鼻カタル，気管支炎，神経質，ヒステリー．

慎重投与 ◆◆ 著しく体力の衰えている患者．

副作用 ◆◆ 重大な副作用：偽アルドステロン症，ミオパチー（甘草）．

相互作用 ◆◆ 併用注意：甘草含有製剤，グリチルリチン酸およびその塩類を含有する製剤（甘草）．

柴胡加竜骨牡蛎湯（サイコカリュウコツボレイトウ）：傷寒論

処方の構成 ◆◆ 柴胡（5.0 g），黄芩（2.5 g），半夏（4.0 g），生姜（1.0 g），大棗（2.5 g），人参（2.5 g），桂皮（3.0 g），茯苓（3.0 g），竜骨（2.5 g），牡蛎（2.5 g）．

処方構成の解説 ◆◆ 小柴胡湯から甘草をとり，のぼせを下げる桂皮，利水と精神安定作用のある茯苓，鎮静効果の強い竜骨と牡蛎を加えたものである．比較的体力があり，柴胡証がある人の精神神経用薬として頻用される．

効能・効果 ◆◆ 体力中等度以上で，精神不安があって，動悸，不眠，便秘などを伴うものの次の諸症：高血圧の随伴症状（動悸，不安，不眠），神経症，更年期神経症，小児夜泣き，便秘．

適応 ◆◆ 比較的体力があり，心悸亢進，不眠，いらだちなどの精神症状のあるものの次の諸症：高血圧症，動脈硬化症，慢性腎臓病，神経衰弱症，神経性心悸亢進症，てんかん，ヒステリー，小児夜啼症，陰萎．

副作用 ◆◆ 重大な副作用：間質性肺炎（黄芩の関与が疑われる）．AST（GOT），ALT（GPT），ALP，γ-GTPの上昇を伴う肝機能障害，黄疸．その他の副作用：発疹，発赤，瘙痒，蕁麻疹などの過敏症（人参，桂皮）．胃部不快感などの消化器症状．

その他の注意 ◆◆ 小柴胡湯がインターフェロン製剤と併用禁忌であることから，本処方もインターフェロン製剤との併用は行わないことが望ましい．また，膀胱炎様症状（血尿，残尿感，頻尿，排尿痛）の発現にも注意する．海外で実施された臨床試験の結果，てんかんや精神疾患の患者が抗てんかん薬を服用した場合，自殺念慮および自殺企画の危険性が高まることが示された．漢方薬の服用で同様の傾向が確認された例はないが，医療用柴胡加竜骨牡蛎湯エキス剤のなかにはてんかんの適応があるものもあるので，一応の注意が必要と思われる．

参考 ◆◆ ツムラ医療用および一般用柴胡加竜骨牡蛎湯エキス顆粒には大黄が配合されていないが，他社の製剤では大黄（0.5～1g）が配合されている．使用の際には，ほかの大黄配合処方と同様の注意が必要である．また，原方には，鉛丹のような重金属も配合されているが，現在の処方では当然除いてある．鉛丹がなくても十分有効性は発揮される．

柴胡桂枝乾姜湯（サイコケイシカンキョウトウ）：傷寒論，金匱要略

処方の構成 ◆◆ 柴胡（**6.0g**），黄芩（**3.0g**），桂皮（3.0g），甘草（2.0g），牡蛎（3.0g），栝楼根（3.0g），乾姜（2.0g）．

処方構成の解説 ◆◆ 柴胡と黄芩の組み合わせがあり，柴胡剤の1種であるが，桂皮，甘草，牡蛎，乾姜と虚証用の生薬の割合が多く，柴胡剤の中で一番虚している場合に使う．柴胡剤適応の目安となる胸脇苦満はあまり強くない．適応となる患者は，体内の水分（津液）が不足しているため，全身から発汗せず，頭のみに汗をかいたり，盗汗が出たりし，一方で尿量は少なく，のぼせ，口渇，精神不安がある状態にある．したがって，桂皮によりのぼせを下げ，牡蛎により精神を安定させ，栝楼根により体を潤し，津液をめぐらすと解釈できる．乾姜は虚した体を温める．臨床的には柴胡加竜骨牡蛎湯の虚証用の処方として応用されることが多い．

効能・効果 ◆◆ 体力中等度以下で，冷え症，貧血気味，神経過敏で，動悸，息切れ，ときにね

あせ，頭部の発汗，口の乾きがあるものの次の諸症：更年期障害，血の道症，不眠症，神経症，動悸，息切れ，かぜの後期の症状，気管支炎．

適応 ◆◆ 体力が弱く，冷え症，貧血気味で，動悸，息切れがあり，神経過敏のものの次の諸症：更年期障害，血の道症，神経症，不眠症．

副作用 ◆◆ 重大な副作用：間質性肺炎（黄芩の関与が疑われる）．偽アルドステロン症，ミオパチー（甘草）．AST（GOT），ALT（GPT），ALP，γ-GTPの上昇を伴う肝機能障害，黄疸．その他の副作用：発疹，発赤，瘙痒などの過敏症（桂皮）．

相互作用 ◆◆ 併用注意：甘草含有製剤，グリチルリチン酸およびその塩類を含有する製剤（甘草）．

その他の注意 ◆◆ 小柴胡湯がインターフェロン製剤と併用禁忌であることから，本処方もインターフェロン製剤との併用は行わないことが望ましい．また，膀胱炎様症状（血尿，残尿感，頻尿，排尿痛）の発現にも注意する．

柴陥湯（サイカントウ）：本朝経験方

処方の構成 ◆◆ 柴胡（5.0 g），黄芩（3.0 g），半夏（5.0 g），生姜（1.0 g），大棗（3.0 g），人参（2.0 g），甘草（1.5 g），黄連（1.5 g），栝楼仁（3.0 g）．

処方構成の解説 ◆◆ 小柴胡湯に黄連と栝楼仁を加えたものであるが，**小柴胡湯と小陥胸湯（ショウカンキョウトウ；傷寒論；半夏，黄連，栝楼仁）の合方**とも考えることができる．陥胸（かんきょう）とは胸部から心窩部が張って苦しいのを除くという意味で，よって小柴胡湯にこの症状が加わった状態に適応する．栝楼仁は咳を止め，黄連は心窩部のつかえと炎症をとる．

効能・効果 ◆◆ 体力中等度以上で，ときに脇腹（腹）からみぞおちあたりにかけて苦しく，食欲不振で口が苦く，舌に白苔がつき，強い咳が出て痰が切れにくく，ときに胸痛があるものの次の諸症：咳，胸痛，気管支炎．

適応 ◆◆ 咳，咳による胸痛．

慎重投与 ◆◆ 著しく体力の衰えている患者．

副作用 ◆◆ 重大な副作用：偽アルドステロン症，ミオパチー（甘草）．その他の副作用：発疹，蕁麻疹などの過敏症（人参）．

相互作用 ◆◆ 併用注意：甘草含有製剤，グリチルリチン酸およびその塩類を含有する製剤（甘草）．

その他の注意 ◆◆ 小柴胡湯で，インターフェロン製剤との併用により間質性肺炎が起こり，死亡例が報告されているので，本処方においてもインターフェロン製剤との併用は行わないことが望ましい．また，間質性肺炎，肝機能障害，消化器障害，膀胱炎様症状（血尿，残尿感，頻尿，排尿痛）の発症にも注意する．

小柴胡湯加桔梗石膏（ショウサイコトウカキキョウセッコウ）：本朝経験方

処方の構成 ◆◆ 柴胡（7.0 g），黄芩（3.0 g），半夏（5.0 g），生姜（1.0 g），大棗（3.0 g），人参（3.0 g），甘草（2.0 g），桔梗（3.0 g），石膏（10.0 g）．

処方構成の解説 ◆◆ 小柴胡湯に排膿作用のある桔梗と，熱をさまして炎症をとる作用のある石膏を加えたものである．小柴胡湯証があり，喉が激しく痛むものに適する．

効能・効果 ◆◆ 比較的体力があり，ときに脇腹（腹）からみぞおちあたりにかけて苦しく，食欲不振で口の苦みがあり，舌に白苔がつき，喉が腫れて痛むものの次の諸症：のどの痛み，扁桃炎，扁桃周囲炎．

適応 ◆◆ 咽喉が腫れて痛む次の諸症：扁桃炎，扁桃周囲炎．

慎重投与 ◆◆ 胃腸の虚弱な患者，著しく体力の衰えている患者（石膏など）．

副作用 ◆◆ 重大な副作用：間質性肺炎（黄芩の関与が疑われる）．偽アルドステロン症，ミオパチー（甘草）．AST（GOT），ALT（GPT），ALP，γ-GTPの上昇を伴う肝機能障害，黄疸．その他の副作用：発疹，蕁麻疹などの過敏症（人参）．食欲不振，胃部不快感，軟便，下痢などの消化器障害（石膏）．

相互作用 ◆◆ 併用注意：甘草含有製剤，グリチルリチン酸およびその塩類を含有する製剤（甘草）．

その他の注意 ◆◆ 小柴胡湯で，インターフェロン製剤との併用により間質性肺炎が起こり，死亡例が報告されているので，本処方においてもインターフェロン製剤との併用は行わないことが望ましい．また，膀胱炎様症状（血尿，残尿感，頻尿，排尿痛）の発症にも注意する．

柴朴湯（サイボクトウ）：本朝経験方（日局）

処方の構成 ◆◆ 柴胡（7.0 g），黄芩（3.0 g），半夏（5.0 g），生姜（1.0 g），大棗（3.0 g），人参（3.0 g），甘草（2.0 g），茯苓（5.0 g），厚朴（3.0 g），蘇葉（2.0 g）．

処方構成の解説 ◆◆ 小柴胡湯と半夏厚朴湯（後述）の合方である．半夏厚朴湯は，喉に異物感がある人の咳嗽，精神不安に用いられる．小柴胡湯も，呼吸器系疾患，精神神経系疾患，免疫系が関与した疾患に用いられる．したがって，柴朴湯は不安神経症，アレルギー性の炎症性疾患で，発作に精神面の関与が考えられる気管支喘息などに応用される．

効能・効果 ◆◆ 体力中等度で，気分がふさいで，咽喉・食道部に異物感があり，かぜをひきやすく，ときに動悸，めまい，嘔気などを伴うものの次の諸症：小児喘息，気管支喘息，気管支炎，咳，不安神経症，虚弱体質．

適応 ◆◆ 気分がふさいで，咽喉，食道部に異物感があり，時に動悸，めまい，嘔気などを伴う次の諸症：小児喘息，気管支喘息，気管支炎，咳，不安神経症．

慎重投与 ◆◆ 著しく体力の衰えている患者．

副作用 ◆◆ 重大な副作用：間質性肺炎（黄芩の関与が疑われる），偽アルドステロン症，ミオパチー（甘草）．AST（GOT），ALT（GPT），ALP，γ-GTP の著しい上昇を伴う肝機能障害，黄疸．その他の副作用：発疹，蕁麻疹などの過敏症（人参）．口渇，食欲不振，胃部不快感，腹痛，下痢，便秘などの消化器症状．膀胱炎，血尿，残尿感，頻尿，排尿痛などの膀胱炎様症状．

相互作用 ◆◆ 併用注意：甘草含有製剤，グリチルリチン酸およびその塩類を含有する製剤（甘草）．

その他の注意 ◆◆ 小柴胡湯がインターフェロン製剤と併用禁忌であることから，本処方もインターフェロン製剤との併用は行わないことが望ましい．

柴苓湯（サイレイトウ）：世医得効方（日局）

処方の構成 ◆◆ 柴胡（7.0 g），黄芩（3.0 g），半夏（5.0 g），生姜（1.0 g），大棗（3.0 g），人参（3.0 g），甘草（2.0 g），桂皮（2.0 g），茯苓（3.0 g），蒼朮（3.0 g），沢瀉（5.0 g），猪苓（3.0 g）．

処方構成の解説 ◆◆ 小柴胡湯と五苓散（後述）の合方である．五苓散は，水滞による嘔吐，下痢に頻用される．小柴胡湯の証のある人の下痢，大腸炎，腎炎，ネフローゼ症候群などに応用される．

効能・効果 ◆◆ 体力中等度で，喉が渇いて尿量が少なく，ときに悪心，食欲不振，むくみなど伴うものの次の諸症：水様性下痢，急性胃腸炎，暑気あたり，むくみ．

適応 ◆◆ 吐き気，食欲不振，喉の渇き，排尿が少ないなどの次の諸症：水瀉性下痢，急性胃腸炎，暑気あたり，むくみ．

慎重投与 ◆◆ 著しく体力の衰えている患者．

副作用 ◆◆ 重大な副作用：間質性肺炎（黄芩の関与が疑われる），偽アルドステロン症，ミオパチー（甘草）．劇症肝炎，AST（GOT），ALT（GPT），ALP，γ-GTP の著しい上昇を伴う肝機能障害，黄疸．その他の副作用：発疹，発赤，瘙痒，蕁麻疹などの過敏症（桂皮，人参）．口渇，食欲不振，胃部不快感，悪心，嘔吐，腹部膨満感，腹痛，下痢，便秘などの消化器症状．膀胱炎，血尿，残尿感，頻尿，排尿痛などの膀胱炎様症状．全身倦怠感．

相互作用 ◆◆ 併用注意：甘草含有製剤，グリチルリチン酸およびその塩類を含有する製剤（甘草）．

その他の注意 ◆◆ 小柴胡湯がインターフェロン製剤と併用禁忌であることから，本処方もインターフェロン製剤との併用は行わないことが望ましい．

乙字湯（オツジトウ）：叢桂亭医事小言（原南陽）（日局）

処方の構成 ◆◆ **柴胡（5.0 g），黄芩（3.0 g）**，当帰（6.0 g），甘草（3.0 g），升麻（1.0 g），大黄（0.5 g）．

処方構成の解説 ◆◆ 柴胡剤に特徴的な**柴胡と黄芩の組み合わせ**があるが，柴胡剤としての目標にとらわれることなく使用されている．柴胡と黄芩（抗炎症作用），大黄（瀉下，抗炎症作用），升麻（抗炎症，止血作用），当帰（補血，血行改善作用）とこれらを緩和する甘草が配合されており，総合的に内服による痔治療剤として応用される．

効能・効果 ◆◆ 体力中等度以上で，大便が硬く，便秘傾向のあるものの次の諸症：痔核（いぼ痔），きれ痔，便秘，軽度の脱肛．

適応 ◆◆ 病状がそれほど激しくなく，体力が中位で衰弱していないものの次の諸症：切れ痔，いぼ痔．

慎重投与 ◆◆ 下痢，軟便のある患者，著しく体力の衰えている患者（大黄）．著しく胃腸が虚弱な患者（大黄，当帰）．食欲不振，悪心，嘔吐のある患者（当帰）．

副作用 ◆◆ 重大な副作用：間質性肺炎（黄芩の関与が疑われる）．偽アルドステロン症，ミオパチー（甘草）．AST（GOT），ALT（GPT），ALP，γ-GTPの著しい上昇を伴う肝機能障害，黄疸．その他の副作用：食欲不振，胃部不快感，悪心，腹痛，下痢などの消化器症状（大黄，当帰）．発疹，発赤，瘙痒感などの過敏症．

妊婦，産婦，授乳婦への投与 ◆◆ 妊婦または妊娠している可能性のある婦人には投与しないことが望ましい（大黄，芒硝）．また，授乳中の婦人には慎重に投与すること（大黄）．

相互作用 ◆◆ 併用注意：甘草含有製剤，グリチルリチン酸およびその塩類を含有する製剤（甘草）．大黄含有製剤（大黄）

その他の注意 ◆◆ 大黄の瀉下作用には個人差があるので，症状に応じて，用法，用量を適宜増減すること．小柴胡湯がインターフェロン製剤と併用禁忌であることから，本処方もインターフェロン製剤との併用は行わないことが望ましい．また，膀胱炎様症状（血尿，残尿感，頻尿，排尿痛）の発現にも注意する．

参考 ◆◆ 乙字湯の原方は，原南陽の創製で，柴胡，黄芩，甘草，升麻，大黄，大棗，生姜から構成される．浅田宗伯は後に原方の大棗，生姜をとり，当帰を加えて改良した．現在の乙字湯は浅田方が用いられている．原南陽は江戸時代の水戸藩の侍医で，武士の常備薬として，甲字湯には桂枝茯苓丸（後述）に生姜と甘草を加えたものをあてている．甲字湯のエキス剤は一般用医薬品として製造，販売されている．

II-6　黄連 + 黄芩の組み合わせをもつ処方

柴胡剤の多くが柴胡＋黄芩の組み合わせをもち，胸脇部の膨満感を治すが，黄連＋黄芩の組み合わせをもつ処方（芩連剤）では，心窩部のつかえ，痛みが目標となる．

黄連解毒湯（オウレンゲドクトウ）：外台秘要方（日局）

処方の構成 ◆◆ 黄連（2.0 g），黄芩（3.0 g），黄柏（1.5 g），山梔子（2.0 g）．

処方構成の解説 ◆◆ 黄連と黄芩の組み合わせに黄柏と山梔子を加えたもので，4種の生薬はすべて寒冷解熱作用のあるものである．黄連は上半身の炎症，出血，精神不安を解消し，さらに黄芩と協力して心窩部のつかえ，痛みをとる．また，黄芩は心・脾・胃の，黄柏は腎・膀胱など下半身の熱をとり，炎症を鎮める．山梔子には，消炎，解熱，鎮静，止血，利胆作用がある．本剤が適応となる人は，一般に顔が赤く，全身，特に上半身に熱感と炎症性の症候としての出血があり，さらに口渇，心窩部のつかえを感じる人である．こうした熱性の炎症からくる精神不安，心悸亢進，不眠，高血圧症，皮膚病に応用される．

効能・効果 ◆◆ 体力中等度以上で，のぼせ気味で顔色赤く，いらいらして落ち着かない傾向のあるものの次の諸症：鼻出血，不眠症，神経症，胃炎，二日酔い，血の道症（月経，妊娠，出産，産後，更年期などの女性ホルモンの変動に伴って現れる精神不安やいらだちなどの精神神経症状および身体症状），めまい，動悸，更年期障害，湿疹，皮膚炎，皮膚のかゆみ，口内炎．

適応 ◆◆ 比較的体力があり，のぼせぎみで顔色赤く，いらいらする傾向のある次の諸症：鼻出血，高血圧，不眠症，ノイローゼ，胃炎，二日酔，血の道症，めまい，動悸，湿疹・皮膚炎，皮膚瘙痒症．

慎重投与 ◆◆ 著しく体力の衰えている患者．

副作用 ◆◆ 重大な副作用：間質性肺炎（黄芩の関与が疑われる）．AST（GOT），ALT（GPT），ALP，γ-GTP の著しい上昇を伴う肝機能障害，黄疸．腸間膜静脈硬化症（山梔子）．その他の副作用：食欲不振，胃部不快感，悪心，嘔吐，腹痛，下痢などの消化器症状（山梔子）．発疹，蕁麻疹などの過敏症．

三黄瀉心湯（サンオウシャシントウ）：金匱要略

処方の構成 ◆◆ 黄連（3.0 g），黄芩（3.0 g），大黄（3.0 g）．

処方構成の解説 ◆◆ 黄連と黄芩の組み合わせに大黄を加えたものである．大黄には瀉下，消炎，解熱作用があり，便通により裏の熱をとると考えられる．黄連解毒湯証と似ているが，便通が

悪く，熱血症（出血，炎症，充血）の症状の激しい人に適する．

効能・効果 ◆◆ 体力中等度以上で，のぼせ気味で顔面紅潮し，精神不安，みぞおちつかえ，便秘傾向などのあるものの次の諸症：高血圧の随伴症状（のぼせ，肩こり，耳鳴り，頭重，不眠，不安），鼻血，痔出血，便秘，更年期障害，血の道症．

適応 ◆◆ 比較的体力があり，のぼせ気味で，顔面紅潮し，精神不安で，便秘の傾向のあるものの次の諸症：高血圧の随伴症状（のぼせ，肩こり，耳鳴り，頭重，不眠，不安），鼻血，痔出血，便秘，更年期障害，血の道症．

慎重投与 ◆◆ 下痢，軟便のある患者，著しく胃腸の虚弱な患者，著しく体力の衰えている患者（大黄など）．

副作用 ◆◆ 重大な副作用：間質性肺炎（黄芩の関与が疑われる）．AST（GOT），ALT（GPT），ALP，γ-GTP の著しい上昇を伴う肝機能障害，黄疸．その他の副作用：食欲不振，腹痛，下痢などの消化器症状（大黄）．

妊婦，産婦，授乳婦への投与 ◆◆ 妊婦または妊娠している可能性のある婦人には投与しないことが望ましい（大黄）．また，授乳中の婦人には慎重に投与すること（大黄）．

相互作用 ◆◆ 併用注意：大黄含有製剤（大黄）．

その他の注意 ◆◆ 大黄の瀉下作用には個人差があるので，症状に応じて，用法，用量を適宜増減すること．

清上防風湯（セイジョウボウフウトウ）：万病回春

処方の構成 ◆◆ 黄連（1.0 g），黄芩（2.5 g），山梔子（2.5 g），防風（2.5 g），連翹（2.5 g），荊芥（1.0 g），薄荷（1.0 g），白芷（2.5 g），桔梗（2.5 g），川芎（2.5 g），枳実（1.0 g），甘草（1.0 g）．

処方構成の解説 ◆◆ 黄連解毒湯から黄柏をとり，防風以下の生薬を加えたものである．防風，連翹，荊芥，薄荷は皮膚疾患に有効な発表剤で，特に頭部，顔面の熱をさます．白芷と桔梗には排膿，去痰作用があり，川芎は血行を改善する．枳実は心下部から胸脇部の炎症をとり，甘草は処方全体を緩和する．比較的体力が充実した青年男女の顔面，頭部の化膿しやすい発疹に応用される．本処方に四物湯（後述）を加味した類似処方として，荊芥連翹湯（後述），柴胡清肝湯（後述）があり，使用法について比較してみるとよい．

効能・効果 ◆◆ 体力中等度以上で，赤ら顔で，ときにのぼせがあるものの次の諸症：にきび，顔面・頭部の湿疹・皮膚炎，あかはな（酒さ）．

適応 ◆◆ にきび．

慎重投与 ◆◆ 著しく胃腸の虚弱な患者，食欲不振，悪心，嘔吐のある患者（川芎）．

副作用 ◆◆ 重大な副作用：偽アルドステロン症，ミオパチー（甘草）．AST（GOT），ALT（GPT），ALP，γ-GTP の上昇を伴う肝機能障害，黄疸．腸間膜静脈硬化症（山梔子）．その他の副作

用：食欲不振，胃部不快感，悪心，腹痛，下痢などの消化器症状（山梔子，川芎）．発疹，発赤，瘙痒，蕁麻疹などの過敏症．

相互作用 ◆◆ 併用注意：甘草含有製剤，グリチルリチン酸およびその塩類を含有する製剤（甘草）．

その他の注意 ◆◆ 黄連解毒湯で間質性肺炎の報告があることから，本処方においても間質性肺炎が起こる可能性は否定できない．

半夏瀉心湯（ハンゲシャシントウ）：傷寒論（日局）

処方の構成 ◆◆ **黄連（1.0 g），黄芩（2.5 g）**，半夏（5.0 g），乾姜（2.5 g），大棗（2.5 g），人参（2.5 g），甘草（2.5 g）．

処方構成の解説 ◆◆ **黄連と黄芩の組み合わせ**に半夏以下を加えたものであるが，構成生薬としては小柴胡湯の柴胡を黄連に，生姜を乾姜に置き換えたものに相当する．小柴胡湯の目標が胸脇苦満であるのに対し，本処方では心窩部のつかえ，痛み（心下痞硬）が目標となる．黄連と黄芩が協力して心窩部のつかえ感や痛をとる．さらに悪心・嘔吐を解消する半夏，胃腸を温める乾姜のほか，滋養・強壮，補気薬として人参と大棗，緩和薬として甘草が配合されており，体力が中程度で，心窩部がつかえる人の胃腸症状に広く応用される．

効能・効果 ◆◆ 体力中等度で，みぞおちがつかえた感じがあり，ときに悪心・嘔吐があり食欲不振で腹が鳴って軟便または下痢の傾向のあるものの次の諸症：急・慢性胃腸炎，下痢，軟便，消化不良，胃下垂，神経性胃炎，二日酔い，げっぷ，胸やけ，口内炎，神経症．

適応 ◆◆ みぞおちがつかえ，ときに悪心，嘔吐があり食欲不振で腹が鳴って軟便または下痢の傾向のあるものの次の諸症：急・慢性胃腸カタル，醗酵性下痢，消化不良，胃下垂，神経性胃炎，胃弱，二日酔い，げっぷ，胸やけ，口内炎，神経症．

適用上の注意 ◆◆ 口内炎に対して本剤を使用する場合は，口に含んで，ゆっくり服用することができる．

禁忌 ◆◆ 次の患者には投与しないこと：アルドステロン症の患者，ミオパチーのある患者，低カリウム血症のある患者．

副作用 ◆◆ 重大な副作用：間質性肺炎（黄芩の関与が疑われる）．偽アルドステロン症，ミオパチー（甘草）．AST（GOT），ALT（GPT），ALP，γ-GTPの上昇を伴う肝機能障害，黄疸．その他の副作用：発疹，蕁麻疹などの過敏症（人参）．

相互作用 ◆◆ 併用注意：甘草含有製剤，グリチルリチン酸およびその塩類を含有する製剤，ループ系利尿薬，チアジド系利尿薬（甘草）．

参考 ◆◆ **半夏瀉心湯から黄芩をとり**，桂枝を加えた処方に**黄連湯（オウレントウ；傷寒論）**がある．桂皮には，体を温め，のぼせをとる作用があることから，半夏瀉心湯を使いたいような人で，やや冷えとのぼせがある人には黄連湯が適する．半夏瀉心湯は，抗がん剤の副作用であ

る口内炎の治療（pp. 145-146 参照）や，イリノテカン塩酸塩の投与により発現する遅延性下痢の予防・改善に臨床応用されている．

II-7　大黄が配合された処方

既に大黄を含むいくつかの処方について説明してきたが，ここでは便秘薬として用いる処方，駆瘀血剤と組み合わせて瘀血を解消する大黄配合処方をとりあげる．

大黄甘草湯（ダイオウカンゾウトウ）：金匱要略（日局）

処方の構成 ◆◆ **大黄（4.0 g）**，甘草（2.0 g）．
処方構成の解説 ◆◆ 瀉下剤の**大黄**と，瀉下作用を緩和する甘草の２生薬からなる処方である．
効能・効果 ◆◆ 便秘，便秘に伴う頭重，のぼせ，湿疹，皮膚炎，ふきでもの（にきび），食欲不振（食欲減退），腹部膨満，腸内異常発酵，痔などの症状の緩和．
適応 ◆◆ 便秘．
慎重投与 ◆◆ 下痢，軟便のある患者，著しく胃腸の虚弱な患者，著しく体力の衰えている患者（大黄）．
副作用 ◆◆ 重大な副作用：偽アルドステロン症，ミオパチー（甘草）．その他の副作用：食欲不振，腹痛，下痢などの消化器症状（大黄）．
妊婦，産婦，授乳婦への投与 ◆◆ 妊婦または妊娠している可能性のある婦人には投与しないことが望ましい（大黄）．また，授乳中の婦人には慎重に投与すること（大黄）．
相互作用 ◆◆ 甘草含有製剤，グリチルリチン酸およびその塩類を含有する製剤（甘草）．大黄含有製剤（大黄）．
その他の注意 ◆◆ 大黄の瀉下作用には個人差があるので，症状に応じて，用法，用量を適宜増減すること．
臨床成績 ◆◆ 本処方は便秘症と診断された患者を対象とした二重盲検比較臨床試験において，以下の成績であった．

	有効率（％）
大黄甘草湯群	86.4（38/44）
プラセボ群	44.7（21/47）

参考 ◆◆ 古典には，胃腸に熱があり，食事をすると嘔吐するような場合の便秘に用いると記載されているが，現代医学的には重大な症状であり，このような場合は漢方を万能と考えることなく，精密検査を受け，基礎疾患の有無を十分に精査する必要がある．

調胃承気湯（チョウイジョウキトウ）：傷寒論

処方の構成 ◆◆ 大黄（2.0 g），甘草（1.0 g），芒硝（0.5 g）．

処方構成の解説 ◆◆ **大黄甘草湯**に芒硝を加えたものである．大黄と芒硝には瀉下，清熱作用があり，さらに芒硝には湿潤作用がある．よって，口や舌が乾き，腹部膨満感のある人の便秘に適する．

効能・効果 ◆◆ 体力中等度なものの次の諸症：便秘，便秘に伴う頭重・のぼせ・湿疹・皮膚炎・ふきでもの（にきび）・食欲不振（食欲減退）・腹部膨満，腸内異常醱酵・痔などの症状の緩和．

適応 ◆◆ 便秘．

慎重投与 ◆◆ 下痢，軟便のある患者，著しく胃腸の虚弱な患者（大黄，芒硝）．著しく体力の衰えている患者（大黄）．

副作用 ◆◆ 重大な副作用：偽アルドステロン症，ミオパチー（甘草）．その他の副作用：食欲不振，腹痛，下痢などの消化器症状（大黄，芒硝）．

妊婦，産婦，授乳婦への投与 ◆◆ 妊婦または妊娠している可能性のある婦人には投与しないことが望ましい（大黄，芒硝）．また，授乳中の婦人には慎重に投与すること（大黄）．

相互作用 ◆◆ 併用注意：甘草含有製剤，グリチルリチン酸およびその塩類を含有する製剤（甘草）．大黄含有製剤（大黄）．

その他の注意 ◆◆ 大黄の瀉下作用には個人差があるので，症状に応じて，用法，用量を適宜増減すること．本処方には芒硝が含まれているので，治療上食塩制限が必要な患者に継続投与する場合は注意すること．

大承気湯（ダイジョウキトウ）：傷寒論，金匱要略

処方の構成 ◆◆ 大黄（2.0 g），芒硝（1.3 g），厚朴（5.0 g），枳実（3.0 g）．

処方構成の解説 ◆◆ **調胃承気湯**から甘草をとり，厚朴と枳実を加えたものである．厚朴は気の滞りを改善して胸腹部膨満感をとり，また精神を安定させ，枳実には気をめぐらせて心窩部のつかえ感をとる作用がある．緩和剤である甘草が除かれており，調胃承気湯よりも作用が強い．腹部が充実して硬く張り，膨満感の強い便秘に適する．

効能・効果 ◆◆ 比較的体力があり，腹部が張って膨張し，ときに発熱するものの次の症状：便秘．

適応 ◆◆ 腹部が硬くつかえて，便秘するもの，あるいは肥満体質で便秘するもの．常習便秘，急性便秘，高血圧，神経症，食あたり．

慎重投与 ◆◆ 下痢，軟便のある患者，著しく胃腸の虚弱な患者（大黄，芒硝）．著しく体力の衰

えている患者（大黄）．
副作用 ◆◆ 食欲不振，腹痛，下痢などの消化器症状（大黄，芒硝）．
妊婦，産婦，授乳婦への投与 ◆◆ 妊婦または妊娠している可能性のある婦人には投与しないことが望ましい（大黄，芒硝）．また，授乳中の婦人には慎重に投与すること（大黄）．
相互作用 ◆◆ 併用注意：大黄含有製剤（大黄）．
その他の注意 ◆◆ 大黄の瀉下作用には個人差があるので，症状に応じて，用法，用量を適宜増減すること．本処方には芒硝が含まれているので，治療上食塩制限が必要な患者に継続投与する場合は注意すること．
参考 ◆◆ 大承気湯から芒硝を除いた処方を小承気湯（ショウジョウキトウ；傷寒論，金匱要略）といい，腹満し，大便が硬く秘結する人に用いるが，大承気湯よりも体力的にはやや虚した人に適する．エキス剤は製造されていない．

桃核承気湯（トウカクジョウキトウ）：傷寒論（日局）

処方の構成 ◆◆ 大黄（3.0 g），芒硝（0.9 g），甘草（1.5 g），桂皮（4.0 g），桃仁（5.0 g）．
処方構成の解説 ◆◆ 調胃承気湯に表証をとる桂皮と駆瘀血薬である桃仁を加えたものである．桂枝茯苓丸（後述）とともに駆瘀血剤の代表的処方で，うっ血が強く，顔色は赤黒い紫色を帯び，唇や歯茎，舌なども暗赤色を呈し，皮下静脈の青すじ，皮膚や粘膜の紫斑などが見られる．体質的には冷え・のぼせ症であり，便は秘結し，瘀血症状（生理不順，生理痛，それに伴う精神不安，いらいら，頭痛，めまい，肩こり）は，桂枝茯苓丸（後述）よりも重症である．うっ血は下腹部で顕著で，左下腹部に抵抗と圧痛（小腹急結）を認める．桂皮で表証をとり，瀉下，消炎，清熱作用のある大黄と芒硝が桃仁の駆瘀血作用を助ける．甘草が処方全体を緩和する．
効能・効果 ◆◆ 体力中等度以上で，のぼせて便秘しがちなものの次の諸症：月経不順，月経困難症，月経痛，月経時や産後の精神不安，腰痛，便秘，高血圧の随伴症状（頭痛，めまい，肩こり），痔疾，打撲傷．
適応 ◆◆ 比較的体力があり，のぼせて便秘しがちなものの次の諸症：月経不順，月経困難症，月経時や産後の精神不安，腰痛，便秘，高血圧の随伴症状（頭痛，めまい，肩こり）．
慎重投与 ◆◆ 下痢，軟便のある患者，著しく胃腸の虚弱な患者（大黄，芒硝）．著しく体力の衰えている患者（大黄）．
副作用 ◆◆ 重大な副作用：偽アルドステロン症，ミオパチー（甘草）．その他の副作用：食欲不振，胃部不快感，腹痛，下痢などの消化器症状（大黄，芒硝）．発疹，発赤，瘙痒などの過敏症（桂皮）．
妊婦，産婦，授乳婦への投与 ◆◆ 妊婦または妊娠している可能性のある婦人には投与しないことが望ましい（大黄，芒硝，桃仁）．また，授乳中の婦人には慎重に投与すること（大黄）．
相互作用 ◆◆ 併用注意：甘草含有製剤，グリチルリチン酸およびその塩類を含有する製剤（甘

草），大黄含有製剤（大黄）．

その他の注意 ◆◆ 大黄の瀉下作用には個人差があるので，症状に応じて，用法，用量を適宜増減すること．本処方には芒硝が含まれているので，治療上食塩制限が必要な患者に継続投与する場合は注意すること．

大黄牡丹皮湯（ダイオウボタンピトウ）：金匱要略

処方の構成 ◆◆ 大黄（2.0 g），芒硝（1.8 g），桃仁（4.0 g），牡丹皮（4.0 g），冬瓜子（6.0 g）．

処方構成の解説 ◆◆ 桃核承気湯から桂皮と甘草をとり，駆瘀血剤である牡丹皮と消炎，排膿，瀉下作用のある冬瓜子を加えたものである．強い駆瘀血，抗炎症作用を示す．腹証として，右下腹部に抵抗と圧痛を認める場合に適する．

効能・効果 ◆◆ 体力中等度以上で，下腹部痛があって，便秘しがちなものの次の諸症：月経不順，月経困難，月経痛，便秘，痔疾．

適応 ◆◆ 比較的体力があり，下腹部痛があって，便秘しがちなものの次の諸症：月経不順，月経困難，便秘，痔疾．

慎重投与 ◆◆ 下痢，軟便のある患者，著しく胃腸の虚弱な患者（大黄，芒硝）．著しく体力の衰えている患者（大黄）．

副作用 ◆◆ 食欲不振，腹痛，下痢などの消化器症状（大黄，芒硝）．

妊婦，産婦，授乳婦への投与 ◆◆ 妊婦または妊娠している可能性のある婦人には投与しないことが望ましい（大黄，桃仁，芒硝，牡丹皮）．また，授乳中の婦人には慎重に投与すること（大黄）．

相互作用 ◆◆ 大黄含有製剤（大黄）．

その他の注意 ◆◆ 大黄の瀉下作用には個人差があるので，症状に応じて，用法，用量を適宜増減すること．本処方には芒硝が含まれているので，治療上食塩制限が必要な患者に継続投与する場合は注意すること．

参考 ◆◆ かつては，虫垂炎のような化膿性の疾患にも応用されたが，強く瀉下したために虫垂炎が破裂し，腹膜炎を併発するなど重篤な状態になった例もある．漢方における証の見立て違いとも考えられるが，有効な抗生物質がある現在，虫垂炎の炎症が激しいときに漢方を用いることはせず，抗生物質で治療し，その後に，症状に応じて漢方を使うべきである．

通導散（ツウドウサン）：万病回春

処方の構成 ◆◆ 大黄（3.0 g），芒硝（1.8 g），厚朴（2.0 g），枳実（3.0 g），当帰（3.0 g），紅花（2.0 g），蘇木（2.0 g），木通（2.0 g），陳皮（2.0 g），甘草（2.0 g）．

処方構成の解説 ◆◆ 大承気湯に当帰以下を加えたものである．当帰，紅花，蘇木は血行を改善

し，瘀血を解消する．木通は消炎性の利尿薬で，陳皮は気をめぐらせて消化機能を改善し，甘草は処方全体を緩和する．したがって，腹部が充実して硬く張り，便秘がある人で，うっ血や生理不順など瘀血症状を伴う人に適する．

効能・効果 ◆◆ 体力中等度以上で，下腹部に圧痛があって便秘しがちなものの次の諸症：月経不順，月経痛，更年期障害，腰痛，便秘，打ち身（打撲），高血圧の随伴症状（頭痛，めまい，肩こり）．

適応 ◆◆ 比較的体力があり下腹部に圧痛があって便秘しがちなものの次の諸症：月経不順，月経痛，更年期障害，腰痛，便秘，打ち身（打撲），高血圧の随伴症状（頭痛，めまい，肩こり）．

慎重投与 ◆◆ 著しく胃腸の虚弱な患者（大黄，当帰，芒硝）．下痢，軟便のある患者（大黄，芒硝），著しく体力の衰えている患者（大黄）．食欲不振，悪心，嘔吐のある患者（当帰）．

副作用 ◆◆ 重大な副作用：偽アルドステロン症，ミオパチー（甘草）．その他の副作用：肝機能異常（AST（GOT），ALT（GPT）などの上昇）．食欲不振，胃部不快感，悪心，腹痛，下痢などの消化器症状（大黄，当帰，芒硝）．

妊婦，産婦，授乳婦への投与 ◆◆ 妊婦または妊娠している可能性のある婦人には投与しないことが望ましい（紅花，大黄，芒硝）．また，授乳中の婦人には慎重に投与すること（大黄）．

相互作用 ◆◆ 併用注意：甘草含有製剤，グリチルリチン酸およびその塩類を含有する製剤（甘草）．大黄含有製剤（大黄）．

その他の注意 ◆◆ 大黄の瀉下作用には個人差があるので，症状に応じて，用法，用量を適宜増減すること．本処方には芒硝が含まれているので，治療上食塩制限が必要な患者に継続投与する場合は注意すること．

麻子仁丸（マシニンガン）：傷寒論，金匱要略

処方の構成 ◆◆ 大黄（4.0 g），厚朴（2.0 g），枳実（2.0 g），芍薬（2.0 g），杏仁（2.0 g），麻子仁（5.0 g）．

処方構成の解説 ◆◆ 大承気湯から芒硝をとり，芍薬以下を加えたものである．杏仁は鎮咳作用ではなく，麻子仁と同様に腸を潤して秘結した便を排泄しやすくする目的で配合されていると考えられる．芍薬は腹部の筋の緊張をやわらげ，枳実と厚朴は気をめぐらせて心窩部のつかえ，胸腹部の膨満感を解消する．虚証用の便秘薬である．

効能・効果 ◆◆ 体力中等度以下で，ときに便が硬く塊状なものの次の諸症：便秘，便秘に伴う頭重・のぼせ・湿疹・皮膚炎・ふきでもの（にきび）・食欲不振（食欲減退）・腹部膨満・腸内異常発酵・痔などの症状の緩和．

適応 ◆◆ 便秘．

慎重投与 ◆◆ 下痢，軟便のある患者，著しく胃腸の虚弱な患者（大黄）．

副作用 ◆◆ 食欲不振，腹痛，下痢などの消化器症状（大黄）．

妊婦，産婦，授乳婦への投与 ◆◆ 妊婦または妊娠している可能性のある婦人には投与しないことが望ましい（大黄）．また，授乳中の婦人には慎重に投与すること（大黄）．

相互作用 ◆◆ 併用注意：大黄含有製剤（大黄）．

その他の注意 ◆◆ 大黄の瀉下作用には個人差があるので，症状に応じて，用法，用量を適宜増減すること．

潤腸湯（ジュンチョウトウ）：万病回春

処方の構成 ◆◆ 大黄（2.0 g），厚朴（2.0 g），枳実（2.0 g），杏仁（2.0 g），麻子仁（2.0 g），桃仁（2.0 g），地黄（6.0 g），当帰（3.0 g），黄芩（2.0 g），甘草（1.5 g）．

処方構成の解説 ◆◆ **麻子仁丸から芍薬をとり**，桃仁以下を加えたものである．桃仁にも油成分が含まれており，駆瘀血でなく麻子仁や杏仁と同様に潤腸作用を目的に配合されていると思われる．地黄は乾燥した皮膚を滋潤し，また補血，強壮作用をもつ．当帰は血を補い，血液循環を改善し，黄は炎症を鎮め，甘草が処方全体を緩和する．総じて，あまり体力がなく，皮膚が乾燥し，血液循環が悪く，貧血傾向のある人の便秘に適する．

効能・効果 ◆◆ 体力中等度またはやや虚弱で，ときに皮膚乾燥などがあるものの次の症状：便秘．

適応 ◆◆ 便秘．

慎重投与 ◆◆ 著しく胃腸の虚弱な患者（地黄，大黄，当帰）．食欲不振，悪心，嘔吐のある患者（地黄，当帰）．下痢，軟便のある患者，著しく体力の衰えている患者（大黄）．

副作用 ◆◆ 重大な副作用：間質性肺炎（黄芩の関与が疑われる）．偽アルドステロン症，ミオパチー（甘草）．AST（GOT），ALT（GPT），ALP，γ-GTP の上昇を伴う肝機能障害，黄疸．その他の副作用：食欲不振，胃部不快感，悪心，嘔吐，腹痛，下痢などの消化器症状（地黄，大黄，当帰）．

妊婦，産婦，授乳婦への投与 ◆◆ 妊婦または妊娠している可能性のある婦人には投与しないことが望ましい（大黄，桃仁）．また，授乳中の婦人には慎重に投与すること（大黄）．

相互作用 ◆◆ 併用注意：甘草含有製剤，グリチルリチン酸およびその塩類を含有する製剤（甘草）．大黄含有製剤（大黄）．

その他の注意 ◆◆ 大黄の瀉下作用には個人差があるので，症状に応じて，用法，用量を適宜増減すること．

参考 ◆◆ 原典では，生地黄 3 g と熟地黄 3 g を使うことになっているが，エキス剤では特に区別せず，（日局）地黄 6 g を使用している．

茵蔯蒿湯（インチンコウトウ）：傷寒論，金匱要略

処方の構成 ◆◆ 大黄（1.0 g），茵陳蒿（4.0 g），山梔子（3.0 g）．

処方構成の解説 ◆◆ 茵陳蒿は消炎性の利尿作用や利胆作用があり，黄疸や肝炎に応用される．山梔子には利胆，抗炎症，止血作用が期待され，大黄の瀉下，抗炎症作用とあわせて，黄疸の専門薬として応用されている．3生薬とも裏の消炎性があるので，裏熱による皮膚疾患，腎疾患などにも使用されるが，症状に応じて小柴胡湯や五苓散などと合方して使われる場合が多い．

効能・効果 ◆◆ 体力中等度以上で，口渇があり，尿量少なく，便秘するものの次の諸症：蕁麻疹，口内炎，湿疹・皮膚炎，皮膚のかゆみ．

適応 ◆◆ 尿量減少，やや便秘がちで比較的体力のあるものの次の諸症：黄疸，肝硬変症，ネフローゼ，蕁麻疹，口内炎．

慎重投与 ◆◆ 下痢，軟便のある患者，著しく胃腸の虚弱な患者，著しく体力の衰えている患者（大黄）．

副作用 ◆◆ 重大な副作用：腸間膜静脈硬化症（山梔子），AST（GOT），ALT（GPT），ALP，γ-GTPの上昇を伴う肝機能障害，黄疸．その他の副作用：食欲不振，胃部不快感，腹痛，下痢などの消化器症状（山梔子，大黄）．

妊婦，産婦，授乳婦への投与 ◆◆ 妊婦または妊娠している可能性のある婦人には投与しないことが望ましい（大黄）．また，授乳中の婦人には慎重に投与すること（大黄）．

相互作用 ◆◆ 大黄含有製剤（大黄）．

その他の注意 ◆◆ 大黄の瀉下作用には個人差があるので，症状に応じて，用法，用量を適宜増減すること．

治打撲一方（ヂダボクイッポウ）：一本堂医事説約（香川修庵経験方）

処方の構成 ◆◆ 大黄（1.0 g），川骨（3.0 g），樸樕（3.0 g），桂皮（3.0 g），丁子（1.0 g），川芎（3.0 g），甘草（1.5 g）．

処方構成の解説 ◆◆ 川骨と樸樕は止血，抗炎症薬として打撲症の内出血を止める一方，桂皮，丁子，川芎は血行を促進し，内出血の分解，吸収を促進する．大黄は直接的な瀉下効果よりも，抗炎症効果，血腫組織の分解物の排泄を促す効果を目的に配合されていると考えられる．温性の生薬の割合が多いが，あまり証は考慮せずに用いてよい．

効能・効果 ◆◆ 体力に関わらず使用でき，腫れ，痛みがあるものの次の諸症：打撲，捻挫．

適応 ◆◆ 打撲による腫れおよび痛み．

慎重投与 ◆◆ 下痢，軟便のある患者，著しく体力の衰えている患者（大黄）．著しく胃腸の虚弱な患者（川芎，大黄）．食欲不振，悪心，嘔吐のある患者（川芎）．

副作用 ◆◆ 重大な副作用：偽アルドステロン症，ミオパチー（甘草）．その他の副作用：食欲不振，胃部不快感，悪心，腹痛，下痢（川芎，大黄）などの消化器症状．発疹，発赤，瘙痒などの過敏症（桂皮など）．

妊婦，産婦，授乳婦への投与 ◆◆ 妊婦または妊娠している可能性のある婦人には投与しないことが望ましい（大黄）．また，授乳中の婦人には慎重に投与すること（大黄）．

相互作用 ◆◆ 併用注意：甘草含有製剤，グリチルリチン酸およびその塩類を含有する製剤（甘草）．大黄含有製剤（大黄）．

その他の注意 ◆◆ 大黄の瀉下作用には個人差があるので，症状に応じて，用法，用量を適宜増減すること．

参考 ◆◆ 名称が似た漢方処方に，**治頭瘡一方（ヂヅソウイッポウ；勿誤薬室方函）** がある．大黄，川芎のほか，荊芥，連翹，防風などの皮膚疾患に有効な発表剤が配合されており，小児頭部の分泌物の多い湿疹に用いられる．

II-8　利水薬を中心とした処方

　主として尿量が減少し，体の水分代謝が悪くなった状態が水滞である．水滞が生じると，悪心・嘔吐，めまい，耳鳴り，精神不安，下痢，冷えといった様々な症状が起こる．本項では利水剤を中心とした処方について述べる．茯苓と朮を組み合わせると，特に利水作用が強くなり，この組み合わせをもつ処方を苓朮剤（りょうじゅつ）という．利水薬の配合割合が少ない処方であっても，胃の水滞（胃内停水）の改善に用いられる処方はここに分類した．

小半夏加茯苓湯（ショウハンゲカブクリョウトウ）：金匱要略

処方の構成 ◆◆ 半夏（6.0 g），生姜（1.5 g），茯苓（5.0 g）．

処方構成の解説 ◆◆ 半夏は気の上衝を下げ，胃の上部，心下の水滞をとって悪心・嘔吐を鎮め，生姜は半夏の副作用を抑える一方，脾胃を温めて消化機能を改善する．茯苓は利尿により水滞を解消する．胃に水滞（胃内停水）があり，悪心・嘔吐があるものに使うが，あまり虚弱者には向かない．

効能・効果 ◆◆ 体力に関わらず使用でき，悪心があり，ときに嘔吐するものの次の諸症：つわり，嘔吐，悪心，胃炎．

適応 ◆◆ 体力中等度の次の諸症：つわり，そのほかの諸病の嘔吐（急性胃腸炎，湿性胸膜炎，水腫性脚気，蓄膿症）．

二陳湯（ニチントウ）：太平恵民和剤局方

処方の構成 ◆◆ 半夏（5.0 g），生姜（1.0 g），茯苓（5.0 g），陳皮（4.0 g），甘草（1.0 g）．

処方構成の解説 ◆◆ 小半夏加茯苓湯に気をめぐらせて消化機能を改善する陳皮と，緩和薬である甘草を加えたものである．小半夏加茯苓湯よりもやや虚弱で，慢性に経過した状態に使用する．

効能・効果 ◆◆ 体力中等度で，悪心，嘔吐があるものの次の諸症：悪心，嘔吐，胃部不快感，慢性胃炎，二日酔い．

適応 ◆◆ 悪心，嘔吐．

副作用 ◆◆ 重大な副作用：偽アルドステロン症，ミオパチー（甘草）．

相互作用 ◆◆ 併用注意：甘草含有製剤，グリチルリチン酸およびその塩類を含有する製剤（甘草）．

半夏厚朴湯（ハンゲコウボクトウ）：金匱要略（日局）

処方の構成 ◆◆ 半夏（6.0 g），生姜（1.0 g），茯苓（5.0 g），厚朴（3.0 g），蘇葉（2.0 g）．

処方構成の解説 ◆◆ 小半夏加茯苓湯に厚朴と蘇葉を加えたものである．厚朴は気の滞りを改善して胸腹部膨満感をとり，咳，不安を鎮め，蘇葉は鬱した気を発散する作用がある．茯苓にも精神安定作用がある．したがって，胃内に停水がある人の精神不安，悪心，咳などに応用する．半夏厚朴湯を使用するときの目安として，梅核気あるいは咽中炙臠という症状がある．これは喉に梅の種や炙った肉がつまったかのようで，吐こうとしても吐けず，飲み込もうとしても飲み込めない不快な異物感のある感じをいう．

効能・効果 ◆◆ 体力中等度を目安として，気分がふさいで，咽喉・食道部に異物感があり，ときに動悸，めまい，嘔気などを伴うものの次の諸症：不安神経症，神経性胃炎，つわり，咳，しわがれ声，喉のつかえ感．

適応 ◆◆ 気分がふさいで，咽喉，食道部に異物感があり，ときに動悸，めまい，嘔気などを伴う次の諸症：不安神経症，神経性胃炎，つわり，咳，しわがれ声，神経性食道狭窄症，不眠症．

副作用 ◆◆ 発疹，発赤，瘙痒などの過敏症．肝機能異常（AST（GOT），ALT（GPT）などの上昇）．

参考 ◆◆ 小半夏加茯苓湯に厚朴と蘇葉を加えた処方であることから本書では，利水薬を中心とした処方に分類したが，半夏剤あるいはその他の処方に分類する場合もある．

平胃散（ヘイイサン）：大平恵民和剤局方

処方の構成 ◆◆ 蒼朮（4.0 g），厚朴（3.0 g），陳皮（3.0 g），大棗（2.0 g），生姜（0.5 g），甘草（1.0 g）．

処方構成の解説 ◆◆ 水滞をとる蒼朮に胸腹部の膨満感を解消する厚朴を加え，さらに健胃，緩和，滋養・強壮，補気，脾胃を温める作用を有する生薬の組み合わせである．陳皮，大棗，生姜，甘草を配合したものである．胃内停水があり，中間証からやや実証な人の胃アトニー症状に用いる．

効能・効果 ◆◆ 体力中等度以上で，胃がもたれて消化が悪く，ときに吐き気，食後に腹が鳴って下痢の傾向のあるものの次の諸症：食べ過ぎによる胃のもたれ，急・慢性胃炎，消化不良，食欲不振．

適応 ◆◆ 胃がもたれて消化不良の傾向のある次の諸症：急・慢性胃カタル，胃アトニー，消化不良，食欲不振．

副作用 ◆◆ 重大な副作用：偽アルドステロン症，ミオパチー（甘草）．

相互作用 ◆◆ 併用注意：甘草含有製剤，グリチルリチン酸およびその塩類を含有する製剤（甘草）．

四君子湯（シクンシトウ）：大平恵民和剤局方

処方の構成 ◆◆ 人参（4.0 g），蒼朮（4.0 g），甘草（1.0 g），生姜（1.0 g），大棗（1.0 g），茯苓（4.0 g）．

処方構成の解説 ◆◆ 処方構成は人参湯（後述）の乾姜を生姜にし，大棗，茯苓を加えたものと考えることができる．人参湯ほど胃に冷えはないものの，胃内停水は顕著である．茯苓と朮を組み合わせると利水作用が強くなる．生姜は乾姜ほど温性は強くないが，脾胃を温め，消化機能を改善する．

効能・効果 ◆◆ 体力虚弱で，やせて顔色が悪くて，食欲がなく，疲れやすいものの次の諸症：胃腸虚弱，慢性胃炎，胃のもたれ，嘔吐，下痢，夜尿症．

適応 ◆◆ やせて顔色が悪くて，食欲がなく，疲れやすいものの次の諸症：胃腸虚弱，慢性胃炎，胃のもたれ，嘔吐，下痢．

副作用 ◆◆ 重大な副作用：偽アルドステロン症，ミオパチー（甘草）．その他の副作用：発疹，蕁麻疹などの過敏症（人参）．

相互作用 ◆◆ 併用注意：甘草含有製剤，グリチルリチン酸およびその塩類を含有する製剤（甘草）．

参考 ◆◆ 四君子湯の出典は「和剤局方」巻3の「続添諸局経験秘方」で，原典では，人参，茯

苓，甘草，朮の4生薬からなり，この4生薬を君子にたとえていることが名称の由来である．日本では，生姜，大棗を加味した四君子湯が一般に用いられている．本書では，利水剤を中心とした処方に分類したが，人参湯とその関連処方に分類する場合もある．次の六君子湯も同様である．

六君子湯（リックンシトウ）：万病回春（日局）

処方の構成 ◆◆ 人参（4.0 g），蒼朮（4.0 g），甘草（1.0 g），生姜（0.5 g），大棗（2.0 g），茯苓（4.0 g），半夏（4.0 g），陳皮（2.0 g）．

処方構成の解説 ◆◆ 四君子湯に半夏，陳皮を加えたもので，四君子湯証よりもさらに心窩部のつかえなどの胃症状が強く，悪心・嘔吐がある人に適する．陳皮には弱い瀉下作用があり，慢性下痢を主症状とする場合は四君子湯のほうが良い．

効能・効果 ◆◆ 体力中等度以下で，胃腸が弱く，食欲がなく，みぞおちがつかえ，疲れやすく，貧血性で手足が冷えやすいものの次の諸症：胃炎，胃腸虚弱，胃下垂，消化不良，食欲不振，胃痛，嘔吐．

適応 ◆◆ 胃腸の弱いもので，食欲がなく，みぞおちがつかえ，疲れやすく，貧血性で手足が冷えやすいものの次の諸症：胃炎，胃アトニー，胃下垂，消化不良，食欲不振，胃痛，嘔吐．

副作用 ◆◆ 重大な副作用：偽アルドステロン症，ミオパチー（甘草）．AST（GOT），ALT（GPT），ALP，γ-GTPの著しい上昇を伴う肝機能障害，黄疸．その他の副作用：発疹，蕁麻疹などの過敏症（人参）．悪心，腹部膨満感，下痢などの消化器症状．肝機能異常（AST（GOT），ALT（GPT），ALP，γ-GTPなどの上昇）．低カリウム血症，高血圧（血圧上昇），浮腫．

相互作用 ◆◆ 併用注意：甘草含有製剤，グリチルリチン酸およびその塩類を含有する製剤（甘草）．

参考 ◆◆ 六君子湯の食欲不振改善効果の作用機序として，グレリン（食欲増進ホルモン）の分泌を高め，脳におけるグレリン受容体の数を増加させるメカニズムが提唱されている（pp. 146-147参照）．

二朮湯（ニジュツトウ）：万病回春

処方の構成 ◆◆ 半夏（4.0 g），生姜（1.0 g），茯苓（2.5 g），陳皮（2.5 g），甘草（1.0 g），白朮（2.5 g），蒼朮（3.0 g），香附子（2.5 g），羌活（2.5 g），威霊仙（2.0 g），天南星（2.5 g），黄芩（2.5 g）．

処方構成の解説 ◆◆ 二陳湯に白朮以下を加えたものである．白朮，蒼朮は水滞をとり，黄芩は炎症を鎮める．さらに，発散薬である香附子，鎮痛・鎮痙薬である羌活，威霊仙，天南星を配合したもので，胃腸があまり丈夫でなく，水滞のある人の肩の痛みに用いられる．

効能・効果 ◆◆ 体力中等度で，肩や上腕などに痛みがあるものの次の諸症：四十肩，五十肩．
適応 ◆◆ 五十肩．
副作用 ◆◆ 重大な副作用：間質性肺炎（黄芩の関与が疑われる），偽アルドステロン症，ミオパチー（甘草）．AST（GOT），ALT（GPT），ALP，γ-GPT の上昇を伴う肝機能障害，黄疸．
相互作用 ◆◆ 併用注意：甘草含有製剤，グリチルリチン酸およびその塩類を含有する製剤（甘草）．

竹茹温胆湯（チクジョウンタントウ）：万病回春

処方の構成 ◆◆ 半夏（5.0 g），茯苓（3.0 g），陳皮（2.0 g），生姜（1.0 g），甘草（1.0 g），竹茹（3.0 g），枳実（2.0 g），麦門冬（3.0 g），桔梗（2.0 g），柴胡（3.0 g），黄連（1.0 g），香附子（2.0 g），人参（1.0 g）．

処方構成の解説 ◆◆ 半夏，茯苓，陳皮，生姜，甘草の組み合わせは**二陳湯**であり，これに解熱，鎮静作用のある竹茹と気をめぐらせて心窩部のつかえをとる枳実を加えたものが温胆湯である．二陳湯は胃内停水があるものの悪心・嘔吐に用いられるが，温胆湯はこれに精神症状が加わった場合に用いる．さらに，鎮咳・去痰作用のある麦門冬と桔梗，消炎，鎮静薬である柴胡と黄連，気を発散させる香附子，健胃，補気，滋養・強壮薬である人参を加えたものが本処方であり，胃アトニー症状があって感冒が長引き，熱や咳が残って気分が悪いもの，精神不安や不眠症がある人に適する．

効能・効果 ◆◆ 体力中等度のものの次の諸症：かぜ，インフルエンザ，肺炎などの回復期に熱が長引いたり，また平熱になっても，気分がさっぱりせず，咳や痰が多くて安眠ができないもの．

適応 ◆◆ インフルエンザ，かぜ，肺炎などの回復期に熱が長引いたり，また平熱になっても，気分がさっぱりせず，咳や痰が多くて安眠ができないもの．

副作用 ◆◆ 重大な副作用：偽アルドステロン症，ミオパチー（甘草）．その他の副作用：発疹，蕁麻疹などの過敏症（人参）．

相互作用 ◆◆ 併用注意：甘草含有製剤，グリチルリチン酸およびその塩類を含有する製剤（甘草）．

茯苓飲（ブクリョウイン）：金匱要略

処方の構成 ◆◆ 人参（3.0 g），蒼朮（4.0 g），生姜（1.0 g），茯苓（5.0 g），陳皮（3.0 g），枳実（1.5 g）．

処方構成の解説 ◆◆ **四君子湯**から**甘草**と**大棗**をとり，陳皮と枳実を加えたものである．陳皮は気をめぐらせて消化機能を改善し，枳実は心窩部のつかえ感をとる作用がある．胃内停水が著

しく，胃部不快感があるが，甘草や大棗のような緩和，補気，滋養強壮薬が加えられていないので，あまり虚した人には向かない．

効能・効果 ◆◆ 体力中等度以下で，吐き気や胸やけ，上腹部膨満感があり尿量減少するものの次の諸症：胃炎，神経性胃炎，胃腸虚弱，胸やけ．

適応 ◆◆ 吐き気や胸やけがあり尿量が減少するものの次の諸症：胃炎，胃アトニー，溜飲．

副作用 ◆◆ 発疹，蕁麻疹などの過敏症（人参）．

茯苓飲合半夏厚朴湯（ブクリョウインゴウハンゲコウボクトウ）：本朝経験方

処方の構成 ◆◆ 人参（3.0 g），蒼朮（4.0 g），生姜（1.0 g），茯苓（5.0 g），陳皮（3.0 g），枳実（1.5 g），半夏（6.0 g），厚朴（3.0 g），蘇葉（2.0 g）．

処方構成の解説 ◆◆ 茯苓飲と半夏厚朴湯の合方である．尿量が減少し，胃内停水があり，胃部不快感がある人で，喉のつかえ感を伴う精神不安症状が加わった人に適する．

効能・効果 ◆◆ 体力中等度以下で，気分がふさいで咽喉食道部に異物感があり，ときに動悸，めまい，嘔気，胸やけ，上腹部膨満感などがあり，尿量減少するものの次の諸症：不安神経症，神経性胃炎，つわり，胸やけ，胃炎，しわがれ声，喉のつかえ感．

適応 ◆◆ 気分がふさいで，咽喉，食道部に異物感があり，ときに動悸，めまい，嘔気，胸やけなどがあり，尿量の減少するものの次の諸症：不安神経症，神経性胃炎，つわり，溜飲，胃炎．

副作用 ◆◆ 発疹，蕁麻疹などの過敏症（人参）．

啓脾湯（ケイヒトウ）：万病回春

処方の構成 ◆◆ 人参（3.0 g），蒼朮（4.0 g），甘草（1.0 g），茯苓（4.0 g），陳皮（2.0 g），沢瀉（2.0 g），山薬（3.0 g），蓮肉（3.0 g），山査子（2.0 g）．

処方構成の解説 ◆◆ 人参から茯苓までの4生薬は，原典の四君子湯であり，これに気をめぐらせて消化機能を改善する陳皮，利水薬の沢瀉，止瀉作用のある山薬，蓮肉，山査子を加えたものである．四君子湯にさらに水剤，止瀉薬が加えられたもので，四君子湯証で下痢症状があるものに適する．

効能・効果 ◆◆ 体力虚弱で，痩せて顔色が悪く，食欲がなく，下痢の傾向があるものの次の諸症：胃腸虚弱，慢性胃腸炎，消化不良，下痢．

適応 ◆◆ やせて，顔色が悪く，食欲がなく，下痢の傾向があるものの次の諸症：胃腸虚弱，慢性胃腸炎，消化不良，下痢．

副作用 ◆◆ 重大な副作用：偽アルドステロン症，ミオパチー（甘草）．その他の副作用：発疹，蕁麻疹などの過敏症（人参）．

相互作用 ◆◆ 併用注意：甘草含有製剤，グリチルリチン酸およびその塩類を含有する製剤（甘草）．

半夏白朮天麻湯（ハンゲビャクジュツテンマトウ）：脾胃論

処方の構成 ◆◆ 人参（1.5 g），白朮（3.0 g），生姜（0.5 g），茯苓（3.0 g），半夏（3.0 g），陳皮（3.0 g），天麻（2.0 g），麦芽（2.0 g），黄耆（1.5 g），沢瀉（1.5 g），黄柏（1.0 g），乾姜（1.0 g）．

処方構成の解説 ◆◆ 六君子湯から甘草，大棗をとり，天麻以下を加えたものである．天麻は，めまいや頭痛に効く特徴を有する．麦芽は消化を助け，沢瀉は水滞を除く．黄耆は滋養・強壮，補気作用があり，虚した体を補う．黄柏のような苦味消炎薬も加えられているが，本処方では健胃薬として配合されているものと思われる．生姜に加え乾姜も配合し，胃腸を温める作用を強化している．六君子湯の水滞をとる作用と消化力，体を温める作用を強化し，水滞によるめまいや頭痛に有効な処方と解釈できる．

効能・効果 ◆◆ 体力中等度以下で，胃腸が弱く下肢が冷えるものの次の諸症：頭痛，頭重，立ちくらみ，めまい，蓄膿症（副鼻腔炎）．

適応 ◆◆ 胃腸虚弱で下肢が冷え，めまい，頭痛などがあるもの．

副作用 ◆◆ 発疹，蕁麻疹などの過敏症（人参）．

その他の注意 ◆◆ 湿疹，皮膚炎が悪化することがある．

参蘇飲（ジンソイン）：太平恵民和剤局方

処方の構成 ◆◆ 人参（1.5 g），甘草（1.0 g），生姜（0.5 g），大棗（1.5 g），茯苓（3.0 g），半夏（3.0 g），陳皮（2.0 g），葛根（2.0 g），桔梗（2.0 g），枳実（1.0 g），蘇葉（1.0 g），前胡（2.0 g）．

処方構成の解説 ◆◆ 六君子湯から蒼朮をとり，葛根以下を加えたものである．葛根は肩から首筋のこりをとり，前胡は頭痛を治し，咳を止める．桔梗は鎮咳・去痰薬であり，蘇葉は気を発散して咳を鎮める．枳実は，気をめぐらせて心窩部のつかえ感を解消する．六君子湯が合うような胃腸が弱い人の鎮咳薬として有用である．

効能・効果 ◆◆ 体力虚弱で，胃腸が弱いものの次の諸症：感冒，咳．

適応 ◆◆ 感冒，咳．

副作用 ◆◆ 重大な副作用：偽アルドステロン症，ミオパチー（甘草）．その他の副作用：発疹，蕁麻疹などの過敏症（人参）．

相互作用 ◆◆ 併用注意：甘草含有製剤，グリチルリチン酸およびその塩類を含有する製剤（甘草）．

その他 ◆◆ 木香（1.0 g）を加える場合もある．

五苓散（ゴレイサン）：傷寒論，金匱要略（日局）

処方の構成 ◆◆ 茯苓（3.0 g），蒼朮（3.0 g），沢瀉（4.0 g），猪苓（3.0 g），桂皮（1.5 g）．

処方構成の解説 ◆◆ 茯苓，蒼朮，沢瀉，猪苓はいずれも利水薬である．茯苓と蒼朮が組むと利水・利尿効果が増強し，沢瀉と猪苓は消炎性の利水・利尿薬である．尿量が減少し，胃内はもとより全身に水滞が生じ，嘔吐，下痢，むくみが生じた人に適する．水滞証の人は一般に口渇はないが，五苓散では裏熱があるため強い口渇があり，水を欲しがり，一方で水を飲むと吐いたり，水瀉性の下痢をしたりする．沢瀉と猪苓は裏熱をとり，口渇を解消する．桂皮が配合されているので，のぼせ，めまい，発汗，頭痛などの表証をとる作用もある．

効能・効果 ◆◆ 体力に関わらず使用でき，喉が渇いて尿量が少ないもので，めまい，悪心，嘔吐，腹痛，頭痛，むくみなどのいずれかを伴う次の諸症：水様性下痢，急性胃腸炎，暑気あたり，頭痛，むくみ，二日酔い．

適応 ◆◆ 口渇，尿量減少するものの次の諸症：浮腫，ネフローゼ，二日酔い，急性胃腸カタル，下痢，悪心，嘔吐，めまい，胃内停水，頭痛，尿毒症，暑気あたり，糖尿病．

副作用 ◆◆ 発疹，発赤，瘙痒などの過敏症（桂皮）．肝機能異常（AST（GOT），ALT（GPT），γ-GTP などの上昇）．

茵蔯五苓散（インチンゴレイサン）：金匱要略

処方の構成 ◆◆ 桂皮（2.5 g），茯苓（4.5 g），蒼朮（4.5 g），沢瀉（6.0 g），猪苓（4.5 g），茵蔯蒿（4.0 g）．

処方構成の解説 ◆◆ 五苓散に茵蔯蒿を加えたものである．茵蔯蒿は消炎性の利尿作用や利胆作用があり，黄疸や肝炎に応用される．五苓散証があり，さらに黄疸を伴うものに適すが，黄疸がなくとも五苓散証よりも裏熱が強い場合に使用する．肝炎などに応用する場合は，柴胡剤と併用する場合が多い．

効能・効果 ◆◆ 体力中等度以上を目安として，のどが渇いて，尿量が少ないものの次の諸症：嘔吐，蕁麻疹，二日酔い，むくみ．

適応 ◆◆ 喉が渇いて，尿が少ないものの次の諸症：嘔吐，蕁麻疹，二日酔いのむかつき，むくみ．

副作用 ◆◆ 発疹，発赤，瘙痒などの過敏症（桂皮）．

その他の注意 ◆◆ 五苓散の副作用として肝機能異常の発症の報告があるので，本処方でも肝機能異常の発症に注意する．

胃苓湯（イレイトウ）：万病回春

処方の構成 ◆◆ 桂皮（2.0 g），茯苓（2.5 g），蒼朮（2.5 g），沢瀉（2.5 g），猪苓（2.5 g），白朮（2.5 g），厚朴（2.5 g），陳皮（2.5 g），大棗（1.5 g），生姜（1.5 g），甘草（1.0 g）．

処方構成の解説 ◆◆ 五苓散と平胃散の合方である．平胃散証に，五苓散証である口渇，嘔吐，下痢が加わった状態に用いる．

効能・効果 ◆◆ 体力中等度で，水溶性の下痢，嘔吐があり，口渇，尿量減少を伴うものの次の諸症：食あたり，暑気あたり，冷え腹，急性胃腸炎，腹痛．

適応 ◆◆ 水瀉性の下痢，嘔吐があり，口渇，尿量減少を伴う次の諸症：食あたり，暑気あたり，冷え腹，急性胃腸炎，腹痛．

副作用 ◆◆ 重大な副作用：偽アルドステロン症，ミオパチー（甘草）．その他の副作用：発疹，発赤，瘙痒などの過敏症（桂皮）．

相互作用 ◆◆ 併用注意：甘草含有製剤，グリチルリチン酸およびその塩類を含有する製剤（甘草）．

その他の注意 ◆◆ 五苓散の副作用として肝機能異常の発症の報告があるので，本処方でも肝機能異常の発症に注意する．

苓桂朮甘湯（リョウケイジュツカントウ）：傷寒論，金匱要略（日局）

処方の構成 ◆◆ 桂皮（4.0 g），茯苓（6.0 g），蒼朮（3.0 g），甘草（2.0 g）．

処方構成の解説 ◆◆ 五苓散から消炎性の利尿薬である沢瀉と猪苓をとり甘草を加えたもので，五苓散証にみられるような裏熱による口渇，嘔吐，下痢はない．主として胃内水滞が原因で気の上衝が起こり，それにより生じる諸症状，すなわち，めまい，のぼせ，動悸，精神不安，頭痛，頭重を治すことを目標とする．茯苓と蒼朮が協力して水滞をとり，桂皮がのぼせ，めまい，発汗，頭痛などの表証をとる．甘草はこれらの作用を緩和する．

効能・効果 ◆◆ 体力中等度以下で，めまい，ふらつきがあり，ときにのぼせや動悸があるものの次の諸症：立ちくらみ，めまい，頭痛，耳鳴り，動悸，息切れ，神経症，神経過敏．

適応 ◆◆ めまい，ふらつきがあり，または動悸があり尿量が減少するものの次の諸症：神経質，ノイローゼ，めまい，動悸，息切れ，頭痛．

副作用 ◆◆ 重大な副作用：偽アルドステロン症，ミオパチー（甘草）．その他の副作用：発疹，発赤，瘙痒などの過敏症（桂皮）．

相互作用 ◆◆ 併用注意：甘草含有製剤，グリチルリチン酸およびその塩類を含有する製剤（甘草）．

参考 ◆◆ 苓桂朮甘湯から蒼朮をとり，大棗を配合したものを**苓桂甘棗湯（リョウケイカンソウ**

トウ；傷寒論，金匱要略）といい，臍下の動悸が発作的に突き上げてきて激しい心悸亢進が起こるような不安神経症（パニック発作）に応用される．エキス剤は一般用医薬品としてのみ製造，販売されている．

苓姜朮甘湯（リョウキョウジュツカントウ）：金匱要略

処方の構成 ◆◆ 茯苓（6.0 g），白朮（3.0 g），甘草（2.0 g），乾姜（3.0 g）．

処方構成の解説 ◆◆ 苓桂朮甘湯から桂皮をとり乾姜を配合したものであるが，人参湯（後述）の人参が茯苓に置き換わったものと考えるほうが理解しやすい．茯苓と白朮により偏在した水分を調整し，乾姜が裏の強い寒を温める．これに各生薬の調和をはかり，胃腸を保護する甘草が加えられている．胃より下部に水滞があり，それが原因で腰が冷えて痛む人に適する．うすい尿が出るところは人参湯証によく類似している．

効能・効果 ◆◆ 体力中等度以下で，腰から下肢に冷えと痛みがあって，尿量が多いものの次の諸症：腰痛，腰の冷え，夜尿症，神経痛．

適応 ◆◆ 腰に冷えと痛みがあって，尿量が多い次の諸症：腰痛，腰の冷え，夜尿症．

副作用 ◆◆ 重大な副作用：偽アルドステロン症，ミオパチー（甘草）．

相互作用 ◆◆ 併用注意：甘草含有製剤，グリチルリチン酸およびその塩類を含有する製剤（甘草）．

猪苓湯（チョレイトウ）：傷寒論，金匱要略

処方の構成 ◆◆ 茯苓（3.0 g），沢瀉（3.0 g），猪苓（3.0 g），阿膠（3.0 g），滑石（3.0 g）．

処方構成の解説 ◆◆ 五苓散から桂皮と蒼朮をとり，阿膠と滑石を加えたものである．沢瀉，猪苓，滑石はいずれも消炎性の利尿薬であり，阿膠には止血作用がある．五苓散との違いは，五苓散には表証があり全身的な水滞に用いるが，猪苓湯は局所的な炎症性尿不利に適応される．泌尿器系に炎症があり，出血（血尿）を伴うような場合に適する．

効能・効果 ◆◆ 体力に関わらず使用でき，排尿異常があり，ときに口が渇くものの次の諸症：排尿困難，排尿痛，残尿感，頻尿，むくみ．

適応 ◆◆ 尿量減少，小便難，口渇を訴えるものの次の諸症：尿道炎，腎臓炎，腎石症，淋炎，排尿痛，血尿，腰以下の浮腫，残尿感，下痢．

副作用 ◆◆ 発疹，発赤，瘙痒などの過敏症．胃部不快感などの消化器症状．

苓甘姜味辛夏仁湯（リョウカンキョウミシンゲニントウ）：金匱要略

処方の構成 ◆◆ 甘草（2.0 g），半夏（4.0 g），乾姜（2.0 g），五味子（3.0 g），細辛（2.0 g），

茯苓（4.0 g），杏仁（4.0 g）．

処方構成の解説 ◆◆ 処方の名称は構成生薬の1文字をとって名付けたものであり，**小青竜湯**（II-2参照）**から桂皮，麻黄，芍薬を除き**，茯苓と杏仁を加えたものと考えることができる．すなわち，発汗剤である桂皮と麻黄をとって表証用の処方から裏証用の処方に変え，利水薬である茯苓と鎮咳・去痰作用のある杏仁を加えて，水滞症状が強いものに適するようにしたものである．したがって，冷え症で体力が低下し，咳嗽，水っぽい痰，水様性の鼻水，むくみがあるが，熱や頭痛などはない人のかぜに適する．

効能・効果 ◆◆ 体力中等度またはやや虚弱で，胃腸が弱り，冷え症で薄い水様の痰が多いものの次の諸症：気管支炎，気管支喘息，動悸，息切れ，むくみ．

適応 ◆◆ 貧血，冷え症で喘鳴を伴う喀痰の多い咳嗽があるもの．気管支炎，気管支喘息，心臓衰弱，腎臓病．

副作用 ◆◆ 重大な副作用：偽アルドステロン症，ミオパチー（甘草）．

相互作用 ◆◆ 併用注意：甘草含有製剤，グリチルリチン酸およびその塩類を含有する製剤（甘草）．

真武湯（シンブトウ）：傷寒論（日局）

処方の構成 ◆◆ 茯苓（**4.0 g**），蒼朮（**3.0 g**），芍薬（3.0 g），生姜（1.5 g），日局加工ブシ末（0.5 g）．

処方構成の解説 ◆◆ **茯苓と蒼朮**は協力して水滞を解消し，芍薬は筋の緊張を緩和して腸管の水滞をとり，同時に鎮痛効果を発揮する．生姜は脾胃を温めて消化機能を向上させる．これらに，鎮痛，強心効果と新陳代謝を亢進させ，体を強く温める作用のあるブシを加えたものである．したがって，新陳代謝が消沈し，水滞があって体がひどく冷え，体が痛み，消化機能はもとより全身が衰退した人に適する．

効能・効果 ◆◆ 体力虚弱で，冷えがあって，疲労倦怠感があり，ときに下痢，腹痛，めまいがあるものの次の諸症：下痢，急・慢性胃腸炎，胃腸虚弱，めまい，動悸，かぜ，むくみ，湿疹，皮膚炎，皮膚のかゆみ．

適応 ◆◆ 新陳代謝の沈衰しているものの次の諸症：胃腸疾患，胃腸虚弱症，慢性腸炎，消化不良，胃アトニー症，胃下垂症，ネフローゼ，腹膜炎，脳溢血，脊髄疾患による運動ならびに知覚麻痺，神経衰弱，高血圧症，心臓弁膜症，心不全で心悸亢進，半身不随，リウマチ，老人性瘙痒症．

慎重投与 ◆◆ 体力の充実している人，暑がりで，のぼせが強く，赤ら顔の患者（ブシ）．

副作用 ◆◆ 心悸亢進，のぼせ，舌のしびれ，悪心など（ブシ）．発疹，発赤，瘙痒，蕁麻疹などの過敏症．

妊婦，産婦，授乳婦への投与 ◆◆ 妊婦または妊娠している可能性のある婦人には投与しないこ

とが望ましい（ブシ）．

小児への投与 ◆◆ 小児等には慎重に投与すること（ブシ）．

参考 ◆◆ 本書では，利水剤を中心とした処方に分類したが，附子剤に分類する場合もある．

防已黄耆湯（ボウイオウギトウ）：金匱要略（日局）

処方の構成 ◆◆ 防已（5.0 g），黄耆（5.0 g），蒼朮（3.0 g），生姜（1.0 g），大棗（3.0 g），甘草（1.5 g）．

処方構成の解説 ◆◆ 汗かきで，色白の水太りの人の代表的な体質改善薬である．黄耆は表位の気を補い，皮膚表面の水滞を除き，多汗，盗汗を治す．防已と蒼朮は協力して，体内の水滞を解消し，浮腫や関節にたまった水をとる．防已には鎮痛効果もあり，関節の痛みを治す効果も期待される．太っているわりには虚証であり，生姜や大棗のような虚証向けの生薬，さらには緩和薬である甘草が配合されている．

効能・効果 ◆◆ 体力中等度以下で，疲れやすく，汗のかきやすい傾向があるものの次の諸症：肥満に伴う関節の腫れや痛み，むくみ，多汗症，肥満症（筋肉にしまりのない，いわゆる水太り）．

適応 ◆◆ 色白で筋肉軟らかく水太りの体質で疲れやすく，汗が多く，小便不利で下肢に浮腫をきたし，膝関節の腫痛するものの次の諸症：腎炎，ネフローゼ，妊娠腎，陰嚢水腫，肥満症，関節炎，癰，せつ，筋炎，浮腫，皮膚病，多汗症，月経不順．

副作用 ◆◆ 重大な副作用：間質性肺炎．偽アルドステロン症，ミオパチー（甘草）．AST（GOT），ALT（GPT），ALP，γ-GTP の上昇を伴う肝機能障害，黄疸．その他の副作用：発疹，発赤，瘙痒などの過敏症．

相互作用 ◆◆ 併用注意：甘草含有製剤，グリチルリチン酸およびその塩類を含有する製剤（甘草）．

II-9　人参湯とその関連処方

人参は，代表的な滋養・強壮，補気，胃腸機能の改善薬である．また，人参と黄耆を組み合わせると，滋養・強壮，補気の効果が相乗的に高まる．ここでは人参湯とその関連処方，人参＋黄耆の組み合わせをもつ処方（参耆剤）をとりあげる．なお，十全大補湯，人参養栄湯も人参と黄耆が配合されているが，この2つの処方はII-11項で述べる．

人参湯（ニンジントウ）：傷寒論，金匱要略

処方の構成 ◆◆ 人参（3.0 g），乾姜（3.0 g），蒼朮（3.0 g），甘草（3.0 g）．

処方構成の解説 ◆◆ 人参は滋養・強壮，補気，胃腸機能の改善薬である．蒼朮は胃内停水をとり，乾姜が冷えた胃腸を温める．これに各生薬の調和をはかり，胃腸を保護する甘草が加えられている．虚弱で胃腸に強い冷えがあり，口中にうすい唾がたまったり，うすい尿が出る胃腸虚弱体質の人に適する．

効能・効果 ◆◆ 体力虚弱で，疲れやすくて手足などが冷えやすいものの次の諸症：胃腸虚弱，下痢，嘔吐，胃痛，腹痛，急・慢性胃炎．

適応 ◆◆ 体質虚弱の人，あるいは虚弱により体力低下した人の次の諸症：急性・慢性胃腸カタル，胃アトニー症，胃拡張，つわり，萎縮腎．

禁忌 ◆◆ 次の患者には投与しないこと：アルドステロン症の患者，ミオパチーのある患者，低カリウム血症のある患者．

副作用 ◆◆ 重大な副作用：偽アルドステロン症，ミオパチー（甘草）．その他の副作用：発疹，蕁麻疹などの過敏症（人参）．

相互作用 ◆◆ 併用注意：甘草含有製剤，グリチルリチン酸およびその塩類を含有する製剤，ループ系利尿薬，チアジド系利尿薬（甘草）．

参考 ◆◆ 附子人参湯（附子理中湯）［ブシニンジントウ（ブシリチュウトウ）；太平恵民和剤局方］は，**人参湯**に加工ブシ末 0.5 g～1.0 g を加えたもので，人参湯よりもさらに冷えが強い人に用いる．使用の際には，ほかのブシ配合製剤と同様の注意が必要である．

桂枝人参湯（ケイシニンジントウ）：傷寒論

処方の構成 ◆◆ 人参（3.0 g），乾姜（2.0 g），蒼朮（3.0 g），甘草（3.0 g），桂皮（4.0 g）．

処方構成の解説 ◆◆ **人参湯**に桂皮を加えたもので，人参湯の証に表証（頭痛，のぼせなど）がある人に適する．

効能・効果 ◆◆ 体力虚弱で，胃腸が弱く，ときに発熱・悪寒を伴うものの次の諸症：頭痛，動悸，慢性胃腸炎，胃腸虚弱，下痢，消化器症状を伴う感冒．

適応 ◆◆ 胃腸の弱い人の次の諸症：頭痛，動悸，慢性胃腸炎，胃アトニー．

禁忌 ◆◆ 次の患者には投与しないこと：アルドステロン症の患者，ミオパチーのある患者，低カリウム血症のある患者．

副作用 ◆◆ 重大な副作用：偽アルドステロン症，ミオパチー（甘草）．その他の副作用：発疹，発赤，瘙痒，蕁麻疹などの過敏症（桂皮，人参）．

相互作用 ◆◆ 併用注意：甘草含有製剤，グリチルリチン酸およびその塩類を含有する製剤，ループ系利尿薬，チアジド系利尿薬（甘草）．

大建中湯（ダイケンチュウトウ）：金匱要略（日局）

処方の構成 ◆◆ 山椒（3.0 g），乾姜（3.0 g），**人参（3.0 g）**，粉末飴（10.0 g）あるいは膠飴（20.0 g）．

処方構成の解説 ◆◆ 山椒と乾姜の辛味が胃腸を刺激して消化液の分泌と血行を促進し，冷えによる痛みをとって胃腸の働きを正常化する．人参は滋養・強壮，補気，健胃薬であり，膠飴は山椒と乾姜の刺激を緩和し，また滋潤，補気，滋養・強壮効果がある．

効能・効果 ◆◆ 体力虚弱で，腹が冷えて痛むものの次の諸症：下腹部痛，腹部膨満感．

適応 ◆◆ 腹が冷えて痛み，腹部膨満感のあるもの．

慎重投与 ◆◆ 肝機能障害のある患者．

副作用 ◆◆ 重大な副作用：間質性肺炎．AST（GOT），ALT（GPT），ALP，γ-GTPの上昇を伴う肝機能障害，黄疸．その他の副作用：発疹，蕁麻疹などの過敏症（人参）．胃部不快感，悪心，嘔吐，腹痛，下痢などの消化器症状．肝機能異常（AST（GOT），ALT（GPT），ALP，γ-GTPなどの上昇）．

その他 ◆◆ 日局には，無コウイ大建中湯エキスが収載されている．

参考 ◆◆ 腹部術後のイレウス（腸閉塞）の予防・改善（pp.136-137）に，臨床応用されている．

補中益気湯（ホチュウエッキトウ）：弁惑論（李東垣）内傷門（日局）

処方の構成 ◆◆ 人参（4.0 g），蒼朮（4.0 g），甘草（1.5 g），生姜（0.5 g），大棗（2.0 g），当帰（3.0 g），黄耆（4.0 g），陳皮（2.0 g），升麻（1.0 g），柴胡（2.0 g）．

処方構成の解説 ◆◆ 処方構成は四君子湯から茯苓をとり，当帰以下の生薬を加えたものと考えることができる．当帰は補血薬として血を補い，黄耆は滋養・強壮，補気，止汗薬である．陳皮は気をめぐらせて消化機能を改善し，升麻と柴胡は消炎薬として作用する．また，升麻には下垂した内臓を引き上げる作用があるといわれている．黄耆が加えられたことにより**人参＋黄耆**の組み合わせができ，滋養・強壮，補気作用が高められている．平素虚弱で胃腸機能が弱く，かぜが長引いて微熱や盗汗がとれない場合や，病後の体力消耗時の体力回復に適する．

効能・効果 ◆◆ 体力虚弱で，元気がなく，胃腸の働きが衰えて，疲れやすいものの次の諸症：虚弱体質，疲労倦怠，病後・術後の衰弱，食欲不振，ねあせ，感冒．

適応 ◆◆ 消化機能が衰え，四肢倦怠感著しい虚弱体質者の次の諸症：夏やせ，病後の体力低下，結核症，食欲不振，胃下垂，感冒，痔，脱肛，子宮下垂，陰萎，半身不随，多汗症．

慎重投与 ◆◆ 当帰が含まれている処方では，食欲不振，悪心，嘔吐のある患者には慎重に投与するべきであるが，本剤は，ほかの配合生薬の内容からあまり神経質になる必要はない．ただし，食欲不振，胃部不快感，悪心，下痢があらわれた場合は，当帰によるものと考えられるの

で，用量を減らすか，食後に服用するなど，用量，用法を工夫すること．

副作用 ◆◆ 重大な副作用：間質性肺炎．偽アルドステロン症，ミオパチー（甘草）．AST（GOT），ALT（GPT），ALP，γ-GTP の上昇を伴う肝機能障害，黄疸．その他の副作用：発疹，蕁麻疹などの過敏症（人参など）．食欲不振，胃部不快感，悪心，下痢などの消化器症状（当帰）．

相互作用 ◆◆ 併用注意：甘草含有製剤，グリチルリチン酸およびその塩類を含有する製剤（甘草）．

その他の注意 ◆◆ 湿疹，皮膚炎が悪化することがある．

参考 ◆◆ 補中益気湯は，術後の体力回復，免疫力の強化，がん化学療法時の副作用の低減を目的に，臨床応用されている．

清暑益気湯（セイショエッキトウ）：医学六要

処方の構成 ◆◆ 人参（3.5 g），蒼朮（3.5 g），甘草（1.0 g），当帰（3.0 g），黄耆（4.0 g），陳皮（2.0 g），麦門冬（3.5 g），五味子（1.0 g），黄柏（1.0 g）．

処方構成の解説 ◆◆ 補中益気湯から**生姜，大棗，柴胡，升麻をとり**，麦門冬以下の生薬を加えたものである．麦門冬の清熱，湿潤作用，五味子の滋養・強壮作用，黄柏の清熱，抗炎症作用を考慮すると，補中益気湯を暑気対策用に改良した処方であることが理解できる．

効能・効果 ◆◆ 体力虚弱で，疲れやすく，食欲不振，ときに口渇などがあるものの次の諸症：暑気あたり，暑さによる食欲不振・下痢，夏やせ，全身倦怠，慢性疾患による体力低下・食欲不振．

適応 ◆◆ 暑気あたり，暑さによる食欲不振・下痢・全身倦怠，夏やせ．

慎重投与 ◆◆ 当帰が含まれている処方では，食欲不振，悪心，嘔吐のある患者には慎重に投与するべきであるが，本剤は，ほかの配合生薬の内容からあまり慎重になる必要はない．ただし，食欲不振，胃部不快感，悪心，下痢があらわれた場合は，当帰によるものと考えられるので，用量を減らすか，食後に服用するなど，用量，用法を工夫すること．

副作用 ◆◆ 重大な副作用：偽アルドステロン症，ミオパチー（甘草）．その他の副作用：発疹，蕁麻疹などの過敏症（人参など）．食欲不振，胃部不快感，悪心，下痢などの消化器症状（当帰）．

相互作用 ◆◆ 併用注意：甘草含有製剤，グリチルリチン酸およびその塩類を含有する製剤（甘草）．

その他の注意 ◆◆ 湿疹，皮膚炎が悪化することがある．

加味帰脾湯（カミキヒトウ）：内科摘要（日局）

処方の構成 ◆◆ 人参（3.0 g），蒼朮（3.0 g），甘草（1.0 g），生姜（1.0 g），大棗（2.0 g），茯

苓（3.0 g），酸棗仁（3.0 g），竜眼肉（3.0 g），遠志（2.0 g），黄耆（3.0 g），木香（1.0 g），当帰（2.0 g），柴胡（3.0 g），山梔子（2.0 g）．

処方構成の解説 ◆◆ 処方構成は，**四君子湯**に酸棗仁以下の生薬を加えたものである．酸棗仁，竜眼肉，遠志は，鎮静，強壮薬，黄耆は止汗，滋養・強壮，補気薬，木香は健胃薬，当帰は補血薬で，ここまでを加えたものを帰脾湯というが，本剤はこれに消炎，鎮静薬である柴胡と，消炎，止血薬である山梔子を加えたものである．また，黄耆が加えられたことにより**人参 ＋ 黄耆**の組み合わせができ，滋養・強壮，補気作用が高められている．四君子湯が基本にあるので，平素虚弱で，胃腸機能が弱く，そのうえ精神的過労や出血傾向が加わり，神経衰弱や不眠症になったりしたものに適する．

効能・効果 ◆◆ 体力中等度以下で，心身が疲れ，血色が悪く，ときに熱感を伴うものの次の諸症：貧血，不眠症，精神不安，神経症．

適応 ◆◆ 虚弱体質で血色の悪い人の次の諸症：貧血，不眠症，精神不安，神経症．

慎重投与 ◆◆ 食欲不振，悪心，嘔吐のある患者（当帰）．

副作用 ◆◆ 重大な副作用：偽アルドステロン症，ミオパチー（甘草）．腸間膜静脈硬化症（山梔子）．その他の副作用：発疹，蕁麻疹などの過敏症（人参など）．食欲不振，胃部不快感，悪心，腹痛，下痢などの消化器症状（山梔子，酸棗仁，当帰）．

相互作用 ◆◆ 併用注意：甘草含有製剤，グリチルリチン酸およびその塩類を含有する製剤（甘草）．

その他の注意 ◆◆ 湿疹，皮膚炎が悪化することがある．血中 1,5-アンヒドロ-D-グルシトール（1-デオキシグルコース）が増加する場合がある（遠志）（糖尿病，腎性糖尿で低値を示す）．

清心蓮子飲（セイシンレンシイン）：太平恵民和剤局方

処方の構成 ◆◆ **人参（3.0 g），黄耆（2.0 g）**，麦門冬（4.0 g），茯苓（4.0 g），蓮肉（4.0 g），黄芩（3.0 g），地骨皮（2.0 g），車前子（3.0 g），甘草（1.5 g）．

処方構成の解説 ◆◆ 慢性の泌尿器疾患に使用される処方で，水滞をとる茯苓と消炎性の利尿薬である車前子が利尿に直接関与するが，茯苓は鎮静作用も有する．さらに，消炎薬として黄芩と地骨皮が加えられているが，一方で滋養・強壮，湿潤作用のある麦門冬，滋養・強壮，鎮痛薬である蓮肉，滋養・強壮，補気薬である**人参**と**黄耆**，緩和薬である甘草が配合されており，胃腸が弱い人や虚弱な人にも使えるような処方構成となっている．

効能・効果 ◆◆ 体力中等度以下で，胃腸が弱く，全身倦怠感があり，口や舌が乾き，尿が出しぶるものの次の諸症：残尿感，頻尿，排尿痛，尿のにごり，排尿困難，こしけ（おりもの）．

適応 ◆◆ 全身倦怠感があり，口や舌が乾き，尿が出しぶるものの次の諸症：残尿感，頻尿，排尿痛．

副作用 ◆◆ 重大な副作用：間質性肺炎（黄芩の関与が疑われる）．偽アルドステロン症，ミオパ

チー（甘草）．AST（GOT），ALT（GPT），ALP，γ-GTP の著しい上昇を伴う肝機能障害，黄疸．その他の副作用：発疹，蕁麻疹などの過敏症（人参）．

相互作用 ◆◆ 併用注意：甘草含有製剤，グリチルリチン酸およびその塩類を含有する製剤，ループ系利尿薬，チアジド系利尿薬（甘草）．

その他の注意 ◆◆ 湿疹，皮膚炎が悪化することがある．

II-10　当帰芍薬散関連処方と頻用駆瘀血剤

　当帰芍薬散は比較的緩和な血剤と水剤がバランスよく配合された処方であり，虚弱で，血液のめぐりが悪く，水滞がある女性に広く適用される．ここでは，当帰芍薬散関連処方と頻用駆瘀血剤について述べる．なお，強い駆瘀血瀉下作用のある桃核承気湯，大黄牡丹皮湯，通導散は大黄を含む処方の項で，四物湯加減方である婦人諸病薬は四物湯を基礎とした処方の項でとりあげる．

当帰芍薬散（トウキシャクヤクサン）：金匱要略（日局）

処方の構成 ◆◆ 当帰（3.0 g），川芎（3.0 g），芍薬（4.0 g），茯苓（4.0 g），蒼朮（4.0 g），沢瀉（4.0 g）．

処方構成の解説 ◆◆ 当帰，川芎は血液循環を改善する温性の血剤であり，茯苓，蒼朮，沢瀉は利水薬である．芍薬は筋の緊張をとり，鎮痛作用を発揮する．また，当帰と芍薬には補血作用もある．比較的緩和な血剤と水剤がバランスよく配合された処方であり，虚弱で，血のめぐりが悪く，水滞もある女性に広く適用される．

効能・効果 ◆◆ 体力虚弱で，冷え症で貧血の傾向があり疲労しやすく，ときに下腹部痛，頭重，めまい，肩こり，耳鳴り，動悸などを訴えるものの次の諸症：月経不順，月経異常，月経痛，更年期障害，産前産後あるいは流産による障害（貧血，疲労倦怠，めまい，むくみ），めまい，立ちくらみ，頭重，肩こり，腰痛，足腰の冷え症，しもやけ，むくみ，しみ，耳鳴り．

適応 ◆◆ 筋肉が一体に軟弱で疲労しやすく，腰脚の冷えやすいものの次の諸症：貧血，倦怠感，更年期障害（頭重，頭痛，めまい，肩こりなど），月経不順，月経困難，不妊症，動悸，慢性腎炎，妊娠中の諸病（むくみ，習慣性流産，痔，腹痛），脚気，半身不随，心臓弁膜症．

慎重投与 ◆◆ 著しく胃腸の虚弱な患者，食欲不振，悪心，嘔吐のある患者（川芎，当帰）．

副作用 ◆◆ 食欲不振，胃部不快感，悪心，嘔吐，腹痛，下痢などの消化器症状（川芎，当帰）．発疹，瘙痒などの過敏症．肝機能異常（AST（GOT），ALT（GPT）などの上昇）．

加味逍遙散（カミショウヨウサン）：万病回春（日局）

処方の構成 ◆◆ 当帰（3.0 g），芍薬（3.0 g），茯苓（3.0 g），蒼朮（3.0 g），柴胡（3.0 g），山

梔子（2.0 g），牡丹皮（2.0 g），薄荷（1.0 g），生姜（1.0 g），甘草（1.5 g）．

処方構成の解説 ◆◆ 当帰芍薬散から川芎と沢瀉をとり，柴胡以下を加えたものである．茯苓と蒼朮は水滞をとり精神を安定させ，当帰は血を補い，また血行を改善し，牡丹皮は瘀血をとる．山梔子には消炎，止血，鎮静作用，芍薬には補血，鎮痛・鎮痙作用，薄荷には解熱，発汗，発散作用が期待される．さらに，上腹部の炎症（特に肝熱）をとり，鎮静効果を発揮する柴胡，脾胃を温める生姜，緩和薬である甘草が加えられており，総じて，虚弱で，水滞もあるが，瘀血症状の方が強く，精神症状の訴えの多い人に適応される．

効能・効果 ◆◆ 体力中等度以下で，のぼせ感があり，肩がこり，疲れやすく，精神不安やいらだちなどの精神神経症状，ときに便秘の傾向のあるものの次の諸症：冷え症，虚弱体質，月経不順，月経困難，更年期障害，血の道症，不眠症．

適応 ◆◆ 体質虚弱な婦人で肩がこり，疲れやすく，精神不安などの精神神経症状，ときに便秘の傾向のある次の諸症：冷え症，虚弱体質，月経不順，月経困難，更年期障害，血の道症．

慎重投与 ◆◆ 著しく胃腸の虚弱な患者，食欲不振，悪心，嘔吐のある患者（当帰）．

副作用 ◆◆ 重大な副作用：偽アルドステロン症，ミオパチー（甘草）．AST（GOT），ALT（GPT），ALP，γ-GTP の著しい上昇を伴う肝機能障害，黄疸．腸間膜静脈硬化症（山梔子）．その他の副作用：食欲不振，胃部不快感，悪心，嘔吐，腹痛，下痢などの消化器症状（山梔子，当帰）．発疹，発赤，瘙痒などの過敏症．

妊婦，産婦，授乳婦への投与 ◆◆ 妊婦または妊娠している可能性のある婦人には投与しないことが望ましい（牡丹皮）．

相互作用 ◆◆ 併用注意：甘草含有製剤，グリチルリチン酸およびその塩類を含有する製剤（甘草）．

温経湯（ウンケイトウ）：金匱要略

処方の構成 ◆◆ 当帰（3.0 g），川芎（2.0 g），芍薬（2.0 g），麦門冬（4.0 g），半夏（4.0 g），牡丹皮（2.0 g），呉茱萸（1.0 g），阿膠（1.0 g），人参（2.0 g），桂皮（2.0 g），生姜（1.0 g），甘草（2.0 g）．

処方構成の解説 ◆◆ 当帰芍薬散から水剤である茯苓，蒼朮，沢瀉をとり，麦門冬以下を加えたものである．人参，桂皮，生姜，甘草の組み合わせは，桂枝人参湯から蒼朮を除いたものとも考えられる．また，制吐薬である半夏，湿潤作用のある麦門冬と温性の鎮痛，制吐薬である呉茱萸が加えられていることから，胃腸はあまり強くなく，冷え，のぼせがあり，全体に枯燥気味で，特に口唇が乾燥していることが目標となる．さらに，駆瘀血薬である牡丹皮と，止血薬である阿膠が配合されていることから，女性で生理不順や不正出血のあるものに適する．

効能・効果 ◆◆ 体力中等度以下で，手足がほてり，唇が乾くものの次の諸症：月経不順，月経困難，こしけ（おりもの），更年期障害，不眠，神経症，湿疹，皮膚炎，足腰の冷え，しもや

け，手荒れ（手の湿疹・皮膚炎）．

適応 ◆◆ 手足がほてり，唇が乾くものの次の諸症：月経不順，月経困難，こしけ，更年期障害，不眠，神経症，湿疹，足腰の冷え，しもやけ．

慎重投与 ◆◆ 著しく胃腸の虚弱な患者，食欲不振，悪心，嘔吐のある患者（川芎，当帰）．

副作用 ◆◆ 重大な副作用：偽アルドステロン症，ミオパチー（甘草）．その他の副作用：食欲不振，胃部不快感，悪心，下痢などの消化器症状（川芎，当帰）．発疹，発赤，瘙痒，蕁麻疹などの過敏症（桂皮，人参など）．

相互作用 ◆◆ 併用注意：甘草含有製剤，グリチルリチン酸およびその塩類を含有する製剤．

女神散（ニョシンサン）：勿誤薬室方函

処方の構成 ◆◆ **当帰（3.0 g），川芎（3.0 g），蒼朮（3.0 g）**，黄連（1.0 g），黄芩（2.0 g），人参（2.0 g），桂皮（2.0 g），甘草（1.0 g），香附子（3.0 g），檳榔子（2.0 g），丁子（1.0 g），木香（1.0 g）．

処方構成の解説 ◆◆ 当帰芍薬散から**芍薬，茯苓，沢瀉**をとり，黄連以下を加えたものである．黄連，黄芩の組み合わせは，心窩部のつかえをとる瀉心湯類の多くに共通する組み合わせである．一方，人参，桂皮，蒼朮，甘草の組み合わせも存在し，これは桂枝人参湯から乾姜を除いたものに相当する．香附子，丁子，木香は気のめぐりをよくする芳香性の健胃薬で，檳榔子は発散性の健胃作用と止瀉作用を有する．総じて，心窩部のつかえと水滞があり，気と血のめぐりがともに悪い人に適した処方と考えることができる．

効能・効果 ◆◆ 体力中等度以上で，のぼせとめまいのあるものの次の諸症：産前産後の神経症，月経不順，血の道症，更年期障害，神経症．

適応 ◆◆ のぼせとめまいのあるものの次の諸症：産前産後の神経症，月経不順，血の道症．

慎重投与 ◆◆ 著しく胃腸の虚弱な患者，食欲不振，悪心，嘔吐のある患者（川芎，当帰）．

副作用 ◆◆ 重大な副作用：偽アルドステロン症，ミオパチー（甘草）．AST（GOT），ALT（GPT），ALP，γ-GTP の著しい上昇を伴う肝機能障害，黄疸．その他の副作用：食欲不振，胃部不快感，悪心，下痢などの消化器症状（川芎，当帰）．発疹，発赤，瘙痒，蕁麻疹などの過敏症（桂皮，人参など）．

相互作用 ◆◆ 併用注意：甘草含有製剤，グリチルリチン酸およびその塩類を含有する製剤．

その他 ◆◆ 大黄（0.5〜1.0 g）を加える場合もある．使用の際には，ほかの大黄配合製剤と同様の注意が必要である．黄連＋黄芩の組み合わせをもつ黄連解毒湯や半夏瀉心湯（Ⅱ-6 参照）で間質性肺炎の発症が報告されているので，本処方においても間質性肺炎が起こる可能性を否定できないことを念頭に入れておくこと．

桂枝茯苓丸（ケイシブクリョウガン）：金匱要略（日局）

処方の構成 ◆◆ 桃仁（3.0 g），牡丹皮（3.0 g），茯苓（3.0 g），桂皮（3.0 g），芍薬（3.0 g）．

処方構成の解説 ◆◆ 代表的な駆瘀血薬である**桃仁**と**牡丹皮**に，利水，鎮静効果のある茯苓を配合し，さらに，のぼせを下げる桂皮と補血，鎮痛効果のある芍薬を加えたものである．処方全体としては，瘀血が原因でのぼせやいらいら感が生じ，頭痛，肩こりなどを伴うものに適した処方である．瘀血のために顔色，歯茎はやや赤黒く，下腹部が硬く張り圧痛（小腹硬満や臍傍部圧痛）を認める．

効能・効果 ◆◆ 比較的体力があり，ときに下腹部痛，肩こり，頭重，めまい，のぼせて足冷えなどを訴えるものの次の諸症：月経不順，月経異常，月経痛，更年期障害，血の道症，肩こり，めまい，頭重，打ち身（打撲症），しもやけ，しみ，湿疹，皮膚炎，にきび．

適応 ◆◆ 体格はしっかりしていて赤ら顔が多く，腹部は大体充実，下腹部に抵抗のあるものの次の諸症：子宮ならびにその付属器の炎症，子宮内膜炎，月経不順，月経困難，帯下，更年期障害（頭痛，めまい，のぼせ，肩こりなど），冷え症，腹膜炎，打撲症，痔疾患，睾丸炎．

慎重投与 ◆◆ 著しく体力の衰えている患者．

副作用 ◆◆ 重大な副作用：AST（GOT），ALT（GPT），ALP，γ-GTP の上昇を伴う肝機能障害，黄疸．その他の副作用：発疹，発赤，瘙痒などの過敏症（桂皮）．食欲不振，胃部不快感，悪心，下痢などの消化器症状．

妊婦，産婦，授乳婦への投与 ◆◆ 妊婦または妊娠している可能性のある婦人には投与しないことが望ましい（桃仁，牡丹皮）．

参考 ◆◆ 桂枝茯苓丸証があり，皮膚のあれ，にきび，しみ，そばかすがあるような人には，**桂枝茯苓丸**に薏苡仁を加味した**桂枝茯苓丸加薏苡仁**（ケイシブクリョウガンカヨクイニン；本朝経験方）がよい．

II-11　地黄剤と四物湯を基礎とした処方

八味地黄丸や牛車腎気丸などは地黄を中心とした処方（地黄剤）で，腎虚と呼ばれる病態に用いられる．腎虚とは腎機能自体の低下のほか，生命力が低下した状態（老化）を意味する．したがって，八味地黄丸や牛車腎気丸は老化に伴う諸症状の改善を目的に用いられる．また，四物湯は地黄剤の1つで，後世方において血虚を補う基本処方として重視され，四物湯を基礎にさまざまな処方がつくられている．婦人諸病を治す処方群として広く応用可能であるが，日本では四物湯を単独で使うことは少ない．

八味地黄丸（ハチミジオウガン）：金匱要略（日局）

処方の構成 ◆◆ **地黄（6.0 g）**，山茱萸（3.0 g），山薬（3.0 g），牡丹皮（2.5 g），茯苓（3.0 g），沢瀉（3.0 g），桂皮（1.0 g），日局加工ブシ末（0.5 g）．

処方構成の解説 ◆◆ **地黄**，山茱萸，山薬は共通して滋養・強壮作用があり，さらに地黄には滋潤，補血作用，山茱萸には小腹を引き締め，尿を止める（この場合は，脱漏）作用，山薬には止瀉，滋潤，止渇作用がある．牡丹皮は血熱をとり，血液循環を改善する．利水薬としての茯苓と沢瀉は局所的な水滞を除き，利尿を促し，桂皮は気を発散させ，のぼせなど表証を解消する．さらに，ブシにより体全体を強く温める．腎が虚し，臍から下部（下焦）に力がない人，すなわち老人性の疾患に広く応用される．腹証に特徴があり，下腹部に力がない（臍下不仁）の場合と，臍下の正中線に鉛筆のような索状物（正中芯）を触れる場合がある．また，下腹部の腹直筋が緊張し，臍下から恥骨にかけて2本の棒が入っているように触れるときがある（小腹拘急）．この場合は下腹部の膨満感と知覚低下を伴う．

効能・効果 ◆◆ 体力中等度以下で，疲れやすくて，四肢が冷えやすく，尿量減少または多尿で，ときの口渇があるものの次の諸症：下肢痛，腰痛，しびれ，高齢者のかすみ目，かゆみ，排尿困難，残尿感，夜尿症，頻尿，むくみ，高血圧に伴う随伴症状（肩こり，頭重，耳鳴り）の改善，軽い尿漏れ．

適応 ◆◆ 疲労，倦怠感著しく，尿利減少または頻数，口渇し，手足に交互的に冷感と熱感のあるものの次の諸症：腎炎，糖尿病，陰萎，坐骨神経痛，腰痛，脚気，膀胱カタル，前立腺肥大，高血圧．

慎重投与 ◆◆ 体力の充実している患者，暑がりで，のぼせが強く，赤ら顔の患者（ブシ）．著しく胃腸の虚弱な患者，食欲不振，悪心，嘔吐のある患者（地黄）．

副作用 ◆◆ 肝機能異常（AST（GOT），ALT（GPT），総ビリルビン値などの上昇）．食欲不振，胃部不快感，悪心，嘔吐，腹痛，下痢，便秘などの消化器症状（地黄）．発疹，発赤，瘙痒などの過敏症（桂皮）．心悸亢進，のぼせ，舌のしびれ，悪心など（ブシ）．

妊婦，産婦，授乳婦への投与 ◆◆ 妊婦または妊娠している可能性のある婦人には投与しないことが望ましい（ブシ，牡丹皮）．

小児への投与 ◆◆ 小児等には慎重に投与すること（ブシ）．

相互作用 ◆◆ 併用注意：附子含有製剤（ブシ）．

その他の注意 ◆◆ 類似処方である牛車腎気丸（次項）で間質性肺炎の報告があるので，本剤でも間質性肺炎が起こる可能性を否定できない．

参考 ◆◆ **八味地黄丸**から，桂皮とブシを除いたものを**六味丸（ロクミガン；小児直訣）**といい，八味地黄丸証よりも軽症で，冷えが少ないものに適する．

牛車腎気丸（ゴシャジンキガン）：済生方（日局）

処方の構成 ◆◆ 地黄（5.0 g），山茱萸（3.0 g），山薬（3.0 g），牡丹皮（3.0 g），茯苓（3.0 g），沢瀉（3.0 g），桂皮（1.0 g），日局加工ブシ末（1.0 g），牛膝（3.0 g），車前子（3.0 g）．

処方構成の解説 ◆◆ 八味地黄丸に牛膝と車前子を加えたものである．牛膝と車前子はともに利尿作用があり，八味地黄丸証でさらに水滞が強くなった場合に適する．また，牛膝には駆血作用もあり，牡丹皮の作用を強化する．

効能・効果 ◆◆ 体力中等度以下で，疲れやすくて，四肢が冷えやすく尿量減少し，むくみがあり，ときの口渇があるものの次の諸症：下肢痛，腰痛，しびれ，高齢者のかすみ目，かゆみ，排尿困難，頻尿，むくみ，高血圧に伴う随伴症状（肩こり，頭重，耳鳴り）の改善

適応 ◆◆ 疲れやすくて，四肢が冷えやすく尿量減少または多尿で，ときに口渇がある次の諸症：下肢痛，腰痛，しびれ，老人のかすみ目，かゆみ，排尿困難，頻尿，むくみ．

慎重投与 ◆◆ 体力の充実している患者，暑がりで，のぼせが強く，赤ら顔の患者（ブシ）．著しく胃腸の虚弱な患者，食欲不振，悪心，嘔吐のある患者（地黄）．

副作用 ◆◆ 重大な副作用：間質性肺炎．AST（GOT），ALT（GPT），ALP，γ-GTP の上昇を伴う肝機能障害，黄疸．その他の副作用：食欲不振，胃部不快感，悪心，嘔吐，腹部膨満感，腹痛，下痢，便秘などの消化器症状（地黄）．発疹，発赤，瘙痒などの過敏症（桂皮）．心悸亢進，のぼせ，舌のしびれなど（ブシ）．

妊婦，産婦，授乳婦への投与 ◆◆ 妊婦または妊娠している可能性のある婦人には投与しないことが望ましい（牛膝，ブシ，牡丹皮）．

小児への投与 ◆◆ 小児等には慎重に投与すること（ブシ）．

相互作用 ◆◆ 併用注意：附子含有製剤（ブシ）．

その他の注意 ◆◆ 八味地黄丸の副作用として肝機能異常の発症の報告があるので，本処方でも肝機能異常の発症に注意する．

参考 ◆◆ パクリタキセルやオキサリプラチンなどの抗がん剤の副作用である四肢の感覚障害性の末梢神経障害（しびれ）や神経障害性疼痛（痛覚過敏）の改善に臨床応用されるが，逆に悪化させるという報告もある（p.156参照）．

三物黄芩湯（サンモツオウゴントウ）：金匱要略

処方の構成 ◆◆ 地黄（6.0 g），黄芩（3.0 g），苦参（3.0 g）．

処方構成の解説 ◆◆ 熱をさます処方である．黄芩と苦参はともに消炎，清熱作用がある．地黄は，本来は清熱作用の強い生地黄あるいは乾地黄を使うべきと考えられる．

効能・効果 ◆◆ 体力中等度またはやや虚弱で，手足のほてりがあるものの次の諸症：湿疹・皮

膚炎，手足の荒れ（手足の湿疹・皮膚炎），不眠．

適応 ◆◆ 手足のほてり．

慎重投与 ◆◆ 著しく胃腸の虚弱な患者，食欲不振，悪心，嘔吐のある患者（地黄）．

副作用 ◆◆ 重大な副作用：間質性肺炎（黄芩の関与が疑われる）．AST（GOT），ALT（GPT），ALP，γ-GTP の著しい上昇を伴う肝機能障害，黄疸．その他の副作用：食欲不振，胃部不快感，悪心，嘔吐，下痢などの消化器症状（地黄）．発疹，発赤，瘙痒などの過敏症．

四物湯（シモツトウ）：大平恵民和剤局方

処方の構成 ◆◆ 地黄（3.0 g），当帰（3.0 g），川芎（3.0 g），芍薬（3.0 g）．

処方構成の解説 ◆◆ 地黄は補血，強壮，鎮静，滋潤の効果があり，当帰と川芎はうっ血を解消し，血行を改善して体を温める．芍薬は筋の緊張をとり，鎮痛作用を発揮する．また，当帰と芍薬には補血作用もある．体力が低下し，皮膚が乾燥して血色の悪い婦人の諸病に応用される．

効能・効果 ◆◆ 体力虚弱で，冷え症で皮膚が乾燥，色つやの悪い体質で胃腸障害のないものの次の諸症：月経不順，月経異常，更年期障害，血の道症，冷え症，しもやけ，しみ，貧血，産後あるいは流産後の疲労回復．

適応 ◆◆ 皮膚が枯燥し，色つやの悪い体質で胃腸障害のない人の次の諸症：産後あるいは流産後の疲労回復，月経不順，冷え症，しもやけ，しみ，血の道症．

慎重投与 ◆◆ 著しく胃腸の虚弱な患者，食欲不振，悪心，嘔吐のある患者（地黄，川芎，当帰）．

副作用 ◆◆ 食欲不振，胃部不快感，悪心，嘔吐，下痢などの消化器症状（地黄，川芎，当帰）．

猪苓湯合四物湯（チョレイトウゴウシモツトウ）：本朝経験方

処方の構成 ◆◆ 地黄（3.0 g），当帰（3.0 g），川芎（3.0 g），芍薬（3.0 g），茯苓（3.0 g），沢瀉（3.0 g），猪苓（3.0 g），阿膠（3.0 g），滑石（3.0 g）．

処方構成の解説 ◆◆ 四物湯と猪苓湯の合方である．四物湯の証があり，こじれて長びいたり，慢性化し，繰り返し起こる泌尿器系疾患に応用される．ただし，胃腸が弱くないことが条件である．

効能・効果 ◆◆ 体力に関わらず使用でき，皮膚が乾燥し，色つやが悪く，胃腸障害のない人で，排尿異常があり口が渇くものの次の諸症：排尿困難，排尿痛，残尿感，頻尿．

適応 ◆◆ 皮膚が枯燥し，色つやの悪い体質で胃腸障害のない人の次の諸症：排尿困難，排尿痛，残尿感，頻尿．

慎重投与 ◆◆ 著しく胃腸の虚弱な患者，食欲不振，悪心，嘔吐のある患者（地黄，川芎，当帰）．

副作用 ◆◆ 食欲不振，胃部不快感，悪心，嘔吐，下痢などの消化器症状（地黄，川芎，当帰）．

温清飲（ウンセイイン）：万病回春（日局）

処方の構成 ◆◆ 地黄（3.0 g），当帰（3.0 g），川芎（3.0 g），芍薬（3.0 g），黄連（1.5 g），黄芩（1.5 g），黄柏（1.5 g），山梔子（1.5 g）．

処方構成の解説 ◆◆ 四物湯と黄連解毒湯の合方である．処方の名称と配合生薬をそのまま解釈すると，温（保温）と清（清熱）という2つの相反することになってしまうが，実際に使用するとこの2つがうまく調和し，上半身の熱を冷まし下半身の冷えを解消する．したがって，上半身の炎症，熱，出血や精神不安を治す一方，皮膚を滋潤し，補血して血行を改善する．

効能・効果 ◆◆ 体力中等度で，皮膚はかさかさして色つやが悪く，のぼせるものの次の諸症：月経不順，月経困難，血の道症，更年期障害，神経症，湿疹，皮膚炎．

適応 ◆◆ 皮膚の色つやが悪く，のぼせるものに用いる：月経不順，月経困難，血の道症，更年期障害，神経症．

慎重投与 ◆◆ 著しく胃腸の虚弱な患者，食欲不振，悪心，嘔吐のある患者（地黄，川芎，当帰）．

副作用 ◆◆ 重大な副作用：間質性肺炎（黄芩の関与が疑われる）．AST（GOT），ALT（GPT），ALP，γ-GTPの上昇を伴う肝機能障害，黄疸．腸間膜静脈硬化症（山梔子）．その他の副作用：食欲不振，胃部不快感，悪心，嘔吐，下痢などの消化器症状（山梔子，地黄，川芎当帰）．発疹，発赤などの過敏症．

参考 ◆◆ 四物湯と苓桂朮甘湯の合方を**連珠飲**（レンジュイン；内科秘録）といい，貧血気味で，動悸，のぼせ，めまいのある人に適用する．エキス剤は製造されていない．

荊芥連翹湯（ケイガイレンギョウトウ）：一貫堂経験方

処方の構成 ◆◆ 地黄（1.5 g），当帰（1.5 g），川芎（1.5 g），芍薬（1.5 g），黄連（1.5 g），黄芩（1.5 g），黄柏（1.5 g），山梔子（1.5 g），桔梗（1.5 g），枳実（1.5 g），荊芥（1.5 g），柴胡（1.5 g），薄荷（1.5 g），白芷（1.5 g），防風（1.5 g），連翹（1.5 g），甘草（1.0 g）．

処方構成の解説 ◆◆ 温清飲に桔梗以下の生薬を加えたものである．薄荷，荊芥，連翹，防風は皮膚疾患に有効な発表剤で，特に頭部や顔面の熱をさます．桔梗と白芷には排膿，去痰作用があり，柴胡と枳実は心窩部から胸脇部の炎症をとる．甘草は処方全体を緩和する．総じて，青年期のアレルギー体質の改善薬として，鼻，耳，咽頭，肺，皮膚の炎症に応用される．

効能・効果 ◆◆ 体力中等度以上で，皮膚の色が浅黒く，ときに手足の裏に脂汗をかきやすく腹壁が緊張しているものの次の諸症：蓄膿症（副鼻腔炎），慢性鼻炎，慢性扁桃炎，にきび．

適応 ◆◆ 蓄膿症，慢性鼻炎，慢性扁桃炎，にきび．

慎重投与 ◆◆ 著しく胃腸の虚弱な患者，食欲不振，悪心，嘔吐のある患者（地黄，川芎，当帰）．

副作用 ◆◆ 重大な副作用：間質性肺炎（黄芩の関与が疑われる）．偽アルドステロン症，ミオパ

チー（甘草）．AST（GOT），ALT（GPT），ALP，γ-GTP の上昇を伴う肝機能障害，黄疸．腸間膜静脈硬化症（山梔子）．その他の副作用：食欲不振，胃部不快感，悪心，嘔吐，下痢などの消化器症状（山梔子，地黄，川芎，当帰）．発疹，瘙痒などの過敏症．

相互作用 ◆◆ 併用注意：甘草含有製剤，グリチルリチン酸およびその塩類を含有する製剤（甘草）．

柴胡清肝湯（サイコセイカントウ）：外台秘要方

処方の構成 ◆◆ 地黄（1.5 g），当帰（1.5 g），川芎（1.5 g），芍薬（1.5 g），黄連（1.5 g），黄芩（1.5 g），黄柏（1.5 g），山梔子（1.5 g），桔梗（1.5 g），荊芥（1.5 g），柴胡（2.0 g），薄荷（1.5 g），栝楼根（1.5 g），牛蒡子（1.5 g），甘草（1.5 g）．

処方構成の解説 ◆◆ 温清飲に桔梗以下の生薬を加えたものである．薄荷，荊芥は皮膚疾患に有効な発表剤で，特に頭部や顔面の熱をさます．桔梗と牛蒡子には排膿，去痰作用があり，柴胡は胸脇部の炎症をとり，また精神を安定させる．栝楼根には消炎，湿潤作用があり，甘草は処方全体を緩和する．柴胡と黄芩の組み合わせがあるので柴胡剤の1つとも考えられるが，柴胡の配合量は少ない．総じて，小児のアレルギー体質の改善薬として，鼻，耳，咽頭，肺，皮膚の炎症に応用される．

効能・効果 ◆◆ 体力中等度で，疳の強い傾向（神経過敏）にあるものの次の諸症：神経症，慢性扁桃炎，湿疹・皮膚炎，虚弱児の体質改善．

適応 ◆◆ 疳の強い傾向のある小児の次の諸症：神経症，慢性扁桃腺炎，湿疹．

慎重投与 ◆◆ 著しく胃腸の虚弱な患者，食欲不振，悪心，嘔吐のある患者（地黄，川芎，当帰）．

副作用 ◆◆ 重大な副作用：偽アルドステロン症，ミオパチー（甘草）．腸間膜静脈硬化症（山梔子）その他の副作用：食欲不振，胃部不快感，悪心，嘔吐，下痢などの消化器症状（山梔子，地黄，川芎，当帰）．

相互作用 ◆◆ 併用注意：甘草含有製剤，グリチルリチン酸およびその塩類を含有する製剤（甘草）．

その他の注意 ◆◆ 黄連解毒湯の投与により間質性肺炎の発症が報告されているので，本処方においても間質性肺炎が起こる可能性は否定できない．肝機能障害や発疹，瘙痒などの過敏症の発症にも注意する．

芎帰膠艾湯（キュウキキョウガイトウ）：金匱要略

処方の構成 ◆◆ 地黄（5.0 g），当帰（4.0 g），川芎（3.0 g），芍薬（4.0 g），艾葉（3.0 g），阿膠（3.0 g），甘草（3.0 g）．

処方構成の解説 ◆◆ 四物湯に止血効果のある艾葉と阿膠を加え，さらに処方全体の緩和の目的

で甘草を配合したものである．四物湯は温性の補血薬であり，これに止血薬を加えたことから，虚証で貧血があり，下半身に出血がある人に適する．黄連解毒湯証のような熱性ののぼせ症の，上半身の出血と対照的である．

効能・効果 ◆◆ 体力中等度以下で，冷え症で，出血傾向があり胃腸障害のないものの次の諸症：痔出血，貧血，月経異常・月経過多・不正出血，皮下出血．

適応 ◆◆ 痔出血．

禁忌 ◆◆ 次の患者には投与しないこと：アルドステロン症の患者，ミオパチーのある患者，低カリウム血症のある患者．

慎重投与 ◆◆ 著しく胃腸の虚弱な患者，食欲不振，悪心，嘔吐のある患者（地黄，川芎，当帰）．

副作用 ◆◆ 重大な副作用：偽アルドステロン症，ミオパチー（甘草）．その他の副作用：食欲不振，胃部不快感，悪心，嘔吐，下痢などの消化器症状（地黄，川芎，当帰）．

相互作用 ◆◆ 併用注意：甘草含有製剤，グリチルリチン酸およびその塩類を含有する製剤，ループ系利尿薬，チアジド系利尿薬（甘草）．

七物降下湯（シチモツコウカトウ）：修琴堂（大塚敬節経験方）

処方の構成 ◆◆ 地黄（3.0 g），当帰（4.0 g），川芎（3.0 g），芍薬（4.0 g），釣藤鈎（3.0 g），黄耆（3.0 g），黄柏（2.0 g）．

処方構成の解説 ◆◆ 四物湯に，鎮静，降圧作用のある釣藤鈎，滋養・強壮，補気作用のある黄耆，消炎清熱薬である黄柏を加えたものである．身体虚弱傾向があり，柴胡剤や大黄剤を使えない人の高血圧症，最低血圧の高い高血圧症，腎性高血圧症に用いる．

効能・効果 ◆◆ 体力中等度以下で，顔色が悪くて疲れやすく，胃腸障害のないものの次の諸症：高血圧に伴う随伴症状（のぼせ，肩こり，耳鳴り，頭重）．

適応 ◆◆ 身体虚弱の傾向のあるものの次の諸症：高血圧に伴う随伴症状（のぼせ，肩こり，耳鳴り，頭重）．

慎重投与 ◆◆ 著しく胃腸の虚弱な患者，食欲不振，悪心，嘔吐のある患者（地黄，川芎，当帰）．

副作用 ◆◆ 食欲不振，胃部不快感，悪心，嘔吐，下痢（地黄，川芎，当帰）．

当帰飲子（トウキインシ）：済生方

処方の構成 ◆◆ 地黄（4.0 g），当帰（5.0 g），川芎（3.0 g），芍薬（3.0 g），防風（3.0 g），黄耆（1.5 g），荊芥（1.5 g），蒺藜子（3.0 g），何首烏（2.0 g），甘草（1.0 g）．

処方構成の解説 ◆◆ 四物湯に防風以下の生薬を加えたものである．荊芥，防風は皮膚疾患に有効な発表剤で，特に頭部や顔面の熱をさます．黄耆は皮膚の虚を補い，蒺藜子は瘀血性皮膚疾患の瘙痒を治す．何首烏には滋養・強壮作用があり，甘草は処方全体を緩和する．総じて，老

人や虚した人など，貧血，冷え症で，皮膚が乾燥して分泌物が少ない場合の皮膚疾患に用いる．

効能・効果 ◆◆ 体力中等度以下で，冷え症で，皮膚が乾燥するものの次の諸症：湿疹・皮膚炎（分泌物の少ないもの），かゆみ．

適応 ◆◆ 冷え症のものの次の諸症：慢性湿疹（分泌物の少ないもの），かゆみ．

慎重投与 ◆◆ 著しく胃腸の虚弱な患者，食欲不振，悪心，嘔吐のある患者（地黄，川芎，当帰）．

副作用 ◆◆ 重大な副作用：偽アルドステロン症，ミオパチー（甘草）．その他の副作用：食欲不振，胃部不快感，悪心，嘔吐，下痢などの消化器症状（地黄，川芎，当帰）．発疹，発赤，瘙痒，蕁麻疹などの過敏症．

相互作用 ◆◆ 併用注意：甘草含有製剤，グリチルリチン酸およびその塩類を含有する製剤．

疎経活血湯（ソケイカッケツトウ）：万病回春

処方の構成 ◆◆ 地黄（2.0 g），当帰（2.0 g），川芎（2.0 g），芍薬（2.5 g），桃仁（2.0 g），牛膝（1.5 g），蒼朮（2.0 g），茯苓（2.0 g），防風（1.5 g），防已（1.5 g），竜胆（1.5 g），白芷（1.5 g），威霊仙（1.5 g），羌活（1.5 g），陳皮（1.5 g），生姜（0.5 g），甘草（1.0 g）．

処方構成の解説 ◆◆ 四物湯に桃仁以下の生薬を加えたものである．典型的な駆瘀血薬（桃仁），利水薬（蒼朮，茯苓）に加え，さまざまな駆瘀血，利尿，鎮痛，消炎，発散薬が配合されている（牛膝：駆瘀血，利尿．防風：発汗，発散．防已：利尿，鎮痛．竜胆：解熱，消炎．白芷：鎮痛，麻酔．威霊仙：鎮痛，利尿．羌活：発汗，鎮痛）．さらに，消化機能を改善する陳皮，脾胃を温める生姜，緩和薬である甘草に加え，処方全体の調和をとっている．総じて，体力が中程度で，瘀血と湿証のある人の主として下半身の関節痛，神経痛，筋肉痛，腰痛に用い，特に冷えたり夜間になると痛みの増す症状に適する．

効能・効果 ◆◆ 体力中等度で，痛みがあり，ときにしびれがあるものの次の諸症：関節痛，神経痛，腰痛，筋肉痛．

適応 ◆◆ 関節痛，神経痛，腰痛，筋肉痛．

慎重投与 ◆◆ 著しく胃腸の虚弱な患者，食欲不振，悪心，嘔吐のある患者（地黄，川芎，当帰）．

副作用 ◆◆ 重大な副作用：偽アルドステロン症，ミオパチー（甘草）．その他の副作用：食欲不振，胃部不快感，悪心，嘔吐，下痢などの消化器症状（地黄，川芎，当帰）．

妊婦，産婦，授乳婦への投与 ◆◆ 妊婦または妊娠している可能性のある婦人には投与しないことが望ましい（牛膝，桃仁）．

相互作用 ◆◆ 併用注意：甘草含有製剤，グリチルリチン酸およびその塩類を含有する製剤（甘草）．

大防風湯（ダイボウフウトウ）：太平恵民和剤局方

処方の構成 ◆◆ 地黄（3.0 g），当帰（3.0 g），川芎（2.0 g），芍薬（3.0 g），人参（1.5 g），蒼朮（3.0 g），乾姜（1.0 g），大棗（2.0 g），甘草（1.5 g），黄耆（3.0 g），防風（3.0 g），羌活（1.5 g），牛膝（1.5 g），杜仲（3.0 g），日局加工ブシ末（1.0 g）．

処方構成の解説 ◆◆ 四物湯に人参以下の生薬を加えたものである．そのうち，人参，蒼朮，乾姜，大棗，甘草は四君子湯から茯苓を除いたものに相当し，湿証と胃に対する配慮がなされている．防風，羌活，牛膝は疎経活血湯にも加えられているが，さらに鎮痛効果のある杜仲とブシが配合されている．総じて，体力が衰退して，気と血が虚した人の主として下半身の関節痛，神経痛，運動麻痺に用い，特に冷えたり夜間になると痛みの増す症状に適する．

効能・効果 ◆◆ 体力虚弱，あるいは体力が消耗し衰え，貧血気味なものの次の諸症：慢性関節炎，関節の腫れや痛み，神経痛．

適応 ◆◆ 関節が腫れて痛み，麻痺，強直して屈伸しがたいものの次の諸症：下肢の関節リウマチ，慢性関節炎，痛風．

慎重投与 ◆◆ 体力が充実している患者，暑がりで，のぼせが強く，赤ら顔の患者（ブシ）．著しく胃腸の虚弱な患者，食欲不振，悪心，嘔吐のある患者（地黄，川芎，当帰）．

副作用 ◆◆ 重大な副作用：偽アルドステロン症，ミオパチー（甘草）．その他の副作用：食欲不振，胃部不快感，悪心，嘔吐，下痢等の消化器症状（地黄，川芎，当帰）．発疹，蕁麻疹などの過敏症（人参など）．心悸亢進，のぼせ，舌のしびれ，悪心など（ブシ）．

妊婦，産婦，授乳婦への投与 ◆◆ 妊婦または妊娠している可能性のある婦人には投与しないことが望ましい（牛膝，ブシ）．

小児への投与 ◆◆ 小児等には慎重に投与すること（ブシ）．

相互作用 ◆◆ 併用注意：甘草含有製剤，グリチルリチン酸およびその塩類を含有する製剤．附子含有製剤．

その他の注意 ◆◆ 湿疹，皮膚炎が悪化することがある．

十全大補湯（ジュウゼンダイホトウ）：太平恵民和剤局方（日局）

処方の構成 ◆◆ 地黄（3.0 g），当帰（3.0 g），川芎（3.0 g），芍薬（3.0 g），人参（3.0 g），茯苓（3.0 g），蒼朮（3.0 g），甘草（1.5 g），黄耆（3.0 g），桂皮（3.0 g）．

処方構成の解説 ◆◆ 四物湯に原典の四君子湯（人参，茯苓，蒼朮，甘草）を合方し，さらに滋養・強壮，補気作用のある黄耆と表証をとる桂皮を加えたものである．気虚と血虚があり，胃腸の働きが衰えた人に適する大補剤である．

効能・効果 ◆◆ 体力虚弱なものの次の諸症：病後・術後の体力低下，疲労倦怠，食欲不振，ね

あせ，手足の冷え，貧血．

適応 ◆◆ 病後の体力低下，疲労倦怠，食欲不振，ねあせ，手足の冷え，貧血．

慎重投与 ◆◆ 著しく胃腸の虚弱な患者，食欲不振，悪心，嘔吐のある患者（地黄，川芎，当帰）．

副作用 ◆◆ 重大な副作用：偽アルドステロン症，ミオパチー（甘草）．AST（GOT），ALT（GPT），ALP，γ-GTP の上昇を伴う肝機能障害，黄疸．その他の副作用：食欲不振，胃部不快感，悪心，嘔吐，下痢などの消化器症状（地黄，川芎，当帰）．発疹，発赤，瘙痒，蕁麻疹などの過敏症（桂皮，人参など）．

相互作用 ◆◆ 併用注意：甘草含有製剤，グリチルリチン酸およびその塩類を含有する製剤．

その他の注意 ◆◆ 湿疹，皮膚炎が悪化することがある．

参考 ◆◆ 十全大補湯と次の人参養栄湯は，術後の体力回復，免疫力の強化，がん化学療法時の副作用の低減，がん術後の再発・転移予防などを目的に，臨床応用されている．

人参養栄湯（ニンジンヨウエイトウ）：太平恵民和剤局方

処方の構成 ◆◆ 地黄（4.0 g），当帰（4.0 g），芍薬（2.0 g），人参（3.0 g），茯苓（4.0 g），白朮（4.0 g），甘草（1.0 g），黄耆（1.5 g），桂皮（2.5 g），陳皮（2.0 g），遠志（2.0 g），五味子（1.0 g）．

処方構成の解説 ◆◆ 十全大補湯から川芎をとり，気をめぐらせて消化機能を改善する陳皮，鎮静作用のある遠志，気管の水滞を解消し，鎮咳・去痰，強壮作用のある五味子を加えたものである．十全大補湯とほぼ同じ目的で用いられるが，さらに健胃，鎮静，鎮咳・去痰作用も期待できる．一方，十全大補湯は人参養栄湯よりも冷えの強い人に用いる．

効能・効果 ◆◆ 体力虚弱なものの次の諸症：病後・術後などの体力低下，疲労倦怠，食欲不振，ねあせ，手足の冷え，貧血．

適応 ◆◆ 病後の体力低下，疲労倦怠，食欲不振，ねあせ，手足の冷え，貧血．

慎重投与 ◆◆ 著しく胃腸の虚弱な患者，食欲不振，悪心，嘔吐のある患者（地黄，当帰）．

副作用 ◆◆ 重大な副作用：偽アルドステロン症，ミオパチー（甘草）．AST（GOT），ALT（GPT），ALP，γ-GTP の上昇を伴う肝機能障害，黄疸．その他の副作用：食欲不振，胃部不快感，悪心，嘔吐，腹痛，下痢などの消化器症状（地黄，当帰）．発疹，発赤，瘙痒，蕁麻疹などの過敏症（桂皮，人参など）．

相互作用 ◆◆ 併用注意：甘草含有製剤，グリチルリチン酸およびその塩類を含有する製剤．

その他の注意 ◆◆ 血中 1,5-アンヒドロ-D-グルシトール（1-デオキシグルコース）が増加する場合がある（遠志）（糖尿病，腎性糖尿で低値を示す）．湿疹，皮膚炎が悪化することがある．

五淋散（ゴリンサン）：太平恵民和剤局方

処方の構成 ◆◆ 地黄（3.0 g），当帰（3.0 g），芍薬（2.0 g），茯苓（6.0 g），沢瀉（3.0 g），車前子（3.0 g），木通（3.0 g），滑石（3.0 g），黄芩（3.0 g），山梔子（2.0 g），甘草（3.0 g）．

処方構成の解説 ◆◆ 四物湯から川芎をとり，茯苓以下を加えたものである．茯苓のほか，消炎性の利尿薬である沢瀉，車前子，木通，滑石を加え，さらに黄芩，山梔子を配合して消炎，止血効果を強化している．甘草には処方全体の緩和と消炎効果が期待される．胃腸が虚弱でない人の炎症性尿路疾患に応用される．

効能・効果 ◆◆ 体力中等度のものの次の諸症：頻尿，排尿痛，残尿感，尿のにごり．

適応 ◆◆ 頻尿，排尿痛，残尿感．

禁忌 ◆◆ 次の患者には投与しないこと：アルドステロン症の患者，ミオパチーのある患者，低カリウム血症のある患者．

慎重投与 ◆◆ 著しく胃腸の虚弱な患者，食欲不振，悪心，嘔吐のある患者（地黄，当帰）．

副作用 ◆◆ 重大な副作用：間質性肺炎（黄芩の関与が疑われる）．偽アルドステロン症，ミオパチー（甘草）．腸間膜静脈硬化症（山梔子）．その他の副作用：食欲不振，胃部不快感，悪心，嘔吐，下痢などの消化器症状（地黄，当帰）．

相互作用 ◆◆ 併用注意：甘草含有製剤，グリチルリチン酸およびその塩類を含有する製剤，ループ系利尿薬，チアジド系利尿薬（甘草）．

参考 ◆◆ 五淋散の名称は，5種類の淋証［石淋（せきりん，尿路結石），気淋（きりん，神経性頻尿），膏淋（こうりん，クリーム状の濁った尿），労淋（ろうりん，疲労からくる慢性尿路疾患），熱淋（ねつりん，炎症性の尿路疾患）］を治すということに由来する．

II-12　石膏剤

　石膏は強い清熱作用を有する鉱物性生薬で，解熱，消炎，止渇を目的として漢方処方に配合される．麻杏甘石湯をはじめ，麻黄＋石膏の組み合わせをもつ処方は既に述べたので，ここではそれ以外の石膏配合処方をとりあげる．

白虎加人参湯（ビャッコカニンジントウ）：傷寒論，金匱要略（日局）

処方の構成 ◆◆ **石膏（15.0 g）**，知母（5.0 g），人参（1.5 g），粳米（8.0 g），甘草（2.0 g）．

処方構成の解説 ◆◆ 白虎湯に人参を加えた処方で，内外の熱が激しく体液が欠乏して，口，喉，舌が乾燥し，さらに熱によって体力的に疲労が加わってきた状態に用いる．**石膏**と知母により体を強く冷やして熱をとり，口渇を緩和する．一方で，人参（滋養・強壮，補気，健胃），粳

米（滋養・強壮，滋潤），甘草（緩和）により体力を回復させ，胃腸を保護する．熱による諸症状と口渇を目標とし，熱を中和する処方である．

効能・効果 ◆◆ 体力中等度以上で，熱感と口渇が強いものの次の諸症：喉の渇き，ほてり，湿疹，皮膚炎，皮膚のかゆみ．

適応 ◆◆ 喉の渇きとほてりのあるもの．

慎重投与 ◆◆ 胃腸の虚弱な患者，著しく体力の衰えている患者（石膏）．

副作用 ◆◆ 重大な副作用：偽アルドステロン症，ミオパチー（甘草）．その他の副作用：肝機能異常（AST（GOT），ALT（GPT）などの上昇）．口中不快感，食欲不振，胃部不快感，軟便，下痢などの消化器症状（石膏）．発疹，瘙痒，蕁麻疹などの過敏症（人参）．

相互作用 ◆◆ 併用注意：甘草含有製剤，グリチルリチン酸およびその塩類を含有する製剤（甘草）．

木防已湯（モクボウイトウ）：金匱要略

処方の構成 ◆◆ **石膏（10.0 g）**，防已（4.0 g），桂皮（3.0 g），人参（3.0 g）．

処方構成の解説 ◆◆ 漢方の強心利尿薬である．防已は水滞を解消し，**石膏**は熱をさます．桂皮はのぼせを下げ，心悸亢進を抑える．これに滋養・強壮，補気，胃腸機能を改善する作用のある人参を加えたものである．漢方薬のみで心疾患の治療を行うことは危険であるが，口渇や尿量の減少があり，精神的な側面が大きい心悸亢進症には応用する価値があると考えられる．なお，本処方の重要な腹証として，心下痞堅（しんかひけん）（心窩部が板のように堅く，抵抗がある）がある．

効能・効果 ◆◆ 体力中等度以上で，みぞおちがつかえ，血色すぐれないものの次の諸症：動悸，息切れ，気管支喘息，むくみ．

適応 ◆◆ 顔色がさえず，咳を伴う呼吸困難があり，心臓下部に緊張圧重感があるものの心臓，あるいは腎臓にもとづく疾患，浮腫，心臓性喘息．

慎重投与 ◆◆ 胃腸の虚弱な患者（石膏）．

副作用 ◆◆ 食欲不振，胃部不快感，軟便，下痢などの消化器症状（石膏）．発疹，発赤，瘙痒，蕁麻疹などの過敏症（桂皮，人参）．

釣藤散（チョウトウサン）：普済本事方（日局）

処方の構成 ◆◆ 釣藤鈎（3.0 g），茯苓（3.0 g），**石膏（5.0 g）**，防風（2.0 g），菊花（2.0 g），半夏（3.0 g），麦門冬（3.0 g），人参（2.0 g），陳皮（3.0 g），生姜（1.0 g），甘草（1.0 g）．

処方構成の解説 ◆◆ 主薬は釣藤鈎であり，神経の興奮をおさえ，鎮静，鎮痙，血圧降下，脳血液循環の改善作用がある．茯苓にも精神安定作用がある．**石膏**は熱をさまし，精神を安定させる．これに発散薬である防風と菊花，つきあげてくる気の上衝を下げる半夏と麦門冬，滋養・

強壮，補気，健胃作用のある人参，気をめぐらせて消化機能を改善する陳皮，脾胃を温めて消化機能を改善する生姜，緩和薬の甘草を加えたもので，中年以降の高血圧症，頭痛，認知症の改善予防に用いる．

効能・効果 ◆◆ 体力中等度で，慢性に経過する頭痛，めまい，肩こりなどがあるものの次の諸症：慢性頭痛，神経症，高血圧の傾向のあるもの．

適応 ◆◆ 慢性に続く頭痛で中年以降，または高血圧の傾向のあるもの．

副作用 ◆◆ 重大な副作用：偽アルドステロン症，ミオパチー（甘草）．その他の副作用：食欲不振，胃部不快感，軟便，下痢，便秘などの消化器症状（石膏）．発疹，蕁麻疹などの過敏症（人参）．

相互作用 ◆◆ 併用注意：甘草含有製剤，グリチルリチン酸およびその塩類を含有する製剤（甘草）．

消風散（ショウフウサン）：外科正宗

処方の構成 ◆◆ 荊芥（1.0 g），防風（2.0 g），牛蒡子（2.0 g），蝉退（1.0 g），苦参（1.0 g），**石膏（3.0 g）**，知母（1.5 g），地黄（3.0 g），当帰（3.0 g），胡麻（1.5 g），蒼朮（2.0 g），木通（2.0 g），甘草（1.0 g）．

処方構成の解説 ◆◆ 荊芥，防風は温性の発散薬で，皮膚病を治す．牛蒡子には消炎，解毒，排膿作用があり，蝉退は炎症を抑え，皮膚の痒みをとる．苦参，**石膏**，知母は熱をさまして炎症をとる．地黄と当帰は血虚を補い，胡麻には強壮，滋潤作用がある．蒼朮と木通は利尿を促し，水滞をとる．甘草は処方全体を緩和する．痒みが強く熱感があり，分泌物があって水疱をつくったり，かさぶたとなって汚らしく見える皮膚病に用いる．

効能・効果 ◆◆ 体力中等度以上の人の皮膚疾患で，かゆみが強くて分泌物が多く，ときに局所の熱感があるものの次の諸症：湿疹・皮膚炎，蕁麻疹，水虫，あせも．

適応 ◆◆ 分泌物が多く，かゆみの強い慢性の皮膚病（湿疹，蕁麻疹，水虫，あせも，皮膚瘙痒症）．

慎重投与 ◆◆ 胃腸の虚弱な患者（石膏，当帰），食欲不振，悪心，嘔吐のある患者（当帰）．著しく体力の衰えている患者（石膏）．

副作用 ◆◆ 重大な副作用：偽アルドステロン症，ミオパチー（甘草）．その他の副作用：食欲不振，胃部不快感，悪心，嘔吐，軟便，下痢などの消化器症状（石膏，当帰）．発疹，発赤，瘙痒，蕁麻疹などの過敏症．

相互作用 ◆◆ 併用注意：甘草含有製剤，グリチルリチン酸およびその塩類を含有する製剤（甘草）．

その他の注意 ◆◆ 患部が乾燥している皮膚疾患では，症状が悪化することがある．

II-13　その他の処方

芍薬甘草湯（シャクヤクカンゾウトウ）：傷寒論（日局）

処方の構成 ◆◆ 甘草（6.0 g），芍薬（6.0 g）．

処方構成の解説 ◆◆ 甘草と芍薬はともに鎮痛・鎮痙作用があり，両者を合わせると作用が強化する．あまり証を考えずに，広く鎮痛・鎮痙薬として用いることができる．

効能・効果 ◆◆ 体力に関わらず使用でき，筋肉の急激なけいれんを伴う痛みのあるものの次の諸症：こむらがえり，筋肉のけいれん，腹痛，腰痛．

適応 ◆◆ 急激に起こる筋肉のけいれんを伴う疼痛，筋肉・関節痛，胃痛，腹痛．

禁忌 ◆◆ 次の患者には投与しないこと：アルドステロン症の患者，ミオパチーのある患者，低カリウム血症のある患者．

慎重投与 ◆◆ 高齢者（偽アルドステロン症の発症率が高くなる）

副作用 ◆◆ 重大な副作用：間質性肺炎．偽アルドステロン症，ミオパチー，横紋筋融解症（甘草）．うっ血性心不全，心室細動，心室頻拍（甘草）．AST（GOT），ALT（GPT），ALP，γ-GTPの上昇を伴う肝機能障害，黄疸．その他の副作用：発疹，発赤，瘙痒などの過敏症．悪心，嘔吐，下痢などの消化器症状．肝機能異常．低カリウム血症，浮腫，高血圧（血圧上昇を含む）．動悸．

相互作用 ◆◆ 併用注意：甘草含有製剤，グリチルリチン酸およびその塩類を含有する製剤，ループ系利尿薬，チアジド系利尿薬（甘草）．

注意 ◆◆ 本処方の使用にあたっては，治療上必要な最小限の期間の投与にとどめること．

甘麦大棗湯（カンバクタイソウトウ）：金匱要略

処方の構成 ◆◆ 甘草（5.0 g），小麦（20.0 g），大棗（6.0 g）．

処方構成の解説 ◆◆ 滋養・強壮，補気，精神安定作用のある小麦および大棗と，緩和薬である甘草からなる処方で，興奮したものに対し鎮静効果を示す．

効能・効果 ◆◆ 体力中等度以下で，神経が過敏で，驚きやすく，ときにあくびが出るものの次の諸症：不眠症，小児の夜泣き，ひきつけ．

適応 ◆◆ 夜泣き，ひきつけ．

禁忌 ◆◆ 次の患者には投与しないこと：アルドステロン症の患者，ミオパチーのある患者，低カリウム血症のある患者．

副作用 ◆◆ 重大な副作用：偽アルドステロン症，ミオパチー（甘草）．

相互作用 ◆◆ 併用注意：甘草含有製剤，グリチルリチン酸およびその塩類を含有する製剤，ループ系利尿薬，チアジド系利尿薬（甘草）．

その他の注意 ◆◆ 本処方も，芍薬甘草湯と同様，甘草の配合量が多いため，長期服用により，うっ血性心不全，心室細動，心室頻拍があらわれる可能性を否定できない．また，本処方の使用にあたっては，治療上必要な最小限の期間の投与にとどめることが望ましい．

抑肝散（ヨクカンサン）：保嬰撮要（日局）

処方の構成 ◆◆ 釣藤鈎（3.0 g），茯苓（4.0 g），蒼朮（4.0 g），当帰（3.0 g），川芎（3.0 g），柴胡（2.0 g），甘草（1.5 g）．

処方構成の解説 ◆◆ 茯苓と蒼朮で水滞をとり，当帰と川芎が血行を改善して体の水と血のバランスをととのえる一方，釣藤鈎が柴胡と協力して高まった神経の興奮を鎮め，精神を安定させる．甘草は緩和薬として加えられている．水滞があり，血行が悪い人の精神安定薬として応用される．

効能・効果 ◆◆ 体力中等度を目安として，神経が高ぶり，怒りやすい，いらいらなどがあるものの次の諸症：神経症，不眠症，小児夜泣き，小児疳症（神経過敏），歯ぎしり，更年期障害，血の道症．

適応 ◆◆ 虚弱な体質で神経が高ぶるものの次の諸症：神経症，不眠症，小児夜泣き，小児疳症．

慎重投与 ◆◆ 著しく胃腸の虚弱な患者，食欲不振，悪心，嘔吐のある患者（川芎，当帰）．

副作用 ◆◆ 重大な副作用：間質性肺炎．偽アルドステロン症，ミオパチー，横紋筋融解症（甘草）．心不全（甘草）．AST（GOT），ALT（GPT），ALP，γ-GTP の著しい上昇を伴う肝機能障害，黄疸．その他の副作用：食欲不振，胃部不快感，悪心，下痢などの消化器症状（川芎，当帰）．発疹，発赤，瘙痒などの過敏症．肝機能異常．傾眠．倦怠感．低カリウム血症，浮腫，血圧上昇．

相互作用 ◆◆ 併用注意：甘草含有製剤，グリチルリチン酸およびその塩類を含有する製剤（甘草）．

参考 ◆◆ 認知症の周辺症状の改善（pp.153-154）を目的に，臨床応用されている．

抑肝散加陳皮半夏（ヨクカンサンカチンピハンゲ）：本朝経験方

処方の構成 ◆◆ 釣藤鈎（3.0 g），茯苓（4.0 g），蒼朮（4.0 g），当帰（3.0 g），川芎（3.0 g），柴胡（2.0 g），甘草（1.5 g），陳皮（2.0 g），半夏（5.0 g）．

処方構成の解説 ◆◆ 抑肝散に健胃作用のある陳皮と鎮吐作用のある半夏を加えたもので，抑肝散よりも一層神経症状が強く，悪心・嘔吐を伴い，体力も弱いものに適する．

効能・効果 ◆◆ 体力中等度を目安として，やや消化器が弱く，神経が高ぶり，怒りやすい，い

らいらなどがあるものの次の諸症：神経症，不眠症，小児夜泣き，小児疳症（神経過敏），更年期障害，血の道症，歯ぎしり．

適応 ◆◆ 虚弱な体質で神経が高ぶるものの次の諸症：神経症，不眠症，小児夜泣き，小児疳症．

慎重投与 ◆◆ 著しく胃腸の虚弱な患者，食欲不振，悪心，嘔吐のある患者（当帰，川芎）．

副作用 ◆◆ 重大な副作用：偽アルドステロン症，ミオパチー（甘草）．その他の副作用：食欲不振，胃部不快感，悪心，下痢などの消化器症状（当帰，川芎）．

相互作用 ◆◆ 併用注意：甘草含有製剤，グリチルリチン酸およびその塩類を含有する製剤（甘草）．

その他の注意 ◆◆ 抑肝散で間質性肺炎，横紋筋融解症，肝機能障害，黄疸，過敏症，傾眠，倦怠感，肝機能異常の発症に対する注意が喚起されているので，本処方についても同様の注意が必要である．

呉茱萸湯（ゴシュユトウ）：傷寒論，金匱要略（日局）

処方の構成 ◆◆ 呉茱萸（3.0 g），人参（2.0 g），生姜（1.5 g），大棗（4.0 g）．

処方構成の解説 ◆◆ 主薬は呉茱萸であり，アルカロイドを含む苦味の強い生薬であるが，温性が強く，鎮痛，健胃，制吐作用がある．これに，滋養・強壮，補気，健胃作用のある人参，脾胃を温めて消化機能を改善する生姜，滋養・強壮，補気，緩和作用のある大棗を加えたもので，冷えが強く，悪心・嘔吐のある頭痛，片頭痛に用いられる．頭痛の鎮痛に呉茱萸のアルカロイドが関与していると推定される．

効能・効果 ◆◆ 体力中等度以下で，手足が冷えて肩がこり，ときにみぞおちが膨満するものの次の諸症：頭痛，頭痛に伴う吐き気・嘔吐，しゃっくり．

適応 ◆◆ 手足の冷えやすい中等度以下の体力のものの次の諸症：習慣性偏頭痛，習慣性頭痛，嘔吐，脚気衝心．

副作用 ◆◆ 発疹，蕁麻疹などの過敏症（人参）．肝機能異常（AST（GOT），ALT（GPT）などの上昇）．

麦門冬湯（バクモンドウトウ）：金匱要略（日局）

処方の構成 ◆◆ 麦門冬（10.0 g），半夏（5.0 g），人参（2.0 g），大棗（3.0 g），粳米（5.0 g），甘草（2.0 g）．

処方構成の解説 ◆◆ 粘膜を滋潤栄養し，鎮咳・去痰作用を示す麦門冬が中心となっている処方である．粳米にも滋潤，滋養・強壮作用がある．これに突き上げてくる咳，嘔吐を降ろす半夏が協力し，滋養・強壮，補気作用のある人参と大棗，緩和薬の甘草を加えたものである．粘稠で切れにくい痰がでる激しい咳嗽や，痰を伴わない空咳に著効を示す．

効能・効果 ◆◆ 体力中等度以下で，痰が切れにくく，ときに強く咳きこみ，または咽頭の乾燥感があるものの次の諸症：から咳，気管支炎，気管支喘息，咽頭炎，しわがれ声．

適応 ◆◆ 痰の切れにくい咳，気管支炎，気管支喘息．

副作用 ◆◆ 重大な副作用：間質性肺炎．偽アルドステロン症，ミオパチー（甘草）．AST（GOT），ALT（GPT），ALP，γ-GTP の上昇を伴う肝機能障害，黄疸．その他の副作用：発疹，蕁麻疹などの過敏症（人参）．

相互作用 ◆◆ 併用注意：甘草含有製剤，グリチルリチン酸およびその塩類を含有する製剤（甘草）．

炙甘草湯（シャカンゾウトウ）：傷寒論，金匱要略

処方の構成 ◆◆ 麦門冬（6.0 g），炙甘草（3.0 g），大棗（3.0 g），地黄（6.0 g），人参（3.0 g），麻子仁（3.0 g），阿膠（2.0 g），桂皮（3.0 g），生姜（1.0 g）．

処方構成の解説 ◆◆ 炙甘草は甘草を炒ったもので，滋養，緩和作用が強くなり，大棗とともに急迫した症状を抑える．麦門冬には滋潤，鎮咳，地黄には滋潤，補血，麻子仁には滋潤，緩下，阿膠には滋潤，止血作用があり，全体として炙甘草の働きを助けている．人参には，滋養・強壮，補気，健胃効果が期待される．これらに，桂皮と生姜を加えたものである．体力が低下し，皮膚の枯燥，貧血，便秘傾向のみられる人の動悸，不整脈に応用される．

効能・効果 ◆◆ 体力中等度以下で，疲れやすく，ときに手足のほてりなどがあるものの次の諸症：動悸，息切れ，脈のみだれ．

適応 ◆◆ 体力が衰えて，疲れやすいものの動悸，息切れ．

禁忌 ◆◆ 次の患者には投与しないこと：アルドステロン症の患者，ミオパチーのある患者，低カリウム血症のある患者．

慎重投与 ◆◆ 著しく胃腸の虚弱な患者，食欲不振，悪心，嘔吐のある患者（地黄）．

副作用 ◆◆ 重大な副作用：偽アルドステロン症，ミオパチー（炙甘草）．その他の副作用：食欲不振，胃部不快感，悪心，嘔吐，下痢などの消化器症状（地黄）．発疹，発赤，瘙痒，蕁麻疹などの過敏症（桂皮，人参など）．

相互作用 ◆◆ 併用注意：甘草含有製剤，グリチルリチン酸およびその塩類を含有する製剤，ループ系利尿薬，チアジド系利尿薬（炙甘草）．

滋陰降火湯（ジインコウカトウ）：万病回春

処方の構成 ◆◆ 麦門冬（2.5 g），天門冬（2.5 g），陳皮（2.5 g），知母（1.5 g），黄柏（1.5 g），地黄（2.5 g），当帰（2.5 g），芍薬（2.5 g），蒼朮（3.0 g），甘草（1.5 g）．

処方構成の解説 ◆◆ 潤性の鎮咳薬である麦門冬と天門冬に，鎮咳・去痰，健胃薬である陳皮，

消炎清熱薬である知母と黄柏，四物湯から川芎をとったものに相当する地黄，当帰，芍薬を加えたものである．蒼朮は健胃作用を目的に配合されていると解釈できる．甘草には処方全体の緩和と消炎効果が期待される．体力は低下していても胃腸が虚弱でなく，色が浅黒く，便秘傾向のある人の咳嗽に応用される．

効能・効果 ◆◆ 体力虚弱で，喉に潤いがなく，痰が切れにくくて咳込み，皮膚が浅黒く乾燥し，便秘傾向のあるものの次の諸症：気管支炎，咳．

適応 ◆◆ 喉に潤いがなく，痰の出なくて咳込むもの．

慎重投与 ◆◆ 著しく胃腸の虚弱な患者，食欲不振，悪心，嘔吐のある患者（地黄，当帰）．

副作用 ◆◆ 重大な副作用：偽アルドステロン症，ミオパチー（甘草）．その他の副作用：食欲不振，胃部不快感，悪心，嘔吐，下痢などの消化器症状（地黄，当帰）．

相互作用 ◆◆ 併用注意：甘草含有製剤，グリチルリチン酸およびその塩類を含有する製剤（甘草）．

参考 ◆◆ 名称と使用法が似た処方に，**滋陰至宝湯（ジインシホウトウ；万病回春）**がある．滋陰至宝湯は胃弱の人にも使用できるが，柴胡，知母，地骨皮のような消炎清熱薬が配合されていることから，明らかに寒証の人には適さない．

清肺湯（セイハイトウ）：万病回春

処方の構成 ◆◆ 麦門冬（3.0 g），天門冬（2.0 g），貝母（2.0 g），桑白皮（2.0 g），桔梗（2.0 g），陳皮（2.0 g），杏仁（2.0 g），五味子（1.0 g），竹茹（2.0 g），黄芩（2.0 g），山梔子（2.0 g），茯苓（3.0 g），当帰（3.0 g），生姜（1.0 g），大棗（2.0 g），甘草（1.0 g）．

処方構成の解説 ◆◆ 麦門冬，天門冬，貝母，桑白皮，桔梗，陳皮，杏仁，五味子はいずれも鎮咳・去痰薬で，その多くは湿潤性である．これに抗炎症薬として，竹茹，黄芩，山梔子が加えられている．したがって，粘稠で切れにくい痰を伴う頑固な咳に適した処方といえる．茯苓は水分調節の目的で，また当帰と生姜は寒性薬が多いなか，冷え過ぎない配慮のために配合されていると考えられる．大棗，甘草は，副作用の防止や緩和を目的に加えられている．

効能・効果 ◆◆ 体力中等度で，咳が続き，痰が多くて切れにくいものの次の諸症：痰の多く出る咳，気管支炎．

適応 ◆◆ 痰の多く出る咳．

慎重投与 ◆◆ 著しく胃腸の虚弱な患者，食欲不振，悪心，嘔吐のある患者（当帰）．

副作用 ◆◆ 重大な副作用：間質性肺炎（黄芩の関与が疑われる）．偽アルドステロン症，ミオパチー（甘草）．AST（GOT），ALT（GPT），ALP，γ-GTPの著しい上昇を伴う肝機能障害，黄疸．腸間膜静脈硬化症（山梔子）．その他の副作用：食欲不振，胃部不快感，悪心，下痢などの消化器症状（山梔子，当帰）．

相互作用 ◆◆ 併用注意：甘草含有製剤．グリチルリチン酸およびその塩類を含有する製剤（甘草）．

参考 ◆◆ 名称が似た処方に，**辛夷清肺湯（シンイセイハイトウ；外科正宗）**がある．辛夷清肺

湯には鼻疾患に有効な生薬と抗炎症性の生薬が多く配合されており，蓄膿症や肥厚性鼻炎の改善に用いられる．

香蘇散（コウソサン）：太平恵民和剤局方

処方の構成 ◆◆ 香附子（4.0 g），蘇葉（2.0 g），陳皮（2.0 g），生姜（1.0 g），甘草（1.5 g）．

処方構成の解説 ◆◆ 香附子と蘇葉により発散，軽く発汗させ，陳皮，生姜，甘草で消化器の機能を改善する．胃腸が虚弱で，麻黄や葛根が使えない人のかぜの初期に用いられる．

効能・効果 ◆◆ 体力虚弱で，神経過敏で気分がすぐれず胃腸の弱いものの次の諸症：かぜの初期，血の道症．

適応 ◆◆ 胃腸虚弱で神経質の人のかぜの初期．

副作用 ◆◆ 重大な副作用：偽アルドステロン症，ミオパチー（甘草）．

相互作用 ◆◆ 併用注意：甘草含有製剤，グリチルリチン酸およびその塩類を含有する製剤（甘草）．

酸棗仁湯（サンソウニントウ）：金匱要略

処方の構成 ◆◆ 酸棗仁（10.0 g），茯苓（5.0 g），知母（3.0 g），川芎（3.0 g），甘草（1.0 g）．

処方構成の解説 ◆◆ 主薬は酸棗仁であり，中枢神経系を抑制し，持続する鎮静作用がある．茯苓にも精神安定作用がある．知母は熱をさまし，精神を安定させる．これに血液循環を改善する川芎と緩和作用のある甘草を加えたもので，心身が疲労して眠れない人に適する．

効能・効果 ◆◆ 体力中等度以下で，心身が疲れ，精神不安，不眠などがあるものの次の諸症：不眠症，神経症．

適応 ◆◆ 心身が疲れ，弱って眠れないもの．

慎重投与 ◆◆ 胃腸の虚弱な患者（酸棗仁，川芎）．食欲不振，悪心，嘔吐のある患者（川芎）．

副作用 ◆◆ 重大な副作用：偽アルドステロン症，ミオパチー（甘草）．その他の副作用：食欲不振，胃部不快感，悪心，腹痛，下痢などの消化器症状（酸棗仁，川芎）．

相互作用 ◆◆ 併用注意：甘草含有製剤，グリチルリチン酸およびその塩類を含有する製剤（甘草）．

安中散（アンチュウサン）：太平恵民和剤局方

処方の構成 ◆◆ 桂皮（4.0 g），茴香（1.5 g），縮砂（1.0 g），良姜（0.5 g），延胡索（3.0 g），牡蛎（3.0 g），甘草（1.0 g）．

処方構成の解説 ◆◆ 桂皮，茴香，縮砂は芳香性健胃薬，良姜は辛味性健胃薬で，これに苦味健

胃効果と鎮痛効果をもつ延胡索，胃酸を中和し，精神を安定させる牡蛎，緩和，鎮痛・鎮痙薬である甘草を加えたものである．寒虚証者の健胃鎮痛薬である．

効能・効果 ◆◆ 体力中等度以下で，腹部は力がなくて，胃痛または腹痛があって，ときに胸やけや，げっぷ，胃もたれ，食欲不振，吐き気，嘔吐などを伴うものの次の諸症：神経性胃炎，慢性胃炎，胃腸虚弱．

適応 ◆◆ やせ型で腹部筋肉が弛緩する傾向にあり，胃痛または腹痛があって，ときに胸やけ，げっぷ，食欲不振，吐き気などを伴う次の諸症：神経性胃炎，慢性胃炎，胃アトニー．

副作用 ◆◆ 重大な副作用：偽アルドステロン症，ミオパチー（甘草）．その他の副作用：発疹，発赤，瘙痒などの過敏症（桂皮）．

相互作用 ◆◆ 併用注意：甘草含有製剤，グリチルリチン酸およびその塩類を含有する製剤（甘草）．

升麻葛根湯（ショウマカッコントウ）：太平恵民和剤局方

処方の構成 ◆◆ 葛根（5.0 g），升麻（3.0 g），芍薬（3.0 g），甘草（1.5 g），生姜（0.5 g）．

処方構成の解説 ◆◆ 解熱，発汗作用のある葛根と発疹を十分出させて経過を短くする（内攻を防ぐ）升麻に，筋の緊張を緩和し，鎮痛・鎮痙作用のある芍薬，脾胃を温めて消化機能を改善する生姜，緩和，鎮痛・鎮痙薬である甘草を加えたもので，発疹を伴うかぜの初期（麻疹など）に応用される．

効能・効果 ◆◆ 体力中等度で，頭痛，発熱，悪寒などがあるものの次の諸症：感冒の初期，湿疹・皮膚炎．

適応 ◆◆ 感冒の初期，皮膚炎．

副作用 ◆◆ 重大な副作用：偽アルドステロン症，ミオパチー（甘草）．

相互作用 ◆◆ 併用注意：甘草含有製剤，グリチルリチン酸およびその塩類を含有する製剤（甘草）．

その他の注意 ◆◆ 湿疹，皮膚炎が悪化することがある．

排膿散及湯（ハイノウサンキュウトウ）：吉益東洞全集

処方の構成 ◆◆ 桔梗（4.0 g），枳実（3.0 g），芍薬（3.0 g），甘草（3.0 g），生姜（1.0 g），大棗（3.0 g）．

処方構成の解説 ◆◆ 排膿散（桔梗，枳実，芍薬）と排膿湯（桔梗，甘草，生姜，大棗）の合方である．また，排膿湯は桔梗湯（桔梗，甘草）に生姜と大棗を加えたものである．代表的な排膿薬である桔梗，化膿部の緊張を緩める枳実，同じく化膿部の緊張を緩め，鎮痛効果も期待できる芍薬が薬効の中心になっている．抗生物質が開発されている現在，本処方で化膿性疾患を

治療することはあまりないと思われるが，抗生物質と併用し治療効果をみる価値はあると思われる．

効能・効果 ◆◆ 化膿性皮膚疾患の初期または軽いもの，歯肉炎，扁桃炎．

適応 ◆◆ 患部が発赤，腫脹して疼痛を伴った化膿症，瘍，癤，面疔，癤腫症．

禁忌 ◆◆ 次の患者には投与しないこと：アルドステロン症の患者，ミオパチーのある患者，低カリウム血症のある患者．

副作用 ◆◆ 重大な副作用：偽アルドステロン症，ミオパチー（甘草）．

相互作用 ◆◆ 併用注意：甘草含有製剤，グリチルリチン酸およびその塩類を含有する製剤，ループ系利尿薬，チアジド系利尿薬（甘草）．

十味敗毒湯（ジュウミハイドクトウ）：瘍科方筌

処方の構成 ◆◆ 荊芥（1.0 g），防風（1.5 g），独活（1.5 g），桔梗（3.0 g），桜皮または樸樕（3.0 g），柴胡（3.0 g），川芎（3.0 g），茯苓（3.0 g），生姜（1.0 g），甘草（1.0 g）．

処方構成の解説 ◆◆ 荊芥，防風，独活は温性の発散薬で，皮膚病を治す．独活には鎮痛作用もある．桔梗と桜皮（樸樕）は毒を消し，排膿を促す．これに，消炎剤である柴胡，血行を改善する川芎，水滞をとる茯苓，脾胃を温め，消化機能を促進する生姜，緩和剤である甘草を加えたものである．比較的寒証な人の化膿性皮膚疾患に適応される．

効能・効果 ◆◆ 体力中等度なものの皮膚疾患で，発赤があり，ときに化膿するものの次の諸症：化膿性皮膚疾患・急性皮膚疾患の初期，蕁麻疹，湿疹・皮膚炎，水虫．

適応 ◆◆ 化膿性皮膚疾患・急性皮膚疾患の初期，蕁麻疹，急性湿疹，水虫．

慎重投与 ◆◆ 著しく胃腸の虚弱な患者，食欲不振，悪心，嘔吐のある患者（川芎）．

副作用 ◆◆ 重大な副作用：偽アルドステロン症，ミオパチー（甘草）．その他の副作用：食欲不振，胃部不快感，悪心，下痢などの消化器症状（川芎）．発疹，発赤，瘙痒，蕁麻疹などの過敏症．

相互作用 ◆◆ 併用注意：甘草含有製剤，グリチルリチン酸およびその塩類を含有する製剤（甘草）．

その他の注意 ◆◆ 著しく体力の衰えている患者では，皮膚症状が悪化するおそれがあるので注意する．一般用医薬品の十味敗毒湯エキス剤を服用して，肝機能障害を発症した報告がある．

参考 ◆◆ 華岡青洲は，万病回春の荊防敗毒散を参考に十味敗毒散を考案した．後に，浅田宗伯は十味敗毒散の桜節（桜皮とほぼ同じ）を樸樕に変え，十味敗毒湯と称した．

川芎茶調散（センキュウチャチョウサン）：太平恵民和剤局方

処方の構成 ◆◆ 川芎（3.0 g），荊芥（2.0 g），防風（2.0 g），薄荷（2.0 g），香附子（4.0 g），白芷

(2.0 g), 羌活 (2.0 g), 茶葉 (1.5 g), 甘草 (1.5 g).

処方構成の解説 ◆◆ 防風, 香附子, 白芷, 羌活には発散性の鎮痛作用があり, その作用を荊芥と薄荷が高めることが期待される. さらに, 茶葉に含まれるカフェインも鎮痛効果に寄与しているものと考えられる. また, 香附子は血剤でもあり, 川芎とともに血のめぐりを改善する. 総じて, かぜの初期にみられる頭痛, 発熱, 悪寒, 関節痛のほか, 婦人の月経や更年期に伴う頭痛にも応用される.

効能・効果 ◆◆ 体力に関わらず使用でき, 頭痛があるものの次の諸症:かぜ, 血の道症, 頭痛.

適応 ◆◆ かぜ, 血の道症, 頭痛.

慎重投与 ◆◆ 著しく胃腸の虚弱な患者, 食欲不振, 悪心, 嘔吐のある患者 (川芎).

副作用 ◆◆ 重大な副作用:偽アルドステロン症, ミオパチー (甘草). その他の副作用:食欲不振, 胃部不快感, 悪心, 下痢などの消化器症状 (川芎).

相互作用 ◆◆ 併用注意:甘草含有製剤. グリチルリチン酸およびその塩類を含有する製剤 (甘草).

竜胆瀉肝湯（リュウタンシャカントウ）:薛氏十六種

処方の構成 ◆◆ 竜胆 (1.0 g), 黄芩 (3.0 g), 山梔子 (1.0 g), 車前子 (3.0 g), 沢瀉 (3.0 g), 木通 (5.0 g), 地黄 (5.0 g), 当帰 (5.0 g), 甘草 (1.0 g).

処方構成の解説 ◆◆ 下焦 (下腹部, 泌尿器) に炎症があって, 充血, 腫脹, 疼痛を伴うような場合に用いる. 竜胆, 黄芩, 山梔子は清熱, 抗炎症薬であり, 山梔子には止血作用もある. 車前子, 沢瀉, 木通は消炎性の利尿薬である. これに, 補血, 滋潤作用のある地黄, 血行を促進する当帰, 緩和作用のある甘草が加えられたものである. 炎症性の泌尿器系疾患に応用される.

効能・効果 ◆◆ 体力中等度以上で, 下腹部に熱感や痛みがあるものの次の諸症:排尿痛, 残尿感, 尿のにごり, こしけ (おりもの), 頻尿.

適応 ◆◆ 比較的体力があり, 下腹部筋肉が緊張する傾向があるものの次の諸症:排尿痛, 残尿感, 尿のにごり, こしけ.

慎重投与 ◆◆ 著しく胃腸の虚弱な患者, 食欲不振, 悪心, 嘔吐のある患者 (地黄, 当帰).

副作用 ◆◆ 重大な副作用:間質性肺炎 (黄芩の関与が疑われる). 偽アルドステロン症, ミオパチー (甘草). AST (GOT), ALT (GPT), ALP, γ-GTP などの著しい上昇を伴う肝機能障害, 黄疸. 腸間膜静脈硬化症 (山梔子). その他の副作用:食欲不振, 胃部不快感, 悪心, 嘔吐, 下痢などの消化器症状 (地黄, 当帰, 山梔子).

相互作用 ◆◆ 併用注意:甘草含有製剤, グリチルリチン酸およびその塩類を含有する製剤 (甘草).

参 考 文 献

1) 桑木崇秀, 健保適用エキス剤による漢方診療ハンドブック, 創元社（1985）
2) 木下繁太郎, 健康保険が使える漢方薬の選び方・使い方, 土屋書店（1996）
3) 山崎幹夫, 花輪壽彦（監修）, 薬剤師のための漢方, 日本フイルコン（2001）
4) 金　成俊, 基礎からの漢方薬, 薬事日報社（2001）
5) 佐竹元吉, 伊田喜光, 根本幸夫（監修）, 漢方210処方 生薬解説, じほう（2001）
6) 合田幸広, 袴塚高志（監修）, 日本漢方生薬製剤協会（編集）, 新一般用漢方処方の手引き, じほう（2013）
7) 岡村信幸, 漢方薬物解析学, 廣川書店（2004）
8) 岡村信幸, 病態からみた漢方薬物ガイドライン第3版, 京都廣川書店（2016）
9) ㈱ツムラ, ツムラ医療用医薬品添付文書
10) 日本生薬学会（監修）, 現代医療における漢方薬　改訂第3版, 南江堂（2020）

III 漢方の臨床

漢方薬の医療現場での使用状況と臨床応用について述べる．漢方の症例や臨床データについてはさまざまな文献で報告されているので，ここでは顕著な効果が認められた代表的なものの紹介にとどめる．

III-1 漢方処方の医療現場での使用状況

医療用漢方エキス製剤の使用動向を見ると，1990年代は小柴胡湯をはじめとする柴胡剤の使用頻度が多かったが，間質性肺炎の発症が話題になって以来，小柴胡湯の使用頻度は大きく減少し，現在では大建中湯，補中益気湯，六君子湯，抑肝散などが頻用されている．また，肥満症やメタボリックシンドロームに有効といわれている防風通聖散，水太りタイプの人の体質改善である防已黄耆湯の使用量が比較的多いことも注目に値する．

医学部のコアカリキュラムに漢方薬に関する内容が導入されたことより，今後，漢方薬を処方する医師はさらに増加すると推定される．西洋薬との併用，単独での処方のいずれにおいても，薬剤師は漢方薬が適正に使用されているかを監視する重要な任務がある．

医療用漢方エキス製剤の販売額上位 20 処方（2011 年）

順位	漢方製剤名	順位	漢方製剤名
1	大建中湯	11	防風通聖散
2	補中益気湯	12	葛根湯
3	六君子湯	13	当帰芍薬散
4	抑肝散	14	桂枝茯苓丸
5	柴苓湯	15	八味地黄丸
6	加味逍遙散	16	十全大補湯
7	芍薬甘草湯	17	五苓散
8	小青竜湯	18	半夏厚朴湯
9	麦門冬湯	19	防已黄耆湯
10	牛車腎気丸	20	猪苓湯

根本幸夫，伊田喜光（監修），漢方薬繁用処方実態調査—漢方薬の運用および販売実態—，横浜薬科大学漢方和漢薬調査研究センター編，万来舎（2013），p.13 より引用

III-2　漢方の臨床症例

インフルエンザと麻黄湯

　インフルエンザは冬季に流行する代表的な感染症であり，毎年多くの人が罹患し，発熱，咳や鼻水だけでなく，頭痛や関節痛，全身倦怠感などで苦しむことが多い．治療については近年，タミフル®（オセルタミビルリン酸塩），リレンザ®（ザナミビル水和物），イナビル®（ラニナミビルオクタン酸エステル水和物）などの抗インフルエンザ薬の登場により，1 週間近く続いた罹患期間が早く治癒するようになった．ところが，早く解熱しても頭痛や筋肉痛が続くことが多い．そこで，抗インフルエンザ薬と麻黄湯の併用効果について検討した．

　2003 年冬から 2004 年春にかけて臨床上インフルエンザと考えられ，インフルエンザ迅速診断キットによって診断された患者を対象とした．患者に対して治療法を説明し，同意を得た後タミフル（75 mg カプセル，1 日 2 回）のみを投与する群（タミフル単独群），タミフル（75 mg カプセル，1 日 2 回）と麻黄湯（2.5 g エキス，1 日 3 回）を投与する群（タミフルと麻黄湯併用群）に分けた．これらの症例について，38 ℃以上の発熱，頭痛，筋肉痛を伴った全身倦怠感の続いた日数を調査し，検討した．なお，タミフルと麻黄湯エキスの投与はインフルエンザの発症から 24 時間以内に開始し，タミフル単独群とタミフルと麻黄湯エキス併用群に性別，年齢に有意差を認めなかった．その結果，タミフルを単独で使用した症例では，38 ℃以上の発熱の続いた日数は 1.7 ± 0.8 日，発熱以外の症状である頭痛は 2.4 ± 1.0 日，全身倦怠感は 2.3 ± 1.2 日であり，解熱後も頭痛や筋肉痛などのインフルエンザの症状が続いていた．一方，タミフルと麻黄湯エキス併用群では，38 ℃以上の発熱の続いた日数は 1.9 ± 0.6 日でタミフル単独投与群と有意差はな

かったが，頭痛は 1.3 ± 0.5 日（p = 0.018），全身倦怠感は 1.3 ± 0.5 日（p = 0.179）であり，それぞれ有意に併用群で頭痛や筋肉痛の持続日数が減少していた．

	患者数（人）	平均年齢（歳）	38 ℃以上の発熱（日）	頭痛（日）	全身倦怠感（日）
タミフル単独群	12	31.9 ± 13.0	1.7 ± 0.8	2.4 ± 1.0	2.3 ± 1.2
タミフルと麻黄湯エキス併用群	10	33.6 ± 10.4	1.9 ± 0.6	1.3 ± 0.5	1.3 ± 0.5

麻黄湯はタミフルと併用することで，インフルエンザ解熱後の頭痛や筋肉痛の持続日数を減少させる効果があるデータが得られた．

文献：福富 悌ら，インフルエンザの症状軽減に有効であった麻黄湯の使用経験，漢方医学，**29**，228-230（2005）より抜粋，一部改変．

アルコール性肝炎に合併したこむら返り症に芍薬甘草湯が有効であった症例

慢性肝炎や肝硬変症の合併症として，しばしば腓腹筋の痙攣「こむら返り」を経験する．アルコール性肝炎に合併した「こむら返り」症に，芍薬甘草湯が有効であった症例を示す．

患者：73 歳，男性．

既往歴：65 歳時に他院にてアルコール性慢性膵炎およびアルコール性肝炎と診断され，平成 7 年 8 月より当院にて治療中であった．

現病歴：平成 11 年 2 月頃より，特に睡眠中に両側腓腹筋の局所性痙攣をたびたび経験するようになった．疼痛も強く，しばしば睡眠障害をきたした．しかしながら，肝機能検査値は AST（GOT），ALT（GPT）ともにごく軽度の上昇にとどまっており，3 月の腹部超音波検査や CT 検査でも肝の SOL および腹水の貯留を認めず，血清アルブミン値や電解質の変化もなかった．また，中枢神経系の異常の除外を目的に頭部 CT 検査も施行したが，異常はなかった．B 型や C 型の肝炎マーカーも陰性であった．以上より，アルコール性肝障害に合併した「こむら返り」症と診断した．

臨床経過：平成 11 年 5 月 1 日より，芍薬甘草湯エキスを 2.5 g/日の用量にて夕食後（眠前）に投与した．投与後 5 日目より「こむら返り」症の頻度は著明に減少し，2 週間目にはほとんど消失した．本人の希望もあり，投与を 1 か月以上続けているが，副作用は出現していない．芍薬の成分であるペオニフロリンは神経終末におけるアセチルコリンの遊離を抑制し，甘草の成分であるグリチルリチン酸は神経節接合部において，持続的脱分極を誘導する．これらの前シナプス抑制作用と後シナプス抑制作用の相互作用により，神経節接合部遮断作用が増強され，腓腹筋の局所性痙攣「こむら返り」症を抑制するものと推定される．

文献：平野鉄也，平野公子，芍薬甘草湯が有効であったアルコール性肝炎に合併したこむら返り

症の1例,漢方医学,**24**, 129(2000)より抜粋,一部改変.

肺がんに伴うコデイン抵抗性咳嗽に麦門冬湯が有効であった症例

　原発性および転移性肺がん患者の咳嗽コントロールには,主にコデインをはじめとする麻薬性鎮咳薬が使用される.しかし,その効果は十分でないことが多く,コデインの増量で対応せざるをえない.麻薬製剤の増量は便秘や嘔気をはじめとする副作用が発現することも多く,これらの副作用に対する投薬が必要となって,さらに投与薬剤数が増えるなど,患者の負担は大きい.コデインの投与によっても咳嗽コントロールが困難であった肺がん患者に,麦門冬湯を投与して有効であった症例を示す.

患者:49歳,女性(主婦).
主訴:乾性咳嗽,右季肋部痛.
既往歴:特記事項なし.
生活歴:タバコなし,機会飲酒.
現病歴:12月下旬に感冒様症状が出現したため,近医を受診.肺炎と診断され,投薬を受けた.しかし,一向に軽快しないため,A大附属病院外来を受診.胸部X線写真の結果,左胸水および左上肺野の結節影を認めたため,精査目的で入院となった.入院後,気管支鏡,胸部CT,各シンチグラム,胸水の試験穿刺検査を行った.その結果,胸水からadenocarcinoma(class V)が認められ,画像上,対側肺門部リンパ節や脳に多数の転移が予想されたため,左上肺原発の肺がん(T4N2M1 stage IV)と診断した.胸部CTでは,左S^{1+2}領域に周囲の巻き込みを伴った結節影が,両肺野にはびまん性微小粒状影が認められた.家族の希望もあり,積極的な治療はせず,胸水の排液および胸膜癒着のみ施行したが,入院時から乾性咳嗽が強いため,コデインリン酸塩60 mg/日の投与を開始した.
入院時現症:身長157 cm,体重56 kg,体温36.2℃,血圧136/82 mmHg,脈拍90/分(整).眼球結膜に貧血・黄染なし.表在リンパ節は触れず.胸部聴診上,左下肺野にて呼吸音の減弱を認めるも異常肺音を聴取せず.腹部所見に特記事項なし.神経学的所見に異常認めず.
入院時検査所見:省略
臨床経過:コデインリン酸塩は一時的には有効だったが,再び咳嗽が増悪し,コントロール困難となった.また,骨転移によると思われる背部痛もあったため,コデインリン酸塩を経口モルヒネ20 mgに変更.しかし,これらの麻薬製剤の投与にもかかわらず昼夜を問わぬ強い咳嗽が続き,背部痛の増悪と体力の消耗がみられるとともに,麻薬性薬剤の副作用と思われる嘔気および食思不振も訴えるようになった.本症例のコデイン抵抗性の乾性咳嗽は,肺がんに伴う気道粘膜刺激症状と考え,麦門冬湯エキス9 g/日を投与し,嘔気に対しては,ハロペリドールを投与することとした.その結果,麦門冬湯投与翌日には乾性咳嗽の顕著な

改善を認め，投与4日目には嘔気，食思不振，咳嗽ともにほぼ消失し，その後も咳嗽の増悪が認められないため，一時退院となった．退院後も咳嗽はコントロールされていたが，転移性脳腫瘍の増大によるものと考えられる嘔気とともに，呼吸困難，不眠が増悪したため，退院後1か月で再入院，嘔気はステロイド剤の投与により改善し，呼吸困難感も在宅酸素療法にてコントロールできたため，一時自宅外泊も可能となったが，呼吸状態は進行性に増悪し，再入院約1か月後に死亡した．しかしながら，麦門冬湯の投与により咳嗽は終始コントロールでき，麻薬性鎮咳薬の副作用によるQOLの低下を回避することができた．

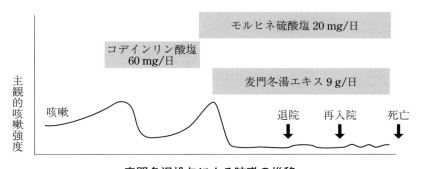

麦門冬湯投与による咳嗽の推移

文献：瀬畠克之ら，麦門冬湯が有効だった肺癌に伴うコデイン抵抗性咳嗽の2例，漢方医学，**23**，122-125（1999）より抜粋，一部改変．

肥満と便秘を伴う2型糖尿病に防風通聖散が有効であった症例

防風通聖散は便秘と肥満症に適応がある．便秘と精神的ストレスが原因で食事療法が守れなくなり，インスリンの投与を余儀なくされた肥満2型糖尿病女性患者に対し，防風通聖散を投与したところ，便秘，腹部膨満感と顕著ないらいら感の改善がみられ，これに伴い食事療法の遵守が可能となり，著明な体重減少とインスリン投与量の減量に成功した例を示す．

患者：67歳，女性．
主訴：便秘，腹部膨満感，いらいら感．
家族歴：母が糖尿病と高血圧症．
既往歴：平成2年に検診で糖尿病を指摘される．
現病歴：平成7年，口渇・多尿が強くなり，S病院内科にて加療を受けるも，HbA1c 12.1〜16.4％と血糖コントロール不良（空腹時血糖値350〜399 mg/dL）状態が続いた．本人はインスリン治療の必要性を強く説明されるも頑固に拒否．平成14年1月，空腹時血糖値215 mg/dL，HbA1c 12％を超える状態が続き，眼底出血から視力が急激に低下した．その後，強い説得によりインスリン導入に同意．以後，ヒューマカート 3/7 注（300）キット®

初診時臨床検査成績（67歳，女性，2型糖尿病）

WBC	4800/μL	K⁺	4.8 mEq/L
RBC	452万/μL	Cl⁻	102 mEq/L
PLT	16.7万/μL	FBS（空腹時血糖値）	212 mg/dL
AST	18 IU/L	食後2時間後血糖値	380 mg/dL
ALT	18 IU/L	HbA1c	10.4 %
BUN	15.6 mg/dL	TC	270 mg/dL
CRE	0.46 mg/dL	HDL-C	56 mg/dL
UA	4.7 mg/dL	TG	209 mg/dL
Na⁺	142 mEq/L		

尿糖（3＋），尿タンパク（－），尿ケトン体（－）
眼科的検査：PDR（糖尿病性網膜症）（眼底出血（＋＋），硝子体出血（＋））

朝30単位，夕18単位皮下注射しながらレーザー照射にて眼底出血を抑えた．しかし，インスリン導入後も食事療法は守らず，体重はインスリン注射前の59.4 kgから1年後には69.6 kgまで増加した．その後も空腹時血糖値195 mg/dL，HbA1c 10.2 ％と改善せず，視力低下がさらに顕著となったため，本病院へ血糖コントロールと眼科手術のため紹介されてきた．なお，高血圧症に対してはCa拮抗剤とアンギオテンシンⅡ受容体拮抗薬（ARB）を内服しており，血圧は150/80 mmHg前後であった．

初診時現症：身長157 cm，体重67 kg，BMI 27.2，血圧150/78 mmHg，脈拍数80/分，体温36.2℃．

身体所見：肥満以外異常所見なし．

外来通院中の経過：初診時（平成15年3月），身長157 cm，体重67 kgのため，1400 kcal糖尿病食と毎食後室内での10分間の軽い手足の運動を指示．インスリンはヒューマカート3/7注（300）キット朝30単位，夕18単位皮下注射を指示．間食の砂糖菓子を中止させた．1か月後（平成15年4月）に，体重67 kgから64 kgと3 kgの減少を示し，空腹時血糖値180 mg/dL，HbA1c 8.0 ％とやや改善をみた．その後，2か月間体重はほぼ一定．平成15年4月，空腹時血糖値164 mg/dL，HbA1c 7.5 ％となったので，眼科の指示もあり，視力改善を期待して白内障の手術を受けた．しかし，視力は眼底出血もあり，さほど改善しなかった．その後，手術後3日間の安静が契機となって便秘が増悪し，さらに視力回復があまり見られなかったことに対し「むしゃくしゃする」と言って，食事療法も運動療法も守らなくなった．その2か月後（平成15年8月）には，空腹時血糖値206 mg/dL，食後2時間後血糖値343 mg/dL，HbA1c 9.7 ％，体重67 kgと再増加し，ヒューマカート3/7注（300）キット朝32単位，夕22単位に増量．このように症状が悪化したため，外来受診時に本人と時間をかけて話し合いを行い，体重減少と便秘改善を目的に防風通聖散エキス7.5 g/日分3食間の投与を開始することとした．すると，防風通聖散投与2日目から便秘が改善．腹部膨満感も改善され，いらいら感も減弱し，食事療法・運動療法が再度守れるようになった．1か月後

（平成15年9月），空腹時血糖値110 mg/dL，HbA1c 7.9 %，体重63 kgと改善したため，インスリン量を朝30単位，夕18単位に減量．その後も便通は1日1行の快便状態が続き，1か月後（平成15年10月）には，空腹時血糖値103 mg/dL，食後2時間後血糖値196 mg/dL，HbA1c 6.5 %，体重60 kgと改善したため，インスリン量を朝26単位，夕16単位に減量した．さらに1か月後の現在（平成15年11月），空腹時血糖値105 mg/dL，食後2時間後血糖値185 mg/dL，HbA1c 6.2 %，体重59 kgとgood control状態が続いているため，インスリン量は朝26単位，夕14単位に減量している．

　日本では現時点で，西洋薬の抗肥満薬としてはサノレックス®（マジンドール）しか認可されておらず，しかもBMI 35以上という高度肥満症のみに適応されるに過ぎない．最近，防風通聖散の抗肥満効果が注目されている．実際に上記のような便秘と肥満を伴う糖尿病患者に使用してみると，まず便秘に対する効果が速やかかつ顕著に見られ，全身代謝活性化作用により体重も減少し，インスリンの減量を図れる症例がある．今後同様の症例があれば，一度は使用してみる価値のある漢方薬と考えられる．

　　文献：吉田俊秀，日置智津子，防風通聖散により便秘と肥満が改善されインスリン量も軽減できた2型糖尿病の1例，漢方医学，**28**，165-167（2004）より抜粋，一部改変．

慢性頭痛に対する呉茱萸湯の効果

　脳神経外科外来に来院する患者の約80 %は頭痛を主訴としており，最も頻度の高い症状で，その大半は器質性疾患を伴わないものである．しかも，長期間頭痛に悩まされている症例が少なくない．近年，脳神経外科領域においても漢方治療が注目されている．なかでも呉茱萸湯は，発作性の血管型頭痛や筋緊張型頭痛などの慢性頭痛に適応を認められている漢方薬である．このような慢性習慣性頭痛の症例に呉茱萸湯を投与し，その効果および有用性を確認した．

　頭痛を主訴として来院した患者180例中，2週間以上経過観察できた症例147例を対象とした．性別では，男性46例（31.1 %），女性101例（68.7 %）で，罹病期間では半数以上が6か月以上の長期間の頭痛を認めた慢性頭痛であった．頭痛の内訳は，血管型頭痛47例（32.0 %），筋緊張型頭痛46例（31.3 %），混合型頭痛54例（36.7 %）であった．以上の症例に対して，呉茱萸湯エキス7.5 g/日を3回に分けて，原則食前に投与し，呉茱萸湯の慢性頭痛に対する効果を検討した．その結果，147症例のうち，89 %の症例で改善傾向を示した．効果発現時期は2週間以内が多く，頭痛の種類では，血管型頭痛のほうが筋緊張型頭痛に比較して早期に効果が認められた．また，投与前の頭痛強度の強いものほど効果発現時期は短い傾向であった．性別，年齢，頭痛の種類，罹病期間，漢方所見に関係なく，有意な改善効果を認め，肩こりなどの頭痛に随伴する自覚症状の改善も期待でき，一方で，眠気やだるさなどの副作用は認められず，呉茱萸湯は，安全で適応範囲の広い頭痛薬として利用できることが示された．

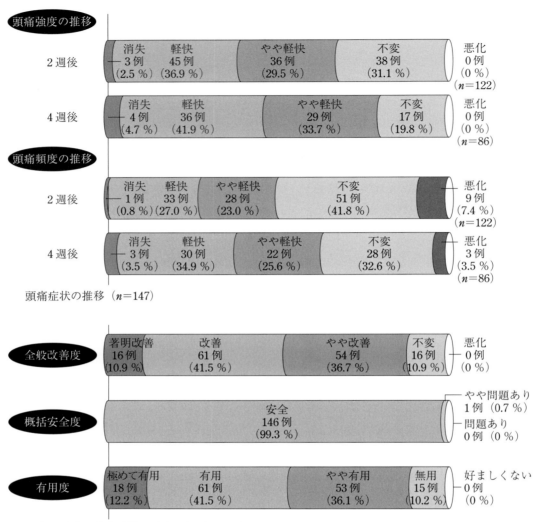

頭痛症状の推移（n=147）

頭痛に対する呉茱萸湯の総合評価（n=147）

慢性頭痛に対する呉茱萸湯の効果

文献：前田浩治ら，慢性頭痛に対する呉茱萸湯の効果，漢方医学，**22**，53-57（1998）より抜粋，一部改変．

開腹術後のイレウスに大建中湯が有効であった症例

　開腹術後のイレウスは，消化器外科医が日常診療でしばしば遭う疾患であるが，大建中湯はそのようなイレウスに対して効果があると報告されている．大建中湯が開腹術後のイレウスの予防に功を奏したと考えられる症例を示す．

患者：76歳，女性．
既往歴：虫垂切除術．
臨床経過：体重減少と心窩部不快感を訴え，当院を受診した．諸検査の結果，胃がんと診断，K大学附属病院第2外科を紹介した．手術時，腹膜播種はなく，胃全摘・膵尾部脾合併切除・胆嚢摘出術・左副腎合併切除術を施行した．術後の療養のため，当院に転院した．腹部レントゲンにて，小腸ガスと多数のニボーを認めた．術後の癒着性イレウスと診断し，イレウスチューブ挿入した．ガストログラフィンによるイレウス管造影では，小腸において通過の不良な部位を認めた．入院後1か月の間に2回イレウスを起こしたが，いずれも消化管減圧療法にて軽快した．イレウス解除後も腹部膨満感，腹痛などの症状を訴えたため，酸化マグネシウムと大建中湯エキスの内服を開始した．消化管運動機能の指標として排ガスの大小は問わずに回数を数えた結果，排ガス回数が有意に増加した．その後イレウスを起こす間隔が3か月，6か月と延長しており，腹部膨満感，腹痛などの症状も軽快している．
　　文献：中谷佳弘ら，大建中湯がイレウス予防に功を奏したと考えられる1例，漢方診療，**15**（1），6（1996）より抜粋，一部改変．

月経困難症に対する桂枝茯苓丸の効果

　桂枝茯苓丸は代表的な駆瘀血漢方処方であり，月経困難症や更年期障害など，婦人科系の疾患に幅広く使用されている．強度の月経困難症に対して桂枝茯苓丸を短期間投与したところ，約半数に著効が認められた．

　強度の月経痛を主訴とし，臨床的に子宮内膜症（$n=7$），子宮腺筋症（$n=11$），子宮筋腫（$n=5$），機能性（$n=7$）と診断した月経困難症患者30名に対し，桂枝茯苓丸エキスを月経開始予定日の3日前より月経痛が強い期間投与した．桂枝茯苓丸エキスの平均内服期間は5.8日であった．VAS（Visual Analogue Scale）を用いて月経痛の程度を評価し，症状軽快の程度から，著効群，有効群，無効群に分けて効果を比較検討した．著効16例（53％），有効8例（27％），無効6例（20％）であった．

　本臨床試験は30例の症例集積研究であり，桂枝茯苓丸の月経困難症に対する効果のエビデンスとしては十分とはいい難い．しかし，平均内服期間5.8日で有効以上24例（80％）は桂枝茯苓丸の有効性を強く示唆するものである．
　　文献：太田博孝ら，月経困難症への桂枝茯苓丸の月経時短期投与法，産婦人科漢方研究のあゆみ，**17**，48-50（2000）の要約．

月経前症候群に加味逍遙散と香蘇散の併用が有効であった症例

　加味逍遙散と香蘇散の投与で，中年婦人のいらいら感や抑うつ気分を伴う月経前症候群が改善

された症例を示す．

患者：42歳，女性．
主訴：月経前のいらいら感，全身倦怠感，抑うつ気分，頭痛，肩こり，四肢のむくみ，乳房の張り．
既往歴：40歳時に脳梗塞．
現病歴：3年前から月経の2週間前になると，いらいら感，全身倦怠感，抑うつ気分，頭痛，肩こり，四肢のむくみ，乳房の張りが出現した．1年前より症状が悪化したため，婦人科で漢方外来を勧められて来院した．月経周期は4週間から3週間に短縮している．経血量はふつうだが，凝血塊が出ることがある．月経がはじまると症状が消失して楽になる．月経前は起床時に顔がむくみ，夕方にはよくなっている．
現症：身長166 cm，体重64 kg，血圧115/73 mmHg．脈拍62回/分．心音正常．呼吸音清．顔色は暗い．食欲にむらがあり，過食するときもある．四肢末端が冷えやすい．のぼせはないが，入浴すると4～5分で息苦しくなってくるため長風呂はできない．大便は2日に1回で，残便感がある．特に肩こりと頭痛がひどく，胸全体がつまった感じがすることがある．冬のことを考えると（冷えの症状が強くなるため）憂鬱になる．
漢方医学的所見：舌は淡紅，正常大，薄白苔，乾湿中程度．脈は弦で細．腹力は3/5で，臍傍圧痛（－），胸脇苦満（－），臍上悸（－）．
治療経過：排卵期のいらいら感や抑うつ気分が強いことから，加味逍遙散エキス7.5 g/日分3を処方した．1か月後，肩こりと胸のつまった感じは少しよくなったが，抑うつ気分は変わらなかった．気鬱症状が強いと考え，加味逍遙散エキスに香蘇散エキス7.5 g/日分3を追加した．1か月後には抑うつ気分も改善し，月経周期は21日型から30日型に正常化した．肩こりと胸の張りも顕著に改善した．

　　文献：山崎武俊，月経前症候群に対して加味逍遙散と香蘇散が著効した1例，漢方と診療，**7**，43（2016）より抜粋，一部改変．

ホルモン療法中の更年期障害様の症状に加味逍遙散が有効であった症例

乳がんに対する長期ホルモン療法により，ホットフラッシュに代表される更年期障害様の症状や骨粗鬆症の発症頻度が高くなる．乳がん術後ホルモン療法中の更年期障害様の症状に加味逍遙散が有効であった症例を示す．

患者：56歳，女性．
既往歴：特になし．
臨床経過：20--年3月4日，右乳がん患者に対して右乳房温存術を施行し，術後ホルモン療

法としてアロマターゼ阻害薬であるレトロゾールの内服を開始した．術後3年が経過した20--年4月頃からホットフラッシュが出現し，同症状の増強が認められた．ホットフラッシュに随伴して倦怠感，不眠も出現してきたため，ベンゾジアゼピン系睡眠薬を処方したが，不眠は解消されなかった．一連の症状は，ホルモン療法に伴う副作用と診断し，加味逍遙散エキス7.5 g/日分3の内服を開始した．

加味逍遙散エキス内服前のクッパーマン更年期指数は，「血管運動神経障害様症状」3（重症度）×4（評価），「不眠」2（重症度）×2（評価），「全身倦怠感」2（重症度）×1（評価）の合計18であった．加味逍遙散エキス内服後2週間で「不眠」「全身倦怠感」の症状は著明に改善された．「ほてり」の症状はまだ残存していたが改善してきており，クッパーマン更年期指数は合計4まで減少した．

文献：水田成彦ら，乳癌術後ホルモン療法に対する支持療法としての加味逍遙散の有用性，漢方医学，**38**，191-193（2014）より抜粋，一部改変．

子宮内膜症による月経随伴性気胸に桃核承気湯が有効であった症例

桃核承気湯は比較的体力があり，便秘がちな人の瘀血証に用いられる漢方薬で，月経困難症や更年期障害などの婦人科疾患に対する有効性が報告されている．異所性子宮内膜症による月経随伴性気胸に桃核承気湯が奏効した症例を示す．

患者：47歳，女性．
主訴：胸痛．
既往歴：子宮内膜症，月経随伴性気胸．
現病歴：2013年7月頃から臍部に結節が出現し，結節が増大し，疼痛を伴うようになったため外科を受診した．2013年11月27日に摘出術を受け，病理組織より異所性子宮内膜症と診断された．2014年10月27日に右胸痛と呼吸困難が出現し，胸部X線検査で気胸と診断され，保存的治療で軽快した．その後，月経のたびに右胸痛が出現するようになり，臍部子宮内膜症の既往もあることから，月経随伴性気胸と診断された．2015年2月15日より卵胞・黄体ホルモン配合剤の服用を開始したが，3月下旬から両下腿浮腫と左下腿痛が出現したため，服用を中止した．7月頃から胸痛の持続期間が2～3週間と悪化し，2015年8月8日に漢方治療を希望して当院を受診した．
漢方医学的所見：脈は沈細でやや弱．舌下静脈の怒張がある．腹力は中程度で，両臍傍に圧痛点を認めた．手足の冷えがある．
治療経過：所見より瘀血があり，便秘と不眠を伴っていたため桃核承気湯エキス2.5 g/日分2を処方した．その後，便秘の状態に応じて2.5 g～5.0 g/日分2まで服用量を調整してもらった．翌月の月経では胸痛の持続期間は1週間に短縮し，痛みの強さも軽減した．11月に

は痛みはなくなり，違和感がある程度になった．

　本症例では，脈診と腹診からやや虚証と考えられたため，桃核承気湯エキスを 2.5 g/日から開始し，服用量を自己調節することで下痢や腹痛などの副作用を回避できた．

　　文献：平井啓之，神谷文雄，異所性子宮内膜症による月経随伴性気胸に桃核承気湯が奏効した1例，漢方と診療，**7**，42（2016）より抜粋，一部改変．

血液透析患者の頭痛に五苓散が有効であった症例

慢性維持血液透析患者の原因不明の頭痛に五苓散が有効であった症例を示す．

患者：74歳，男性．
主訴：非透析日に，朝より継続する頭痛，軽度の耳鳴り．
既往歴：狭心症，慢性腎不全，微小脳梗塞，糖尿病．
現病歴：初診時までの15年間，糖尿病性腎症で週3回の血液透析を行ってきた．1回あたりの除水量は 2.5〜4 L 程度で，施行中および施行後の特記すべき問題点はなかった．狭心症については，数年前に右冠動脈（#2）への経皮的冠動脈形成術（PCI）施行後は定期的に受診し，下壁の中程度の虚血（LVEF 50 %）を指摘されていた．
治療と経過：初診時，MRIなどの画像所見で微小脳梗塞を認めるのみで，緊急性を要する頭痛は否定的であった．原因不明の頭痛とし，五苓散エキス 2.5 g を頓用で 10 回分処方した．以後同症状の出現頻度は徐々に少なくなり，初診より約1か月後まで計 30 回処方したが，それ以降は退薬しても症状の再燃はなかった．

　国際頭痛学会の提唱する「国際頭痛分類 第3版 β版」によると，「頭痛診療に関して緊急性を要する二次性頭痛を画像所見などで否定すれば，一次性頭痛を考慮する必要がある」とされている．本症例では一次性頭痛の原因は特定できなかったものの，過去の報告から血液浸透圧と脳脊髄液浸透圧の不均衡症候群に起因する一時的な軽度の脳浮腫が考えられた．近年，五苓散は細胞膜のアポクリン（AQP）を介した水チャンネル透過性の阻害作用から，細胞内外の水移動のバランスを保持することにより，利尿薬とは異なる機序で体内の水分の偏在を修正する効果があることが報告されている．五苓散は副作用の少ない漢方薬であり，水分バランスの不均衡による頭痛に効果が期待できる．

　　文献：吉川博昭ら，慢性維持血液透析患者の頭痛に五苓散が有効であった1症例，漢方と診療，**6**，307（2016）より抜粋，一部改変．

コレステロール系胆石に大柴胡湯が有効であった症例

胆石症の治療は従来，外科手術による以外に根本的な治療法はなかった．しかし，1972年

Danzingerらが，コレステロール結石の溶解にヒト胆汁中の一次胆汁酸であるケノデオキシコール酸（CDCA）が有効なことを報告してから，わが国においてもその有効性が確認されて，一般によく使用されるようになった．また，CDCAの立体異性体であるウルソデオキシコール酸（UDCA）にもCDCAと同様の胆石溶解作用があることが認められており，UDCAも胆石溶解剤として，CDCAに劣らず一般によく使用されている．しかし，CDCAやUDCA単独投与では副作用もみられ，有効性についても充分とはいえない．CDCAやUDCAの単独投与の場合の副作用を減少させ，有効率の上昇を期待してCDCAとUDCAの併用療法も行われているが，その併用効果は各単独療法と大きな差はないようである．いずれの投与法でも長期の服用を必要とし，有効率は30〜50％程度である．体外衝撃波結石破砕療法（ESWL）も開発されているが，数や大きさに制限があり，すべての胆石に適用にはならない．一方，漢方薬についてみると，以前から胆石症に大柴胡湯が有効とされている．大柴胡湯は腹痛を主とした胆石に基づく臨床症状の改善に有効であり，動物実験にて大柴胡湯にコレステロール胆石発生の予防作用があることが報告されている．このような背景から，CDCAやUDCAの投与で胆石の溶解，消失を認めなかった例に，大柴胡湯エキスを併用投与した結果，胆石の消失を認めた症例を示す．

患者：49歳，女性．
主訴：胆石の精査．
既往歴：19歳時に虫垂切除．20歳時に胃潰瘍に罹患．40歳時に子宮筋腫の手術を受けた．
家族歴：父および母が胃がんに罹患．
現病歴：10月1日，健康診断にて胆石を指摘され，精査，加療を求めて，同年10月18日当院外来を受診．
現症：身長153.5 cm，体重58 kg，体温36.9 ℃，血圧110/60 mmHg．皮膚および可視粘膜に特記所見なし．胸部および腹部に特記所見なし．
臨床経過：末梢血および一般肝機能検査は正常であった．排泄性胆嚢造影レントゲン検査で，胆嚢内に幅5〜7 mm大の小結石を層状に多数認めた．胆石はコレステロール系胆石と考え，10月24日よりCDCA 400 mg/日の投与を開始した．CDCA投与後，下痢をよく認めたため，翌年3月14日よりCDCA 400 mg/日の投与をCDCA 200 mg/日とUDCA 200 mg/日の併用投与に変更した．3月16日に腹部エコー検査を施行したが，胆嚢内に幅6 mm大の多数の結石を認めた．胆石の大きさ，数に変化がなかったため，5月29日より大柴胡湯エキス7.5 g/日の併用を開始した．9月21日施行の腹部エコー検査で，胆石の大きさは幅3〜4 mm大の大きさに縮小していたが，数は不変であった．9月29日施行の排泄性胆嚢造影レントゲン検査でも，数は不変なものの，胆石の縮小を認めた．治療はそのまま継続し，翌年5月15日腹部エコー検査を施行したところ，胆石は1個に減少していた．この間，腹痛はまったく認めなかった．その後，12月4日に腹部エコー検査を施行したところ，胆石の消失を認めた．翌年，4月2日施行の排泄性胆嚢造影レントゲン検査でも胆石は認められなか

った．4月25日，投薬を中止した．

　　文献：高森成之ら，胆石溶解剤を併用しても消失を認めなかったコレステロール系胆石の治療に大柴胡湯併用が有効であった3例，漢方医学，**19**，322-328（1995）より抜粋，一部改変．

上腹部不定愁訴に四逆散が有効であった症例

腹部膨満感，食欲不振などの上腹部不定愁訴に対して四逆散が有効であった症例を示す．

患者：68歳，女性．
主訴：食後の腹部膨満感，食欲不振．
現病歴：糖尿病腎症による慢性腎不全のため，血液透析療法が施行されていた．十二指腸潰瘍を発症したが，ファモチジンの投与により3か月後には潰瘍は瘢痕化した．その後もファモチジンが継続投与されていたが，しばらくして食後の腹部膨満感が出現し，食事摂取量もやや低下した．
治療経過：内視鏡検査の再検においては，十二指腸潰瘍の再発は認められなかった．ファモチジンに追加して，六君子湯エキス，人参湯エキスなどを併用薬として処方したが，明らかな効果はなかった．再診時に腹証をみたところ，中程度の胸脇苦満を認め，性格もやや抑うつ的であったことから四逆散エキスの併用に変更したところ，2週目に症状の軽快がみられ，3か月目に症状は消失した．

　　文献：原　歩，村田高明，上腹部不定愁訴に対する漢方治療－柴胡剤の使用経験について－，漢方診療，**15**（5），27-29（1996）より抜粋，一部改変．

こじれた感冒に小柴胡湯が有効であった症例

感冒が長引いて，胃腸機能が悪くなった症例に小柴胡湯が奏効した症例を示す．

患者：35歳，女性．IT企業事務職．
主訴：悪寒，頭痛，嘔気，心窩部痛．
既往歴：特になし．
現病歴：X月23日にかぜを引き，咽痛と咳などの症状が出現したため，28日に近医耳鼻咽喉科を受診した．抗生物質や気管支拡張薬などが処方され，同日夕食後に服用し就寝した．翌29日，悪寒と後頭部痛で目が覚め，同時に心窩部痛と激しい嘔気に襲われた．嘔気が止まらず，食欲もまったくないため，当院を受診した．
現症：身長160 cm，体重49 kg，体温36.5℃．苦悶様表情．上記の症状のほかに，顔や体が熱くて汗が出る．風にあたると寒気がする．後頭部や肩が凝る．手足が熱く，手掌に汗をか

く，口が渇くなどを訴えた．便秘や下痢はない．

漢方医学的所見：舌は赤く乾燥し，薄い白苔に被われている．舌下静脈の怒張はない．脈は沈細で，やや弦．腹力は中程度で，腹部両側に胸脇苦満を認め，腹皮拘急や臍上悸も認めた．

検査：WBC 6,500/mL，CRP（−），尿中ケトン体（＋2）．

診断：虚実中間証．少陽病期．

治療と経過：脱水が高度であったので，乳酸リンゲル液 500 mL を点滴した．抗生物質や気管支拡張薬などは中止し，小柴胡湯エキス 7.5 g/日分 3 を処方した．翌日来院時には顔色良好で嘔気や頭痛は消失し，食欲も回復したとのことであった．症状は半分以上回復したといい，大変喜ばれた．

文献：梶井信洋，感冒の誤治例に小柴胡湯が奏効した症例，漢方と診療，**7**，43（2016）より抜粋，一部改変．

胃食道逆流症に対する半夏瀉心湯の効果

胃食道逆流症 gastroesophageal reflux disease（GERD）は欧米で多いとされてきた疾患であるが，近年，わが国においても増加傾向にある．GERD は内視鏡的にびらんなどの粘膜傷害を有する逆流性食道炎 reflux esophagitis と粘膜傷害を認めない非びらん性胃食道症 nonerosive reflux disease（NERD）に分類されるが，どちらも薬物治療の第一選択薬は胃酸分泌抑制薬のプロトンポンプ阻害薬 proton pump inhibitor（PPI）である．逆流性食道炎は PPI の通常治療量の使用により約 90％が治癒する一方で，NERD に対する PPI の治癒率は約 50％前後と低率である．このような PPI 抵抗性 GERD に対しては PPI の倍量投与や PPI に消化管運動機能改善薬（プロカイネティクス）を併用するなどの治療が試みられ，治療法確立のための検討が進められている．

半夏瀉心湯は，がん化学療法時の副作用（下痢，口内炎など）に対して有効であることが報告されており，これらの効果は半夏瀉心湯の抗炎症作用によるものと考えられている．一方，半夏瀉心湯は胃排泄促進作用を有することが知られており，六君子湯とともに上部消化器症状（消化不良，胸やけ，げっぷなど）に用いられている．今回，PPI 抵抗性 GERD 症状を有する患者に対して，半夏瀉心湯の有効性を検討した．

対象と方法：20--年 9 月から 20--＋1 年 10 月にかけて，A 医科大学病院第二内科，または B クリニックにて上部消化管内視鏡検査を施行した結果，ロサンゼルス分類における Grade が M 以上の粘膜傷害を有し，PPI 標準量治療を 4 週間以上受けたにもかかわらず，GERD 症状が残存（FSSG スコア 8 以上）した患者を PPI 抵抗性 GERD として，連続した 20 例を prospective に登録した．これらの患者に半夏瀉心湯エキス 7.5 g/日分 3 ＋ PPI（ラベプラゾール）10 mg/分 1 を 4 週間投与し，半夏瀉心湯エキス投与前（ベースライン）の FSSG ス

コアと4週間後のFSSGスコアを比較して，GERD症状に対する半夏瀉心湯の有効性を評価した．なお，解析はpaired t-testを行い，有意水準は$p < 0.05$をもって有意差ありと判断した．

結果
1) 患者背景：半夏瀉心湯エキスが投与された患者は20例で，年齢は51.1 ± 15.9歳，男性11名，女性9名であった．また，ロサンゼルス分類におけるGrade評価では，Grade Mが14例，Grade Aが6例であった．
2) FSSGスコア：半夏瀉心湯エキスの4週間投与によって，Total FSSGスコア，運動不全（もたれ）症状（ARD）スコア，酸逆流関連症状（RS）スコアのいずれも有意（$p < 0.01$）に改善した（図1）．FSSGのサブスケールにおいては，「胸やけ」「食後のもたれ」「げっぷ」で顕著な改善が認められた（図2）．また，男女別で半夏瀉心湯の効果の差を比較したところ，男性では「お腹の張り」「食後のもたれ」「咽の違和感」「飲み込み時のつかえ」「げっぷ」の各症状で半夏瀉心湯エキスの投与後に有意な改善が認められたのに対し，女性では「胸やけ」「げっぷ」の2症状に有意な改善が認められたのみであった．このことから，半夏瀉心湯は男性に対してより有効な漢方薬であることが示唆された．さらに年齢別の検討では，症例が少ないため単純には比較できないが，65歳未満の症例において高い有効性が認められた．

患者背景

背景因子		例数
性別	男性	11例（55.0％）
	女性	9例（45.0％）
年齢	平均±SD	51.1 ± 15.9歳
ロサンゼルス分類	Grade M	14例（70.0％）
	Grade A	6例（30.0％）

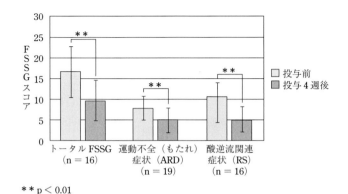

**$p < 0.01$

図1　FSSGスコア（全症例）

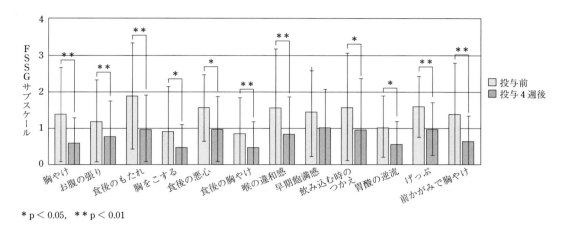

図2　FSSG サブスケール

文献：竹内利寿ら，PPI 抵抗性 GERD 患者の消化管症状に対する半夏瀉心湯の有効性，漢方医学，**39**, 251-254（2015）より抜粋，一部改変．

化学療法による口内炎に半夏瀉心湯が速効性を示した症例

がん化学療法時の重度な口内炎に対して，半夏瀉心湯が速効性を示した症例を示す．

患者：78歳，男性．

主訴：口内炎．

現病歴：去勢抵抗性前立腺がんにて，2011年4月から抗がん剤ドセタキセル（70 mg/m²）を3週毎に投与を開始した．5クール目施行後，7日目に全身倦怠感にて外来を受診した．採血データでは白血球 700/μL，好中球 28/μL，CRE 2.06 mg/dL，CRP 29.6 mg/dL と，重度の骨髄抑制を認め，Grade 3 の口内炎とそれによる高度な疼痛，摂食障害，開口障害，発声障害，脱水症が確認された．口腔内には，口腔粘膜に境界不明瞭な有痛性の潰瘍が広範囲に認められた．

治療経過：緊急入院の上，輸液，G-CSF 製剤を投与した．併せて，重度の口内炎に対して半夏瀉心湯エキスを投与した．開口障害が強いため口腔粘膜への直接塗布は断念し，半夏瀉心湯エキス 2.5 g を微温湯 50 mL に溶かしたものを少量ずつ流し込み，数回に分けて含嗽してもらい，そのまま服用させた．これを1日3回施行した．翌日には疼痛はほぼ消失し，開口も可能となり，夕方には食事の経口摂取が可能となった．口腔粘膜に広範囲に認められた潰瘍は，ほぼ消失していた．

　　大口尚基，化学療法時に伴う重度の口内炎に対して半夏瀉心湯が速効性を示した症例，漢方と診療，**4**, 113（2013）より抜粋，一部改変．

メチルフェニデート投与による食欲低下に六君子湯が有効であった症例

注意欠陥多動性障害（ADHD）の小児の治療にメチルフェニデート塩酸塩を投与したところ，ADHDの症状は改善したが，顕著な食欲低下が発現した．この食欲低下に六君子湯が奏効した症例を示す．

患者：8歳7か月，男児．
主訴：食欲低下，体重減少．
既往歴：5歳よりてんかんを発症．バルプロ酸ナトリウムおよびゾニサミドの内服により，てんかん発作はコントロールされている．6歳時に注意欠陥多動性障害（ADHD）と診断された．
現病歴：7歳11か月より，メチルフェニデート塩酸塩（MPH）徐放錠（18 mg/日）の投与を開始した．内服開始初日より，ADHDの症状は明らかに改善した．しかし，食欲低下も明らかで，MPHを朝に服用するため朝食以外は食べられなくなった．休日はMPHの内服を中止して積極的な食事摂取を勧めたが，体重は徐々に減少し，23 kgあった体重はMPH投与開始から5か月で21 kgまで減少した．
治療と経過：8歳4か月時より，六君子湯エキス7.5 g/日分3の内服を開始したところ，内服開始数日後より明らかな食欲増進と食事量の増加を認めた．体重は1か月で2 kg増加し，MPH投与開始前の23 kgまで回復したため，六君子湯エキス5.0 g/日分2（朝夕）に減量した．昼の学校給食摂取量は再び減少したが，朝夕の食事は十分量摂取でき，体重も維持されている．六君子湯は，胃排泄促進など上部消化管機能改善作用のほか，グレリン分泌と中枢のグレリン感受性の促進による食欲増進作用が報告されている．本症例は漢方医学的所見（証）でなく，六君子湯の多彩なメカニズムによる消化機能改善作用を期待して，六君子湯を処方した．六君子湯は証に関わらず，MPH投与による食欲低下に有効な漢方薬と考えられる．

文献：新里嘉展, メチルフェニデート塩酸塩による食欲低下に六君子湯が奏効したADHSの1例, 漢方と診療, **4**, 282（2014）より抜粋，一部改変．

参考：小柴胡湯，半夏瀉心湯，六君子湯の配合生薬は以下の通りである．

小柴胡湯	<u>柴胡</u>	<u>黄芩</u>	半夏	生姜	大棗	人参	甘草
半夏瀉心湯	<u>黄連</u>	<u>黄芩</u>	半夏	<u>乾姜</u>	大棗	人参	甘草
六君子湯	<u>茯苓</u>	<u>蒼朮</u>	半夏	生姜	大棗	人参	甘草	<u>陳皮</u>

3処方ともに，半夏，生姜（乾姜），大棗，人参，甘草が共通して配合されているが，小柴胡

第2章　繁用漢方処方の解説と使用上の注意

湯と半夏瀉心湯では中心となる生薬がそれぞれ柴胡＋黄芩，黄連＋黄芩という抗炎症薬であり，適応となる代表的な疾患は上部消化器の炎症性疾患である．2つの差は，小柴胡湯の腹証が胸脇苦満で，肝臓をはじめとする上部消化器の炎症性疾患に幅広く用いられるに対し，半夏瀉心湯の腹証は心下痞硬であり，症状が胃を中心にみぞおち部に限局されていることである．また，半夏瀉心湯では裏を強く温める乾姜が配合されていることから，軟便，下痢傾向のある人にも適する．両者ともに大棗や人参のような補薬も配合されていることから，体力的には中程度の人に用いられる．実証で便秘を伴うような場合は，それぞれ大柴胡湯，三黄瀉心湯などの対応となる．一方，六君子湯は水滞を解消する茯苓＋蒼朮の組み合わせが中心となっており，胃内停水により胃に冷えがある人の消化不良や胃腸障害に適する．虚証用の処方であるが，さらに冷えが強く，極めて虚している場合は，人参湯と真武湯の合方などが用いられる．

微小変化型ネフローゼ症候群患者のステロイド剤離脱に柴苓湯が有効であった症例

　微小変化型ネフローゼ症候群（MCNS）はステロイド剤に対する反応性はよいものの，ステロイド剤の減量に伴い再発する例が多く，再発防止のためにステロイド剤投与法の工夫や免疫抑制剤の併用，抗血小板薬の投与などが試みられているが，必ずしもその効果は十分とはいい難い．ステロイド剤の減量に伴い再発を繰り返すMCNSに対して，柴苓湯によりステロイド剤離脱に成功した症例2例を示す．

- 症例1：32歳，男性．7歳時に発症し，ステロイド剤（プレドニゾロン：PSL）により緩解するも，減量により再発を繰り返した．再発時の内服PSL量は平均7.5 mg/日であった．ネフローゼ状態の緩解後，柴苓湯エキスの投与を開始した．その後，PSLを漸次減量するも再発はみられず，柴苓湯エキス投与開始から48か月後，PSLを完全に中止．以後，再発はみられなかった．本症例は発症から25年目にして初めてステロイド剤から離脱できたものである．
- 症例2：23歳，女性．17歳時に発症．ステロイド剤のみにて緩解するも，PSLを10 mg/日まで減量したところで再発．シクロホスファミドの併用も行い緩解したが，その後PSL減量に伴い，2回再発した．ネフローゼ状態の緩解後，柴苓湯エキスの投与を開始した．その後，PSLを漸次減量するも再発はみられず，柴苓湯エキス投与開始から16か月後，PSLを完全に中止．以後，再発はみられなかった．

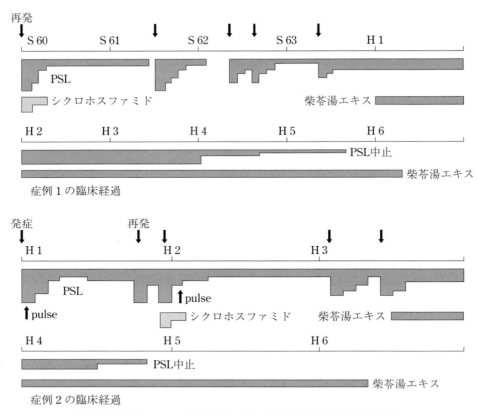

微小変化型ネフローゼ症候群に対する柴苓湯の再発抑制効果

文献：貝塚満明ら，微小変化型ネフローゼ症候群に対する柴苓湯の再発抑制効果について，漢方医学，**20**，53-56（1996）より抜粋，一部改変．

気管支喘息に柴朴湯が有効であった症例

　気管支喘息は，気道の慢性炎症であり，軽度のものから致死的なものまで存在し，自然にまた薬物によって可逆的であると定義されている．その病態は一様ではなく，コントロールに難渋する症例もある．気管支喘息に対し，西洋薬と漢方薬を併用して有効であった症例を示す．

症例1
患者：10歳，女性．
主訴：喘息発作．
現病歴：2歳のときに喘息を発症し，ここ数年来，発作が頻繁になってステロイド内服薬を中
　心とした治療を受けていた．
現症：身長136 cm，体重41 kg．ピークフロー値140 L/min．アレルギー検査では，ハウスダ

スト，ヒョウヒダニ，ハルガヤ，イヌ上皮，ネコ上皮などに強陽性．

漢方医学的所見：実証で陽．脈は緩で，舌に白苔あり．胸脇苦満を認める．

治療と経過：この患者に対して，内服ステロイドの休止，ステロイド剤吸入療法の開始および柴朴湯エキス 2.5 g（1 日量）の投与を行った．治療開始 3 か月後にはスイミングスクールでの水泳を楽しめるようになり，ステロイド剤の吸入量も半減した．治療開始 1 年後にはステロイド剤の吸入を止めることができ，ピークフロー値も 380 L/min に改善した．水泳の記録会では，学年 1 位の成績をとるなど運動能力の向上もめざましかった．柴朴湯エキス 2.5 g（1 日量）の投与をさらに 1 年間続けた後に廃薬したが，喘息の自覚症状はほとんど認められずピークフロー値も 390 L/min で安定している．現在，喘息治療は吸入ステロイド薬が主流になっており，これに気管支拡張剤，抗アレルギー剤などが併用される．喘息は維持療法が重要な疾患であるが，それに柴朴湯の有用性が示された症例である．

　　文献：泉山隆男ら，喘息患者に対する柴朴湯投与について，漢方診療，**16**（3），4（1997）より抜粋，一部改変．

症例 2

患者：53 歳，男性．

主訴：息切れ，喘息，咳嗽．

既往歴：高血圧症．

現病歴：2009 年 2 月に来院．他院にて気管支喘息の治療目的にて吸入ステロイド（β_2 刺激薬配合）を処方されていたが，転居後 1 年間くらいは使用していない．除雪作業や走ったときに息切れを自覚する．

現症：身長 176.7 cm，体重 64.9 kg．血圧 156/96 mmHg．

漢方医学的所見：腹力は中程度で，心下痞と胸脇苦満を認める．脈は弦で，舌には軽度の白苔がある．

治療と経過：来院時には以前と同じステロイド吸入薬を処方した．その後も整髪料で喘鳴が出たり，ときどき気管や食道部の違和感で咳き込むこともあった．健康診断にて高血圧も指摘された．感冒のときは咳が長引くとのことであった．ステロイド剤の長期使用は口腔内カンジダなどの原因となる旨の説明のもと，来院 1 年後より柴朴湯エキス 7.5 g/日分 3（食前）を処方した．吸入薬の使用回数は 1 日 2 回から 1 回，隔日と漸減し，1 か月後に中止した．現在まで発作はなく，表情も柔和になり，経過は良好である．

　　文献：陣野原庸治，柴朴湯の処方によりステロイド薬からの離脱が可能となった気管支喘息の 1 症例，漢方と診療，**3**，43（2012）より抜粋，一部改変．

ベンゾジアゼピン系抗不安薬で軽快しなかったパニック障害に柴朴湯が有効であった症例

ベンゾジアゼピン系抗不安薬で軽快しなかった予期不安，心気症状が，柴朴湯の投与によって消失したパニック障害の症例を示す．

症例：32歳，女性．看護師．仕事上のストレスからいらいら感，耳鳴り，頭痛が生じ，夜勤中にパニック発作（めまい，発汗，離人症状）を認めた．内科受診では身体的に異常認めず，ジアゼパム6 mg/日分3を処方され，発作は軽快したが予期不安は改善せず，頭痛や耳鳴りなどの心気症状にも変化はなかった．その後，眠気もあり服薬を中断していたが，再度パニック発作が頻回に出現するようになった．初診時所見では神経学的には問題なく，やや肥満型で顔色は普通．現症としては，夜間独りのときに出現するパニック発作（めまい感，身震い，発汗，呼吸困難，離人症状）と予期不安および心気症状を認め，広場恐怖を伴わないパニック障害と診断された．過去の治療では，ベンゾジアゼピン系抗不安薬は眠気などの副作用が強かったことから，漢方薬を試してみることとし，中間証に適応する柴朴湯エキス7.5 g/日分3を処方した．投薬開始2週間後にはパニック発作と予期不安の改善を認め，2か月後には頭痛や耳鳴りなどの心気症状が消退した．3か月後にはパニック発作は完全に消失し，軽度の予期不安のみとなった．本人の希望により1日量を5.0 gに減じたが，精神症状の増悪はみられなかった．本症例では，特に実証・虚証の判定をせず，中間証の柴朴湯を使用した結果，パニック発作や睡眠障害に対して抗不安薬や睡眠薬を併用することなく単独で高い改善度を示し，副作用も認めなかった．作用の発現は投与後第2週目と比較的即効性もあり，柴朴湯のパニック障害に対する有用性が示された症例である．

文献：今井昌夫ら，柴朴湯が有効であったパニック障害の1例，漢方診療，**16**（2），10（1997）より抜粋，一部改変．

不眠・いらいら感などの神経症状に柴胡加竜骨牡蛎湯が有効であった症例

不眠，いらいら感を強く訴え，ベンゾジアゼピン系睡眠薬を長期かつ過量に服用していた患者に対し，柴胡加竜骨牡蛎湯が有効であった症例を示す．

患者：56歳，男性．
主訴：不眠，いらいら感．
現病歴：30歳頃から不眠症気味であった．日中いらいらして仕事にも身が入らず，休みがちであった．さまざまな睡眠薬，抗不安薬を投与されたが改善せず，次第に用量が増え，ふら

ふらすることもあったが，それでも毎日服用せずにはいられない薬物依存の状態になっていた．

現症：体格はがっしり型，実証．不眠といらいら感を強く訴えた．うつ病を示唆するような抑うつ気分，日内変動などは認めなかった．頭部CT，血液生化学検査では器質的な異常を認めなかった．

経過：いらいら感を中心とした神経症性の不眠が目立っていたために，柴胡加竜骨牡蛎湯エキス7.5 g/日分3を処方した．投与2週間後には，いらいら感もやや軽減し入眠がスムーズとなった．4週間後にはさらにいらいら感が減り，熟睡感が得られるようになったため，睡眠薬などの用量を徐々に減らしていった．8週間後には，睡眠薬などの用量を以前の3分の1まで減らすことができた．不眠と強いいらいら感を訴えた中高年者の，神経症性不眠に対する漢方治療の有用性と安全性が示された症例である．

　　文献：篠崎 徹，不眠，イライラを強く訴える中高年者に柴胡加竜骨牡蛎湯が有効であった1例，漢方診療，**17**，86（1998）より抜粋，一部改変．

潰瘍性大腸炎に柴苓湯が有効であった症例

　潰瘍性大腸炎は内科的治療の進歩によって緩解に導かれる症例も多く経験されるにいたっている．しかし，ステロイド離脱の困難な症例や長期投与による弊害など新しい困難に遭遇するようになった．潰瘍性大腸炎に対して柴苓湯を投与し，ステロイド離脱後も緩解を保っている症例を示す．

患者：40歳，男性．
主訴：下痢，粘血便．
既往歴：特記すべきことなし．
家族歴：特記すべきことなし．
現病歴：年末より下痢，粘血便が出現したため近医を受診し，注腸透視，大腸内視鏡にて左側結腸型の潰瘍性大腸炎との診断を受けた．サラゾスルファピリジン（SASP）4 g/日，プレドニゾロン（PSL）30 mg/日を服用したが，粘血便，下痢の改善がみられないため，翌年9月より本院に入院加療となった．
入院時現症：顔貌が満月様であること，直腸指診で血液の付着を認める以外著変なし．
検査成績：白血球10,400と増加，赤沈24/55，CRP 0.7であった．S状結腸内視鏡検査では，直腸よりS状結腸に連続する浅いびらんを認め，活動型の潰瘍性大腸炎に相当する所見であった．組織学的には，腺管の大小不同，杯細胞の減少，固有層への強いリンパ球浸潤など活動性の所見がみられ，慢性持続型，中等症と診断された．
入院後経過：入院後，低残渣食（E.D.），SASP 4 g/日，PSL 30 mg/日で経過を観察したとこ

ろ，下痢，粘血便は減少した．3か月後再び粘血便，下痢の出現，血沈の亢進，CRPの増加を認めた．大腸内視鏡では，S状結腸より下行結腸にびらんが多発し，易出血性で，再燃増悪と考えられた．PSLを60 mg/日に増量したところ，粘血便の消失，血沈，CRPの改善を認めた．これより柴苓湯エキス9.0 g/日を併用して，PSLを漸減した．10週目にはPSL 25 mg/日まで減量しても症状は緩解していた．内視鏡像組織像は依然活動性を呈していたが，症状がないため外来通院とした．外来にて柴苓湯エキスを併用しながら，さらにPSLを漸減した．最終的にはPSLを中止したが，柴苓湯のみで症状の増悪もなく，内視鏡的にも組織学的にも緩解を保っている．

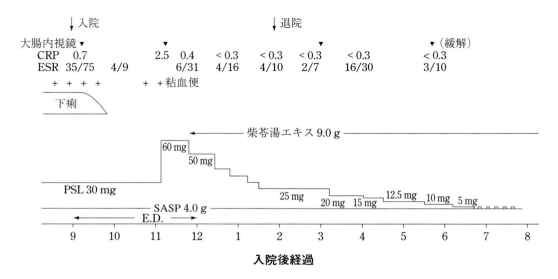

文献：木村圭志，漢方療法併用がステロイド減量に有用であった潰瘍性大腸炎の1例，現代東洋医学　臨時増刊号　難病・難症の漢方治療　第3集，**11**，190-191（1990）より抜粋，一部改変．

喉の違和感に半夏厚朴湯が有効であった症例

咽頭喉頭不快感をきたす疾患としては，局所的には炎症，甲状腺異常，腫瘍，形態異常などであり，全身的には薬物の副作用，自律神経失調症，更年期障害，不安障害などがある．喉の違和感を訴える女性に半夏厚朴湯を投与し，有効であった症例を示す．

患者：48歳，女性（主婦）．
産科歴：2妊1産，帝王切開分娩．
既往歴：乳がん（右）の手術．
臨床経過：乳がん術後，本院にて子宮頸がん，子宮体がん，卵巣がんの定期検診を受けている．

来院3か月位前から「喉の違和感」を覚え，耳鼻科にて精密検査を受けたが，炎症も腫瘍もなく正常であった．婦人科的には月経も規則的に発来しており，卵巣機能低下も考えられず，器質的病変もみあたらなかった．そこで，半夏厚朴湯エキス7.5 g/日分3を投与した．投与1週間後には症状が軽減し，2週間後には症状は完全に消失し，以後の投薬を中止した．その後，症状の再発を認めない．半夏厚朴湯は気鬱に用いる代表的な漢方薬である．この症例は乳がんの手術を受けており，がんに対する不安が「喉の違和感」を発現させたものと思われる．

　　文献：金城盛吉，田村是六，「喉の違和感」に半夏厚朴湯が奏効した1症例，漢方診療，**15**（1），7（1996）より抜粋，一部改変．

アルツハイマー型認知症の周辺症状に抑肝散が有効であった症例

　抑うつ状態と興奮，攻撃的言動の両面に抑肝散が奏効したアルツハイマー型認知症の症例を示す．

患者：82歳，男性．
臨床経過：78歳頃から認知症症状が出現した．82歳頃から易刺激的，易怒的な面が目立つようになり，「財布を盗られた」などとしばしば興奮するようになったため，家族に連れられてA病院精神科を受診した．中間証，左に軽度の胸脇苦満を認めた．腹力は3/5で，脱直筋の緊張は目立たなかった．頭部MRIでは，大脳皮質全般性に萎縮を認めた．アルツハイマー型認知症と診断し，ドネペジル塩酸塩の投与を開始したが，「物忘れが激しい．こんなになってはもうだめだ」と抑うつ的となった．興奮状態も激しいため，アリセプトをリスペリドンに変更したが，抑うつ状態はさらに悪化し食欲も低下した．家族に対し，「こんなに調子悪いのに，病人を粗末にしている」としばしば怒鳴るなど，抑うつ気分，不安，焦燥，攻撃的言動，興奮が顕著であった．そこでリスペリドンを中止し，抑肝散5 g/日分2を開始した．開始1週間後から不調の訴えが激減し，怒鳴ることもなくなり，食欲も徐々に回復した．投与開始1か月後，精神症状は改善し，以後も安定した状態が続いている．従来から高齢の認知症患者のいらいら，易興奮性などの症状に抑肝散の有効性が報告されている．また，抑肝散の証には緊張，興奮型に加え，弛緩，沈うつ型があることも指摘されている．本例でも興奮や攻撃性のみならず，抑うつ状態にも抑肝散が奏効したと考えられる．高齢の認知症患者で，抑うつ状態と攻撃性や興奮状態の両者が目立つ症例は，薬物の選択や副作用の点で向精神薬を用いた薬物療法が極めて困難である．このような症例に，抑肝散は一考に値するものと考えられた．

　　文献：水上勝義ら，抑うつ状態と攻撃的言動・興奮状態を呈するアルツハイマー型老年痴呆に抑肝散が奏効した1例，漢方医学，**28**，131（2004）より抜粋，一部改変

身体症状を主訴とする抑うつ状態に補中益気湯が有効であった症例

　補中益気湯は胃腸を補い，気を益すという漢方薬で，気虚といわれる状態，すなわち食欲，体力，気力が低下している場合に用いられる．高齢者の身体症状を主訴とする抑うつ状態に，補中益気湯が有効であった症例を示す．

　患者：85歳，女性．
　主訴：全身倦怠感，意欲の低下．
　臨床経過：2年前，親しい人が他界したのをきっかけに，食欲不振，意欲減退，身体機能の低下が起こり，歩行も不可能になったため当院に入院した．入院後，食欲は出てきたが，平成9年7月頃より臥床しがちで意欲が低下し，病院の食堂に誘っても拒否するようになった．表情に乏しく，声も小さく，全身倦怠感を訴えた．身長126 cm，体重32 kgで，前屈姿勢であった．血圧は152/82 mmHg，左視力障害（白内障）がみられた．そのほか，認知症の症状が認められた．7月14日より，補中益気湯エキス5.0 g/日分2の投与を開始した．2週間後の7月28日，自発語が増えてきた．8月4日，表情が以前より明るくなり，笑顔もみられるようになった．全身倦怠感の訴えも減ってきた．8月18日，車椅子を自力で駆動し，食堂への移動も協力するようになった．全体の経過をみると，補中益気湯エキスを服用し始めて2週間後くらいから徐々に効果がみられ，3週目位から明らかな改善が認められた．
　　文献：稲永和豊，古賀照邦，補中益気湯の抑うつ状態に有効であった1例，漢方診療，**17**，57（1998）より抜粋，一部改変．

手術後の冷え症に十全大補湯が有効であった症例

　老年期の女性患者に対し，術後の免疫能力を高めるため十全大補湯を処方していたが転科を機に処方されなくなり，手足の冷えが出現したため再び十全大補湯を処方したところ，速やかに冷えが改善した症例である．

　患者：78歳，女性．
　臨床経過：平成10年9月30日，左上歯肉がん，左頸部リンパ節転移に対し，左上顎部分切除術，左頸部郭清術を施行した．同10月下旬より，十全大補湯エキス7.5 g/日分3を投与した．以後，経過は順調であったが，11月中旬に胸部X-Pにて右上肺野に異常陰影を認めた．胸部CT上，腺がんを疑われ，12月8日外科に転科した．また，ほぼ同時期に右頸部リンパ節転移を認めたため，あわせて12月14日に，右頸部郭清術，右上肺楔状切除術を施行した．術中迅速病理組織診断にて肺は結核という結果であったため，胸部は閉創した．

以後，頸部の術後管理を目的に再び当科（耳鼻咽喉科）に転科した．患者は，身長155 cm，体重50 kgで，最近手足が冷えて困ると訴え，靴下を履いていたため，外科入院中に十全大補湯を処方されていたか尋ねてみたところ，処方されていないということであった．そこで，同日より再び十全大補湯エキスを処方したところ，速やかに手足の冷えは消失し，靴下を履くこともなくなった．以後，経過は良好で12月27日に退院し，外来にて十全大補湯エキスの処方を継続して経過観察中であるが，手足の冷えは出現していない．十全大補湯は病後，術後の体力低下，手足の冷えなどに有効とされている．術後の全身倦怠感や体力低下は，患者の入院期間の延長やQOLの低下を招く．十全大補湯は，術後患者のQOLの向上に有効であると考えられる．

　　文献：鈴木康士，大谷　巌，手術後の冷え症に十全大補湯が有効であった1例，漢方診療，**18**，85（1999）より抜粋，一部改変．

高齢者糖尿病に牛車腎気丸が有効であった症例

　牛車腎気丸は，下肢の冷えやしびれを訴える高齢者や糖尿病性神経障害に有効であることが報告されている．前立腺肥大症と老人性皮膚瘙痒症の患者に，牛車腎気丸を使用して著効を認めた症例を示す．

患者：78歳，男性．
主訴：両下肢のしびれ感，頻尿，全身の瘙痒感．
既往歴：14年前に糖尿病を発症し，治療開始当初のHbA1cは8％程度で血糖のコントロールは不良であったが，最近は6.4％と改善してきた．1年前より両下肢の異常知覚（しびれ感）と全身の皮膚の瘙痒感を訴えた．そこでビタミンB_{12}とメキタジンの内服治療を行ったところ，症状は改善傾向にあったが，最近再び増悪しつつあった．また，4か月前より夜間の頻尿を自覚しており，タムスロシン塩酸塩が投与されていた．
臨床経過：身長159 cm，体重53 kg，血圧126/78 mmHg．胸腹部に異常所見なし．浮腫を認めず．下肢振動覚は低下．アキレス腱反射は消失．皮膚所見では，ところどころに掻き傷と思われる創傷を認めた．直腸診で肥大した前立腺を触知した．眼底検査では，単純網膜症（小出血斑）を認めた．以上から，糖尿病性神経障害，前立腺肥大症，老人性皮膚瘙痒症と診断し，牛車腎気丸エキス7.5 g/日分3を投与したところ，2日後頃から頻尿と瘙痒感が軽快し，2週間後からは下肢のしびれ感も軽減してきた．服用開始2か月後には，ビタミンB_{12}とゼスランの服用を中止できるまでに改善した．高齢化社会を迎え，今後はこのような症例が増加するものと思われる．一剤で多くの効果が得られるという，漢方薬の特性が確認された症例である．

　　文献：中村宏志ら，牛車腎気丸が有効であった高齢者糖尿病の1例，漢方医学，**26**，273（2002）

より抜粋，一部改変．

パクリタキセルによるしびれに対して牛車腎気丸が有効であった症例

患者：71歳，男性．

現病歴：肺扁平上皮がんにて外科手術を施行後，UFTの内服を行っていたが，局所再発が出現し，抗がん剤（カルボプラチン＋パクリタキセル）の投与を開始した．投与数日後より上肢のしびれが出現し，徐々に増強した．ペットボトルのふたを開閉することが困難になり，しびれのため不眠も訴えた．NCI-CTC（National Cancer Institute Common Toxicity Criteria）ではgrade 2相当であった．

治療経過：上記の症状は，パクリタキセルによる末梢神経障害と判断した．ビタミンB_{12}製剤の内服を開始したが，十分な改善は見られなかった．そこで，牛車腎気丸エキスの投与を開始したところ，徐々にしびれは治まり，2週間程度で不眠は解消した．また，ペットボトルのふたの開閉もできるようになり，NCI-CTCはgrade 1まで改善した．現在まで副作用もなく，牛車腎気丸エキスの服用を継続している．

　　文献：籠橋克紀ら，パクリタキセルによる化学療法後のしびれに牛車腎気丸が有効だった肺がんの症例，漢方と診療，**3**，134（2012）より抜粋，一部改変．

難治性アトピー性皮膚炎に当帰飲子が有効であった症例

アトピー性皮膚炎は，一般にステロイド外用剤や抗アレルギー剤の併用によって治療するが，ステロイド外用剤の使用方法によっては難治化することもある．漢方薬の内服と軟膏基剤の外用のみで軽快した難治性アトピー性皮膚炎の症例を示す．

患者：24歳，女性（幼稚園教諭）．

現病歴：5歳頃にアトピー性皮膚炎を発症．対症療法で軽快していたが，高校1年頃より皮膚炎が次第に増悪し，近医にて処方されたステロイド外用剤を連日使用していた．平成6年8月，ステロイドの副作用を知り，外用剤を中止したところ皮膚炎が急激に増悪したため，同年10月に来院した．

現症：体格中等度で，手足が冷えやすい．眼周囲，頸部，肘窩，膝窩，手首，手指に乾燥傾向のある皮疹，紅斑，苔癬化局面を認め，強い瘙痒感を伴っていた．検査では，血清IgE 192 IU/mL，RAST法でダニ，ハウスダスト，スギが陽性．皮膚の白癬菌は陰性であった．

臨床経過：患者はステロイド外用剤を含む西洋医学的治療に強い恐怖心と拒否を示したため，消風散エキス7.5 g/日分3と黄連解毒湯エキス5.0 g/日分2，白色ワセリンの外用にて治療を開始した．投薬4週間後も症状の改善がみられないため，消風散を当帰飲子エキス7.5 g/

日分3に変更した．変更後，2週間目から皮膚炎の軽快傾向を認め，瘙痒感も軽減したため，黄連解毒湯エキスは中止し，当帰飲子エキスのみの処方とした．3か月後には顔面，頸部，肘窩，膝窩の皮膚炎が改善したが，手首と手指は職業上，絵具や粘土，砂などに触れる機会が多いため軽い増悪を繰り返しながらも，平成7年11月頃には軽快した．現在も内服継続中である．約6年間にわたるステロイド外用剤の連用の結果，患者が医療不信を抱き，一般的治療が困難であったが，根気強いスキンケアと漢方治療が奏効した症例である．

文献：市川陽子，当帰飲子エキスが有効であった難治性アトピー性皮膚炎の1例，漢方診療，**15**(5)，6 (1996) より抜粋，一部改変．

第3章

漢方で使う主要生薬

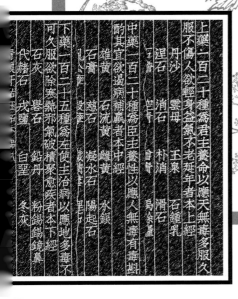

上藥一百二十種爲君主養命以應天無毒多服久服不傷人欲輕身益氣不老延年者本上經
玉泉 丹砂 雲母 玉泉 石鍾乳 涅石 消石 朴消 滑石 空青 曾青

中藥一百二十種爲臣主養性以應人無毒有毒斟酌其宜欲遏病補羸者本中經
雄黄 石流黄 雌黄 水銀 石膏 慈石 凝水石 陽起石 戎鹽 蜂蜜

下藥一百二十五種爲佐使主治病以應地多毒不可久服欲除寒熱邪氣破積聚愈疾者本下經
石灰 礜石 鉛丹 粉錫錫鏡鼻 代赭石 戎鹽 白堊 冬灰

第3章　漢方で使う主要生薬

　漢方薬は配合された生薬全体で薬能を発揮しているので，個々の生薬の知識は必要がないように思いがちである．しかし，薬剤師は漢方薬を調剤する際医師の処方の意味を理解し，調剤の過誤を防ぎ，患者に適正な服薬指導をするために，個々の生薬について十分な知識をもっておく必要がある．

　漢方に使われる生薬は約200種類，まれに使うものも含めれば約300種類といわれている．しかし，汎用される生薬は限られているので，ここでは約100種の主要な漢方生薬をとりあげた．

1．タイトルの生薬名の後にある（日局），（局外）はそれぞれ，第18改正日本薬局方（2021），日本薬局方外生薬規格2018に収載されていることを示している．また，文中の「薬典」は中華人民共和国薬典2000年版の意味である．

2．各生薬は，基原　成分　薬性　適用　古典の記載　備考　同類生薬　処方例　の順に解説してある．

3．薬性　は，生薬の持つ味の特徴（酸，苦，甘，辛，鹹），身体を温める作用があるか（温），冷やす作用があるか（寒），どちらの作用もないか（平），主として気，血，水，脾胃のどこと関わっているかを表している．漢方生薬の働きを示す基本的な性質である．ただし，味は五行説との関係で記述されているので，実際の味と違うことがある．また，生薬は気，血，水，脾胃のどれかの一つとだけ関わっているわけではなく，気をめぐらせ水毒をとるというように二つ以上に関係しているものも多い．ここでは主に，渡辺　武著，平成薬証論に従った．

4．古典の記載　では，主として以下の4書の記載を紹介した．

　「神農本草経」中国最古の生薬書で，薬効の記載は現在でも通用する．ただし，長く服用すると水の上を歩けるようになるというような記載もある．本書ではそのような部分は省略した．

　「名医別録」陶弘景が紀元500年頃に当時の名医の経験を基に著したもので，「神農本草経」とともに基本的な文献である．

　「重校薬徴」吉益東洞が漢方薬中での生薬の働きを解析して，個々の生薬の働きを明らかにした「薬徴」（1771）を，尾台榕堂が1853年に校訂したものである．

　「古方薬議」明治の初めの漢方の大家で，御典医も務めた浅田宗伯の著である．1863年の発行で，生薬の漢方的な使い方が記述されている．

　このほか，蘇敬ら：新修本草（659），陳蔵器：本草拾遺（739），劉翰：開宝本草（973〜974），寇宗奭：本草衍義（1119），李時珍：本草綱目（1590），香川修庵：一本堂薬選（1729〜1734），村井琴山：薬徴続編（1787）などから引用した．

　これらの文は読み下し文とし，本章の最後に用語の意味を簡単に解説した．

第3章　漢方で使う主要生薬

各 論

1　阿膠（アキョウ）　Asini Corii Collas（局外）

基　原　ロバ *Equus asinus* Linné（ウマ科 Equidae）の毛を去った皮，骨，けんまたはじん帯を水で加熱抽出し，脂肪を去り，濃縮乾燥したもの．

成　分　collagen．アミノ酸：lysine, arginine.

薬　性　甘，微温．血剤．

適　用　補血，止血を目的として，各種の出血，生理不順，めまい，動悸，不眠，咳などに応用する．

古典の記載　「神農本草経」上品．心腹内崩して労極，洒々として瘧状となって腰腹が痛み，四肢が酸疼するもの，女子の下血，安胎を主る．

「名医別録」丈夫の小腹痛，虚労，羸痩，陰気の不足，脚痠し久しく立つこと能わざるものを主り，肝気を養う．

「古方薬議」内崩，下血，腰腹痛，四肢の酸疼，虚労，羸痩を主り，血を滋ない，風を除き，燥を潤し，痰を化し，小便を利し，大腸を調う．

備　考　煎じるときは，ほかの生薬を先に煎じ，煎じ滓を除いてから阿膠を加える．

処方例　温経湯，芎帰膠艾湯，炙甘草湯，猪苓湯

2　茵蔯蒿（インチンコウ）　Artemisiae Capillaris Flos（日局）

基　原　カワラヨモギ *Artemisia capillaris* Thunberg（キク科 Compositae）の頭花．

成　分　精油（約0.1％）．クマリン：6, 7-dimethoxycoumarin．クロモン：capillarisin．フェニルプロパノイド：capillartemisin A, B.

薬　性　苦，平．血剤．

適　用　消炎性利尿薬で，体内の炎症による熱をとる．黄疸や小便不利に応用する．

古典の記載　「神農本草経」上品．風湿，寒熱，邪気，熱結，黄疸を主る．

「名医別録」通身の発黄，小便不利を主治し頭熱を去り，伏瘕を去る．

「重校薬徴」発黄，小便不利を主治するなり．

　　　　　　　　　　　　　第 3 章　漢方で使う主要生薬

　　　　　　　「古方薬議」熱結，黄疸，小便不利を主る．伏瘕を去る．
処　方　例　　茵蔯蒿湯，茵蔯五苓散

3　茴香（ウイキョウ）　Foeniculi Fructus（日局）

基　　原　　ウイキョウ *Foeniculum vulgare* Miller（セリ科 Umbelliferae）の果実．
成　　分　　精油 3〜8 %〔主成分は anethole（57〜82 %）〕．
薬　　性　　辛，温または平．気剤．
適　　用　　辛温で腎を温め，寒による痛みをとり，胃腸を温めて正常化する．冷えによる胃腸の不調，胃痛，疝痛，下腹部の痛み，腰痛などに応用する．
古典の記載　「新修本草」諸瘻，霍乱及び蛇傷を主る．
　　　　　　　「開宝本草」膀胱，腎間の冷気及び盲腸の気を主り，中を調え，止痛し，嘔吐を主る．
　　　　　　　「本草衍義」膀胱の腫痛を療じ，胃気ならびに小腸気を調和する．
処　方　例　　安中散

4　延胡索（エンゴサク）　Corydalis Tuber（日局）

基　　原　　*Corydalis turtschaninovii* Besser forma *yanhusuo* Y. H. Chou et C. C. Hsu（ケシ科 Papaveraceae）の塊茎．
成　　分　　アルカロイド：dehydrocorydaline（硝酸塩として 0.08 % 以上）．
薬　　性　　辛，温．血剤．
適　　用　　血をめぐらせ，瘀血をとり，気を利して痛みをとる．生理不順，月経痛，無月経，産後の諸病，各種の痛みや腫れ，胃潰瘍などに応用する．
古典の記載　「開宝本草」破血し，産後の諸病で血によるもの，婦人の月経不調，腹中の血塊，崩中淋露，産後の血運，暴血の衝上，損による下血を主る．
　　　　　　　「本草綱目」活血し，気を利し，痛みを止め，小便を利す．
処　方　例　　安中散，折衝飲

5　黄耆（オウギ）　Astragali Radix（日局）

基　　原　　キバナオウギ *Astragalus membranaceus* Bunge または *A. mongholicus* Bunge（マメ科 Leguminosae）の根．
成　　分　　トリテルペノイド配糖体：astragaloside I〜IV．イソフラボノイド．フラボノイド．

薬　　性	甘，微温．水剤．	

薬　　性	甘，微温．水剤．
適　　用	体表の水毒をとる作用があり，寝汗や浮腫，小便不利に用いる．また，補薬として優れ，滋養・強壮，補気，虚弱体質の改善，免疫力の強化などに用いる．
古典の記載	「神農本草経」上品．癰疽，久しき敗瘡，膿を排し，痛みを止め，大風癩疾，五痔，鼠瘻を治し，虚を補い，児の百病を主る． 「名医別録」婦人の子臓の風邪気を主治し，五臓間の悪い血を逐い，丈夫の損傷，五労，羸痩を補し，渇き，腹痛，洩痢を止め，気を補し，陰気を利す． 「重校薬徴」肌表の水を主治する．故に皮水，黄汗，盗汗，身体の腫れ，不仁を治し，小便不利を兼治す． 「古方薬議」排膿，止痛，肉を長じ，血を補い，渇を止め，腹痛を止める．虚労，自汗を治し，肌熱および諸経の痛みを去る．
処方例	黄耆建中湯，加味帰脾湯，帰脾湯，七物降下湯，十全大補湯，清暑益気湯，清心蓮子飲，大防風湯，当帰飲子，当帰湯，人参養栄湯，半夏白朮天麻湯，防已黄耆湯，補中益気湯

6　黄芩（オウゴン）　　Scutellariae Radix（日局）

基　　原	コガネバナ *Scutellaria baicalensis* Georgi（シソ科 Labiatae）の周皮を除いた根．
成　　分	フラボノイド：baicalin（10.0 % 以上），baicalein，wogonin．
薬　　性	苦，寒．血剤．
適　　用	体内の熱をとり，炎症による諸症状を治す．みぞおちのつかえ感，炎症，充血，下痢，腹痛などを伴う疾病に応用する．
古典の記載	「神農本草経」中品．諸熱による黄疸，腸澼，洩痢を主る．水を逐い，血閉を下す． 「名医別録」痰熱，胃中の熱，小腹の絞痛を主治し，穀を消し，小腸を利し，女子の血閉，淋露，下血，小児の腹痛を主る． 「重校薬徴」心下痞を主治し，胸脇苦満，心煩，煩熱，下痢を兼治する． 「増補能毒」熱毒，諸熱による各種の病気に用いる． 「古方薬議」諸熱，黄疸，洩痢を主る．小腸を利し，擁気を破る．
処方例	温清飲，黄連解毒湯，乙字湯，荊芥連翹湯，五淋散，柴陥湯，柴胡加竜骨牡蛎湯，柴胡桂枝湯，柴胡桂枝乾姜湯，柴胡清肝湯，柴朴湯，柴苓湯，三黄瀉心湯，三物黄芩湯，潤腸湯，小柴胡湯，小柴胡湯加桔梗石膏，辛夷清肺湯，清上防風湯，清心蓮子飲，清肺湯，大柴胡湯，二朮湯，女神散，半夏瀉心湯，防風通聖散，竜胆瀉肝湯

7　黄柏（オウバク）　Phellodendri Cortex（日局）

|基　原| キハダ *Phellodendron amurense* Ruprecht または *P. chinense* Schneider（ミカン科 Rutaceae）の周皮を除いた樹皮．

|成　分| アルカロイド：berberine（ベルベリン塩化物として1.2％以上）．苦味質（トリテルペノイド）：obakunone, limonin．多量の粘液．

|薬　性| 苦，寒．血剤．

|適　用| 下半身の炎症や充血をとるので，胃腸炎，腹痛，黄疸，血便，帯下などに応用される．また，駆水薬として，下痢，排尿痛，下肢の腫脹などに用いられる．

|古典の記載| 「神農本草経」檗木．中品．五臓，胃腸中の結熱，黄疸，腸痔を主り，洩痢，女子の漏下赤白，陰陽蝕瘡を止める．
「名医別録」無毒．驚気の皮間に在るもの，肌膚に熱赤の起きるもの，目の熱赤痛，口瘡を主治する．
「古方薬議」結熱，黄疸を去り，洩痢を止め，蛔心痛，鼻洪，腸風，瀉血を治す．

|備　考| 黄柏は水エキスを濃縮したものが昔から胃腸薬として使われた．大峰山の「陀羅尼助」，木曽御岳の「お百草」，山陰地方の「練熊」などが知られている．

|処方例| 温清飲，黄連解毒湯，荊芥連翹湯，柴胡清肝湯，滋陰降火湯，七物降下湯，清暑益気湯，半夏白朮天麻湯

8　桜皮（オウヒ）　Pruni Cortex（日局）

|基　原| ヤマザクラ *Prunus jamasakura* Siebold ex Koidzumi またはカスミザクラ *P. verecunda* Koehne（バラ科 Rosaceae）の樹皮．

|成　分| フラボノイド：sakuranetin．

|薬　性| 苦，平．血剤．

|適　用| 中国では用いない．十味敗毒湯のみに使用（備考参照）．

|備　考| 華岡青洲創案の十味敗毒剤には桜皮が配合されているが，浅田宗伯は桜皮を樸樕に代えて十味敗毒湯と称した．日本では江戸時代に民間薬として煎液を生ものによる食中毒（蕁麻疹），二日酔いに使い，打撲にも外用した．

|処方例| 十味敗毒湯

9　黄連（オウレン）　Coptidis Rhizoma（日局）

|基　原| オウレン *Coptis japonica* Makino, *C. chinensis* Franchet, *C. deltoidea* C. Y. Cheng

et Hsiao または *C. teeta* Wallich（キンポウゲ科 Ranunculaceae）の根をほとんど除いた根茎.

成　　分	アルカロイド：berberine（ベルベリン塩化物として 4.2％以上）.
薬　　性	苦，寒．血剤.
適　　用	解熱，抗炎症作用があり，下痢，嘔吐，腹痛，目の充血，鼻出血，湿疹，口内炎，咽痛などに応用される．また，胃部の炎症による精神不安に用いる．
古典の記載	「神農本草経」上品．熱気，目痛，眥が傷み泣出ずるを主る．また，目を明らかにし，腹痛，下痢，婦人陰中の腫痛を治す． 「名医別録」五臓の冷熱，久しく下る泄澼，膿血を主治し，消渇，大驚を止め，水を除き，骨を利し，胃を調へ，腸を厚くし，痰を益し，口瘡を治す． 「重校薬徴」心中の煩悸を主治し，心下の痞，吐下，腹中の痛みを兼治す． 「古方薬議」熱気，腸澼，腹痛，下痢，煩燥を主る．止血，口瘡を療す．
備　　考	西洋医学では苦味健胃・整腸薬として用いる．
処方例	胃苓湯，温清飲，黄連湯，黄連解毒湯，荊芥連翹湯，柴陥湯，柴胡清肝湯，三黄瀉心湯，清上防風湯，竹筎温胆湯，女神散，半夏瀉心湯

10　遠志（オンジ）　　Polygalae Radix（日局）

基　　原	イトヒメハギ *Polygala tenuifolia* Willdenow（ヒメハギ科 Polygalaceae）の根または根皮.
成　　分	トリテルペノイドサポニン：onjisaponin A〜G.
薬　　性	苦，温．水剤.
適　　用	水滞を除き，鎮静薬的な作用をする．健忘症，動悸，不眠，精神不安などの症状に応用する．
古典の記載	「神農本草経」上品．欬逆，傷中を主り，不足を補い，邪気を除き，九竅を利し，知恵を益し，耳目を聡明にし，忘れず，志を強くし，力を倍す． 「名医別録」丈夫を利し，心気を定め，驚悸を止め，精を益し，心下の膈気，皮膚の中熱，面目の黄を去るを主る．
同類生薬	セネガはイトヒメハギと同属で，北米原産の *P. senega* Linné またはヒロハセネガ *P. senega* var. *latifolia* Torrey et Gray の根を基原とする．遠志と類似したサポニンを含み，西洋医学で去痰薬とする．漢方では用いない．遠志も西洋医学では去痰として用いる．
処方例	加味温胆湯，加味帰脾湯，帰脾湯

11　何首烏（カシュウ）　Polygoni Multiflori Radix（日局）

- **基原**　ツルドクダミ *Polygonum multiflorum* Thunberg の塊根．しばしば輪切される．
- **成分**　アントラキノン誘導体．polygonimitin B, chrysophanol．スチルベン配糖体：2,3,5,4′-tetrahydroxystilbene 2-O-β-D-glucoside．フラボノイド．
- **薬性**　苦，甘，渋，微温．血剤．
- **適用**　血虚によるめまい，心悸亢進，不眠，肝腎の陰虚による足膝のだるさを治す．化膿性疾患やリンパ節にできた腫れ物などに応用し，潤腸通便の作用もある．
- **古典の記載**　「開宝本草」瘰癧を主り，癰腫を消し，頭面の風瘡，五痔を療じ，心痛を止め，血気を益す．

　「本草綱目」血を養い，肝を益し，精を固め，腎を益し，筋骨を健やかにし，髭髪を黒くする．滋補の良薬としてその功力は地黄，天門冬諸薬の上に在る．風虚，癰腫，瘰癧の諸疾に対する効果は明らかである．
- **備考**　何首烏という人がこの植物を服用していたところ，頭（首）の毛が烏のように黒くなったという中国の伝説に由来している．養毛・育毛効果があるといわれている．
- **処方例**　当帰飲子

12　藿香（カッコウ），広藿香（コウカッコウ）　Pogostemoni Herba（日局）

- **基原**　*Pogostemon cablin* Bentham（シソ科 Labiatae）の地上部．
- **成分**　セスキテルペノイド：patchouli alcohol．フェニルプロパノイド：methylchavicol．
- **薬性**　辛，微温．気剤．
- **適用**　胃腸機能の低下に用いられ，食欲不振，消化不良，嘔吐，下痢などに用いる．寒熱頭痛などに応用する．
- **古典の記載**　「嘉祐本草」風水毒の腫を療じ，悪気を去り，霍乱，心痛を療ず．
- **処方例**　藿香正気散

13　葛根（カッコン）　Puerariae Radix（日局）

- **基原**　クズ *Pueraria lobata* Ohwi（マメ科 Leguminosae）の周皮を除いた根．
- **成分**　イソフラボノイド：puerarin（2.0％以上），daidzein, daidzin．トリテルペノイド．

薬　性	甘，平．水剤．
適　用	自汗のないものの表の熱をとる．発熱，頭痛，項背部の強直，無汗，口渇，発疹などに応用する．
古典の記載	「神農本草経」中品．消渇，身の大熱，嘔吐，諸痺を主る．陰気を起こし，諸毒を解す． 「名医別録」傷寒中風の頭痛を主治し，肌を解し，表を発して，汗を出し，腠理を開き，金瘡を療じ，痛み，脇風痛を止める． 「重校薬徴」項背強ばるを主治し，喘して汗出づるを兼治す． 「古方薬議」大熱を主り，肌を解き，腠理を開き，津液を生じ，筋脈を舒す．
処方例	葛根湯，葛根湯加辛夷川芎，桂枝加葛根湯，参蘇飲

14　滑石（カッセキ），軟滑石（ナンカッセキ）　　Kasseki（日局）

基　原	鉱物であり，主として含水ケイ酸アルミニウムおよび二酸化ケイ素からなる．鉱物学上の滑石とは異なる．
成　分	$Al_2O_3 \cdot 2SiO_2 \cdot 4H_2O$，$Al_2O_3 \cdot 2SiO_2 \cdot 2H_2O$．
薬　性	甘，寒．水剤．
適　用	熱をとり，湿を除き，水を利するので，尿道炎や膀胱炎の利尿，皮膚炎，湿疹に応用する．
古典の記載	「神農本草経」上品．身熱，洩澼，女子の乳難，癃閉を主る．小便を利し，胃中の積聚，寒熱を蕩かし，精気を益す． 「名医別録」九竅，六腑の津液を通じ，留結を去り，渇を止め，人をして中を利せしめる． 「重校薬徴」小便不利を主治し，渇を兼治す． 「古方薬議」小便を利し，渇を止め，煩熱，心躁を除き，腸胃中の積聚，寒熱を蕩かし，能く五淋を療す．
処方例	五淋散，猪苓湯，防風通聖散

15　栝楼根（カロコン）　　Trichosanthis Radix（日局）

基　原	*Trichosanthes kirilowii* Maximowicz，キカラスウリ *T. kirilowii* Maximowicz var. *japonicum* Kitamura，またはオオカラスウリ *T. bracteata* Voigt（ウリ科 Cucurbitaceae）のコルク層をできるだけ除いた根．
成　分	デンプン．脂肪酸．多糖類．タンパク質．アミノ酸．トリテルペノイド．
薬　性	苦，寒．血剤．

| 適　　　用 | 虚証のものの身体の熱をとり，水分を補い，渇きを止める．糖尿病などの口渇，腫物の熱，黄疸，身体が乾いて痒いものに応用する． |

| 古典の記載 | 「神農本草経」括蔞．中品．消渇，身熱，煩満，大熱を主る．虚を補い，中を安んじ，絶傷を続す．

「名医別録」腸胃中の痼熱を主る．八疸，身面黄，唇乾き，口燥き，短気するを除き，月水を通じ，小便利するを止める．

「古方薬議」消渇，身熱，煩満，大熱を主る．小便自利を止め，膿を排し，腫毒を消し，津液を行らせる．心中結痼はこれにあらざれば除くこと能わず． |

| 同類生薬 | 栝楼根の基原植物より得た種子を栝楼仁（局外）といい，心肺を潤し，咳を治す． |

| 処 方 例 | 柴胡桂枝乾姜湯，柴胡清肝湯 |

16　甘草（カンゾウ）　　Glycyrrhizae Radix（日局）

| 基　　　原 | *Glycyrrhiza uralensis* Fischer または *G. glabra* Linné（マメ科 Leguminosae）の根およびストロン（走下茎）で，ときには周皮を除いたもの（皮去りカンゾウ）． |

| 成　　　分 | トリテルペノイド（glycyrrhetic acid）の配糖体：glycyrrhizin（＝ glycyrrhizic acid）（2.0％以上）．フラボノイド：liquiritin, liquiritigenin．イソフラボノイド：formononetin. |

| 薬　　　性 | 甘，平．脾胃剤． |

| 適　　　用 | 緩和作用（急な激しい症状をとる作用）があり，腹痛，筋肉痛などの急迫症状をとる．また，鎮咳，去痰，解毒薬として，咽喉痛，リウマチ，関節炎，アレルギーに応用し，消化器潰瘍に用いる．配合された生薬の作用を調和させる働きがある．これも緩和作用といっている． |

| 古典の記載 | 「神農本草経」上品．五臓六腑の寒熱邪気，筋骨を堅くし，肌肉を長じ，気力を倍し，金瘡，腫，解毒を主る．

「名医別録」中を温め，気を下し，煩満，短気，臓を傷つけ，欬嗽，渇を止め，経脈を通じ，血気を利し，百薬の毒を解す．九土の精を為し，七十二種の石，一千二百種の草を安和する．

「重校薬徴」急迫を主治す．厥冷，煩燥，吐逆，驚狂，心煩，衝逆等の諸般の急迫の証を治し，裏急，攣急，骨節疼痛，腹痛，咽痛，下利を兼治す．

「古方薬議」毒を解し，中を温め，気を下し，渇を止め，経脈を通じ，咽痛を去る． |

| 備　　　考 | 漢方処方の約70％に使われている． |

| 同類生薬 | 炙甘草（日局）は，甘草を煎ったもの．甘草より補中益気の作用が強い． |

| 処 方 例 | 安中散，胃苓湯，温経湯，越婢加朮湯，黄耆建中湯，黄連湯，乙字湯，藿香正気 |

散，葛根湯，葛根湯加川芎辛夷，加味帰脾湯，加味逍遙散，甘麦大棗湯，桔梗湯，帰脾湯，芎帰膠艾湯，荊芥連翹湯，桂枝加芍薬湯，桂枝加芍薬大黄湯，桂枝加朮附湯，桂枝加竜骨牡蛎湯，桂枝湯，桂枝人参湯，啓脾湯，香蘇散，五虎湯，五積散，五淋散，柴陥湯，柴胡加竜骨牡蛎湯，柴胡桂枝湯，柴胡桂枝乾姜湯，柴胡清肝湯，柴朴湯，柴苓湯，酸棗仁湯，滋陰降火湯，滋陰至宝湯，四逆散，四君子湯，芍薬甘草湯，十全大補湯，十味敗毒湯，潤腸湯，小建中湯，小柴胡湯，小柴胡湯加桔梗石膏，小青竜湯，消風散，升麻葛根湯，参蘇飲，神秘湯，清上防風湯，清暑益気湯，清心蓮子飲，清肺湯，川芎茶調散，疎経活血湯，大黄甘草湯，大防風湯，竹筎温胆湯，治頭瘡一方，治打撲一方，調胃承気湯，釣藤散，通導散，桃核承気湯，当帰飲子，当帰湯，当帰建中湯，当帰四逆加呉茱萸生姜湯，二朮湯，二陳湯，女神散，人参湯，人参養栄湯，排膿散及湯，麦門冬湯，半夏瀉心湯，白虎加人参湯，平胃散，防已黄耆湯，防風通聖散，補中益気湯，麻黄湯，麻杏甘石湯，麻杏薏甘湯，薏苡仁湯，抑肝散，抑肝散加陳皮半夏，六君子湯，立効散，竜胆瀉肝湯，苓甘姜味辛夏仁湯，苓姜朮甘湯，苓桂朮甘湯

17 桔梗（キキョウ），桔梗根　　Platycodi Radix（日局）

|基　原| *Platycodon grandiflorum* A. De Candolle（キキョウ科 Campanulaceae）の根．
|成　分| トリテルペノイドサポニン：platycodin A，C，D．多糖類．
|薬　性| 辛，温．水剤．
|適　用| 排膿薬として化膿性疾患，扁桃炎，咽喉痛などに応用する．鎮咳・去痰作用を期待して用いられる場合もある．
|古典の記載|「神農本草経」下品．胸脇が刀で刺す如く痛み，腹満して腸鳴幽幽し，驚恐悸気を主る．

「名医別録」五臓の腸胃を利し，血気を補し，寒熱風痺を除き，中を温め，穀を消し，喉咽痛を治し，蠱毒を下すを主る．

「重校薬徴」濁唾，腫膿を主治するなり．

「古方薬議」胸脇の痛，刀で刺すが如きを主り，喉咽の痛を療し，痰を消し，癥瘕を破り，血を養い，膿を排し，竅を利し，噦逆，口舌に瘡を生じ，赤目腫痛するを治す．

|備　考| 西洋医学ではもっぱら鎮咳・去痰薬として用いる．
|処方例| 藿香正気散，桔梗湯，荊芥連翹湯，五積散，柴胡清肝湯，小柴胡湯加桔梗石膏，十味敗毒湯，参蘇飲，清上防風湯，清肺湯，竹筎温胆湯，排膿散及湯，防風通聖散

18 菊花（キクカ）　Chrysanthemi Flos （日局）

|基　原| シマカンギク *Chrysanthemum indicum* Linné またはキク *C. morifolium* Ramatulle（キク科 Compositae）の頭花.

|成　分| セスキテルペノイド：chrysandiol. フラボノイド：luteolin. 精油.

|薬　性| 甘苦，微寒．血剤．

|適　用| 発熱，頭痛，めまい，眼の充血，各種腫れ物に応用する．

|古典の記載| 「神農本草経」上品．諸風，頭眩，腫痛，目脱せんと欲し，涙出，皮膚死肌，悪風，湿痺を主る．

「名医別録」腰痛陶陶と去来するを療じ，胸中の煩熱を除き，腸胃を安んじ，五脈を利し，四肢を調う．

「一本堂薬選」目疾を療じ，翳膜を去り，洗眼に用いるも可なり．

「古方薬議」諸風熱及び頭目の病を主治す．

|処方例| 釣藤散

19 枳実（キジツ）　Aurantii Fructus Immaturus （日局）
20 陳皮（チンピ）　Citri Unshiu Pericarpium （日局）

|基　原| 枳実：ダイダイ *Citrus aurantium* Linné var. *daidai* Makino, *C. aurantium* Linné またはナツミカン *C. natsudaidai* Hayata（ミカン科 Rutaceae）の未熟果実をそのまま，またはそれを半分に横切したもの．陳皮：ウンシュウミカン *C. unshiu* Markovich または *C. reticulata* Blanco（ミカン科 Rutaceae）の成熟した果皮.

|成　分| 精油：*d*-limonene. フラボノイド：hesperidin, naringin. synephrine, *N*-methyltyramine.

|薬　性| 枳実：苦，寒．気剤（血剤）．陳皮：辛，温．気剤．

|適　用| 胸腹部の膨満，不快な状態をとり，咳を止める．腹満，嘔吐，下痢，食欲不振，咳，小児喘息に応用する．陳皮の方が作用が緩和である．

|古典の記載| 「神農本草経」枳実，中品．大風皮膚中に在り，麻豆の如く苦痒し，寒熱の熱結を除く，痢を止め，肌肉を長じ，五臓を利し，気を益し，身を軽くする．

陳皮（橘柚），上品．胸中の瘕熱，逆気を主る．水穀を利す．

「名医別録」枳実，胸脇の痰癖を除き，停水を逐い，結実を破り，脹満，心下の急痞痛，逆気，脇風痛を消し，胃気を安んじ，溏洩を止め，目を明らかにする．

陳皮（橘柚），気を下し，嘔噦を止め，膀胱の留熱を除き，停水を下し，五淋，小便を利し，脾の消穀する能わざるを治す．気胸中に衝くもの，吐逆，霍乱を治し，

洩れを止め，寸白を去る．

「重校薬徴」枳実，結実の毒を主治し，胸腹満痛を治し，胸痺停痰，癰膿を兼治す．

橘皮，吃逆を主治し，胸痺，停痰，乾嘔を兼治す．

「古方薬議」枳実，寒熱結を除き，痢を止め，胸脇の痰癖を除き，停水を逐い，結実を破り，脹満を消し心下の急痞痛，逆気，喘咳を主る．

橘皮，逆気を主り，嘔，欬を止め，痰涎を消し，胃を開き，水穀を利し，魚腥の毒を解す．

| 備　　考 | 西洋医学では芳香性健胃薬として用いる． |
| 処　方　例 | 枳実：荊芥連翹湯，五積散，四逆散，潤腸湯，参蘇飲，清上防風湯，大柴胡湯，大承気湯，竹筎温胆湯，通導散，排膿散及湯，茯苓飲，茯苓飲合半夏厚朴湯，麻子仁丸 |

陳皮：胃苓湯，藿香正気散，啓脾湯，香蘇散，五積散，滋陰降火湯，滋陰至宝湯，参蘇飲，神秘湯，清暑益気湯，清肺湯，疎経活血湯，竹筎温胆湯，釣藤散，通導散，二朮湯，二陳湯，人参養栄湯，半夏白朮天麻湯，茯苓飲，茯苓飲合半夏厚朴湯，平胃散，補中益気湯，抑肝散加陳皮半夏，六君子湯

21　羌活（キョウカツ）　　Notopterygii Rhizoma（日局）

基　　原	*Notopterygium incisum* Ting ex H. T. Chang または *N. forbesii* Boissieu（セリ科 Umbelliferae）の根茎および根．
成　　分	クマリン：isoimperatorin，bergapten．
薬　　性	苦，平．血剤．
適　　用	血流を良くして，かぜや水滞を治し，痛みをとる．頭痛，関節痛，リウマチ，半身不随，身体疼痛などに応用する．
古典の記載	「神農本草経」独活一名羌活．上品．風寒に撃たれた所，金瘡，止痛，賁豚，癇痓，女子の疝瘕を主る．

「名医別録」諸の賊風，百節の痛風で久新無き者を主治す．

「増補能毒」風を散じ，湿を去り，関節を通じ，太陽の頭痛，腰膝の痛みを去る．

備　　考	神農本草経では独活の項に一名羌活，羌青の名で登場する．
同類生薬	和羌活　Araliae Cordatae Radix（局外）は，ウコギ科のウド *Aralia cordata* Thunberg の根である．
処　方　例	川芎茶調散，疎経活血湯，二朮湯

22　杏仁（キョウニン）　**Armeniacae Semen**（日局）

基　原　ホンアンズ *Prunus armeniaca* Linné，アンズ *P. armeniaca* Linné var. *ansu* Maximowicz または *P. sibirica* Linné（バラ科 Rosaceae）の種子．

成　分　青酸配糖体：amygdalin．酵素：emulsin．油脂：oleic acid のグリセリド．タンパク質．

薬　性　甘，温．水剤．

適　用　胸間の水毒をとる作用があり，咳，痰，心下膨満，浮腫，嘔吐に用いる．

古典の記載　「神農本草経」杏核仁．中品．欬逆上気，雷鳴，喉痺，気を下し，産乳，金創，寒心賁豚を主る．

　　「名医別録」驚癇，心下の煩熱，風気の去来するもの，時行の頭痛を主治し，肌を解し，心下急を消し，狗毒を殺す．

　　「重校薬徴」胸間の停水を主治し，能く喘を治し，心痛，結胸，胸満胸痺，短気，浮腫を兼治す．

　　「古方薬議」気を下し，肌を解し，結を散らし，燥を潤す．欬逆上気を主り，狗毒を殺す．

備　考　後述する桃仁の成分とほぼ同じであるが，漢方では用途が異なるので，注意する．

処方例　五虎湯，潤腸湯，神秘湯，清肺湯，麻黄湯，麻杏甘石湯，麻杏薏甘湯，麻子仁丸，苓甘姜味辛夏仁湯

23　苦参（クジン）　**Sophorae Radix**（日局）

基　原　クララ *Sophora flavescens* Aiton（マメ科 Leguminosae）の根で，しばしば周皮を除いたもの．

成　分　アルカロイド：matrine, oxymatrine．フラボノイド．イソフラボノイド．

薬　性　苦，甘．血剤．

適　用　熱をとり，利水する作用があり，口内炎，細菌性下痢，腸炎，小便不利などに応用する．

古典の記載　「神農本草経」中品．心腹の結気，癥瘕，積聚，黄疸，溺に餘瀝有るを主る．水を逐い，癰腫を除き，中を補し，目を明らかにし，涙を止める．

　　「名医別録」肝胆の気を養い，五臓を安んじ，志を定め，清を益し，九竅を利し，伏熱，腸澼を除き，渇を止め，酒を醒し，小便の黄赤，悪瘡，下部の䘌を治し，胃気を平にする．

| 処方例 | 三物黄芩湯，消風散 |

24 荊芥（ケイガイ）　　Schizonepetae Spica（日局）

基　原	ケイガイ *Schizonepeta tenuifolia* Briquet（シソ科 Labiatae）の花穂．
成　分	精油（約1.8％）：*d*-menthone, *l*-pulegone．セスキテルペノイド：caryophyllene, β-elemene．フラボノイド：luteolin．
薬　性	辛，温．気剤．
適　用	発汗，解熱，解毒，駆瘀血作用があり，かぜの発熱，頭痛，咽喉痛，瘡傷，皮膚疾患，各種の出血に応用する．
古典の記載	「神農本草経」假蘇．中品．寒熱で鼠瘻し，瘰癧で瘡を生じるを主る．結聚する気は之を破散し，瘀血を下し，湿痺を下す．
処方例	荊芥連翹湯，十味敗毒湯，消風散，清上防風湯，川芎茶調散，治頭瘡一方，当帰飲子，防風通聖散

25 桂皮（ケイヒ）　　Cinnamomi Cortex（日局）

基　原	*Cinnamomum cassia* Blume（クスノキ科 Lauraceae）の樹皮または周皮の一部を除いた樹皮．
成　分	精油（1〜3％）：cinnamaldehyde（主成分）．セスキテルペノイド．ジテルペノイド．
薬　性	辛，温．気剤．
適　用	発汗，止汗，解熱，鎮痛作用，気の上衝をおさえる作用があり，頭痛，発熱，かぜ，身体疼痛，のぼせ，めまいなどに応用する．
古典の記載	「神農本草経」桂枝．上品．上気，欬逆，結気，喉痺，吐吸を主る．関節を利し，中を補し，気を益す． 「名医別録」心痛，脇風，脇痛，筋を温め，脈を通じ，煩を止め，汗を出すを主る． 「傷寒論」桂枝の入る処方は脈浮，頭痛，発熱，自汗，悪寒． 「重校薬徴」上衝を主治し，奔豚，頭痛，冒悸を治す．発熱，悪風，自汗，身体疼痛，経水の変を兼治す． 「古方薬議」関節を利し，筋脈を温め，煩を止め，汗を出す．月閉を通じ，奔豚を泄し，諸薬に先んじて通使をなす．
備　考	薬典では日局の桂皮にあたる *C. cassia* の樹皮を肉桂といい，径0.3〜1 cm ほどの枝を桂枝という．肉桂は身体を温める作用が強く，桂枝は体表の病邪をとる効果

第3章　漢方で使う主要生薬

が強い．

処方例　安中散，胃苓湯，茵蔯五苓散，温経湯，黄耆建中湯，黄連湯，葛根湯，葛根湯加川芎辛夷，桂枝湯，桂枝加芍薬湯，桂枝加芍薬大黄湯，桂枝加朮附湯，桂枝加竜骨牡蛎湯，桂枝人参湯，桂枝茯苓丸，桂枝茯苓丸加薏苡仁，五積散，牛車腎気丸，五苓散，柴胡加竜骨牡蛎湯，柴胡桂枝湯，柴胡桂枝乾姜湯，柴苓湯，炙甘草湯，十全大補湯，小建中湯，小青竜湯，治打撲一方，桃核承気湯，当帰湯，当帰建中湯，当帰四逆加呉茱萸生姜湯，女神散，人参養栄湯，八味地黄丸，麻黄湯，木防已湯，薏苡仁湯，苓桂朮甘湯

26　膠飴（コウイ），粉末飴　　Koi（日局）

基原　トウモロコシ *Zea mays* Linné（イネ科 Gramineae），キャッサバ *Manihot esculenta* Crantz（トウダイグサ科 Euphorbiaceae），ジャガイモ *Solanum tuberosum* Linné（ナス科 Solanaceae），サツマイモ *Ipomoea batatas* Poiret（ヒルガオ科 Convolvulaceae）もしくはイネ *Oryza sativa* Linné（イネ科 Gramineae）のデンプンまたはイネの種皮を除いた種子を加水分解し，糖化したもの．

成分　単糖類：glucose, fructose. 少糖（オリゴ糖）類：maltose, sucrose. 多糖類：amylose, amylopectin.

薬性　甘，微温．脾胃剤．

適用　温性の緩和，滋養・強壮，補気薬で，陰虚証のものの急迫症状に用いる．腹が冷えて痛むものに応用する．

古典の記載　「名医別録」虚乏を補し，渇を止め，去血を主る．
　　「古方薬議」虚乏を補い，気力を益し，痰を消し，嗽を止め，五臓を潤す．

処方例　黄耆建中湯，小建中湯，大建中湯

27　紅花（コウカ）　　Carthami Flos（日局）

基原　ベニバナ *Carthamus tinctorius* Linné（キク科 Compositae）の管状花または黄色色素の大部分を除いたもので，ときに圧搾して板状としたもの．

成分　紅色色素：carthamin. 水溶性黄色色素：safflor yellow.

薬性　辛，温．血剤．

適用　駆瘀血，鎮痛作用があり，冷え症，生理不順，更年期障害，産前産後の諸病，腹痛などに応用する．

古典の記載　「開宝本草」産後の血運を主る．口噤，腹内の悪血が盡きず絞痛するもの，胎が腹中で死んだもの，酒で煮て服す．また蠱毒，下血を主る．

第3章　漢方で使う主要生薬　　*179*

「古方薬議」	治血，潤燥，止痛，散腫，解熱を主る．
処方例	折衝飲，治頭瘡一方，通導散

28　香附子（コウブシ）　　Cyperi Rhizoma（日局）

基　原	ハマスゲ *Cyperus rotundus* Linné（カヤツリグサ科 Cyperaceae）の根茎．
成　分	精油：*α*-cyperone, cyperene.
薬　性	甘，微寒．気剤（血剤）．
適　用	駆瘀血，発散，鎮痙作用があり，主に，女性の気，血が原因の比較的軽い症状をとるのに用いる．月経不調，月経痛，婦人の神経症，腹痛，食欲不振などに応用する．
古典の記載	「名医別録」胸中の熱を除き，皮毛を充たすを主る．
備　考	トリカブト類を基原とする猛毒の附子（ブシ）と名前が似ているが，無関係であるので混同しないこと．
処方例	香蘇散，五積散，滋陰至宝湯，川芎茶調散，竹筎温胆湯，二朮湯，女神散

29　粳米（コウベイ）　　Oryzae Fructus（日局）

基　原	イネ *Oryza sativa* Linné（イネ科 Gramineae）の果実．
成　分	デンプン（約75%）．タンパク質（約7%）．脂質（0.5〜1%）．vitamin B_1, B_2, B_6, E. inositol. γ-aminobutylic acid.
薬　性	甘，微寒．脾胃剤．
適　用	滋養・強壮，緩和，止渇作用があり，虚弱体質，胃腸疾患，下痢などに応用する．
古典の記載	「名医別録」気を益し，煩を止め，洩を止めるを主る． 「古方薬議」煩を止め，洩を止め，胃気を和し，血脈を通じ，中を温む．
処方例	麦門冬湯，白虎加人参湯

30　厚朴（コウボク）　　Magnoliae Cortex（日局）

基　原	ホオノキ *Magnolia obovata* Thunberg（*M. hypoleuca* Siebold et Zuccarini），*M. officinalis* Rehder et Wilson または *M. officinalis* Rehder et Wilson var. *biloba* Rehder et Wilson（モクレン科 Magnoliaceae）の樹皮．
成　分	ネオリグナン：magnolol（0.8%以上），honokiol．精油：β-eudesmol（主成分）．イソキノリンアルカロイド：magnocurarine.
薬　性	苦，温．気剤．

| 適　　用 | 胸腹部の膨満感，気分のうっ滞，精神不安，腹痛に応用する．筋肉の異常な緊張，痙攣をとる作用がある． |

| 古典の記載 | 「神農本草経」中品．中風，傷寒，頭痛，寒熱，驚気，血痺，死肌を主り，三蟲を去る．
「名医別録」中を温め，気を益し，痰を消し，気を下すを主る．霍乱および腹痛，脹満，胃中の冷逆，胸中の嘔逆止まず，洩痢，淋露を治し，驚を除き，留熱を去り，煩満を止め，腸胃を厚くする．
「重校薬徴」胸腹脹満を主治し，腹痛と喘を兼治す．
「古方薬議」痰を消し，気を下し，結水を去り，宿血を破り，水穀を消化し，胃気を大いに温め，腹痛，脹満，喘欬を療す． |

| 処　方　例 | 胃苓湯，藿香正気散，五積散，柴朴湯，潤腸湯，小承気湯，神秘湯，大承気湯，通導散，当帰湯，半夏厚朴湯，茯苓飲半夏厚朴湯，平胃散，麻子仁丸 |

31　牛膝（ゴシツ）　　Achyranthis Radix （日局）

| 基　　原 | *Achyranthes bidentata* Blume またはヒナタイノコズチ *A. fauriei* Leveillé et Vaniot（ヒユ科 Amaranthaceae）の根． |

| 成　　分 | トリテルペノイドサポニン：achyranthoside A～F．ステロイド（昆虫変態ホルモン）：ecdysterone．アミノ酸． |

| 薬　　性 | 苦酸，平．水剤． |

| 適　　用 | 利水，駆瘀血作用があり，腰膝や関節の疼痛，水腫，排尿痛，排尿困難，小便不利，血尿，頭痛，めまい，無月経，産後の腹痛に応用する． |

| 古典の記載 | 「神農本草経」上品．寒湿痿痺，四肢の拘攣，膝痛，屈伸できないものを主り，血気を逐い，傷熱火爛，胎を堕ろす． |

| 処　方　例 | 牛車腎気丸，折衝飲，疎経活血湯，大防風湯 |

32　呉茱萸（ゴシュユ）　　Euodiae Fructus （日局）

| 基　　原 | *Euodia bodinieri* Dode（*Evodia bodinieri* Dode），*Euodia officinalis* Dode（*Evodia officinalis* Dode）またはゴシュユ *Euodia ruticarpa* Hooker filius et Thomson（*Evodia rutaecarpa* Bentham）（ミカン科 Rutaceae）の果実． |

| 成　　分 | アルカロイド：evodiamine, rutecarpine, evocarpine．トリテルペノイド：limonin．精油．プリン誘導体． |

| 薬　　性 | 辛，温．気剤． |

| 適　　用 | 気をめぐらせ，停水をとる作用があり，頭痛，嘔吐，胸満に用いる．また，腹部 |

を温める作用があるので，冷え症，腹痛，下痢に用いる．

古典の記載　「神農本草経」中品．中を温め，気を下し，痛を止め，欬逆，寒熱を主る．湿痺，血痺を除き，風邪を逐い，腠理を開く．

「名医別録」痰冷，腹内の絞痛，諸冷を去り，実消せず，中悪，心腹の痛み，逆気，五臓を利す．

「古方薬議」中を温むるを主り，気を下し，痛を止め，鬱を開き，滞を化し，嘔逆，臓冷を除き，呑酸，痰涎，頭痛を治す．

処方例　温経湯，呉茱萸湯，当帰四逆加呉茱萸生姜湯

33　牛蒡子（ゴボウシ）　Arctii Fructus（日局）

基　原　ゴボウ *Arctium lappa* Linné（キク科 Compositae）の果実．

成　分　リグナン：arctiin, arctigenin, matairesinol, lappaol A-F. 脂肪油（約 15 %）．

薬　性　辛，苦，寒．水剤．

適　用　炎症，腫れ物などの熱をとる．咳，咽の腫れ，風疹の瘙痒，各種腫れ物に応用する．

古典の記載　「名医別録」目を明らかにし，中を補し，風傷を除く．

「本草拾遺」風毒腫，諸瘻を主る．

「一本堂薬選」咽痺，腫痛を療す．

備　考　悪実という別名がある（名医別録）．

処方例　柴胡清肝湯，消風散

34　五味子（ゴミシ）　Schisandrae Fructus（日局）

基　原　チョウセンゴミシ *Schisandra chinensis* Baillon（マツブサ科 Schisandraceae）の果実．

成　分　精油：citral（主成分）．リグナン：schizandrin, gomisin 類．有機酸：malic acid, citric acid, tartaric acid.

薬　性　酸，温．水剤．

適　用　咳があって口渇し，痰が多いものに応用する．疲労回復，強壮にも用いられる．

古典の記載　「神農本草経」上品．気を益し，欬逆上気，労傷羸痩を主る．不足を補し，陰を強くし，男子の精を益す．

「名医別録」五臓を養うを主る．熱を除き，陰中の肌を生ず．

「重校薬徴」咳逆を主治し，渇を兼治す．

「古方薬議」欬逆上気を主り，渇を止め，煩熱を除く．

| 処 方 例 | 小青竜湯，清暑益気湯，清肺湯，人参養栄湯，苓甘姜味辛夏仁湯 |

35 柴胡（サイコ）　　Bupleuri Radix（日局）

基　　原	ミシマサイコ *Bupleurum falcatum* Linné（セリ科 Umbelliferae）の根.
成　　分	トリテルペノイドサポニン：saikosaponin a ～ f. 総サポニン（saikosaponin a および d）0.35 ％以上.
薬　　性	苦，平．血剤．
適　　用	少陽病の主薬で胸脇苦満，往来寒熱などの証に用い，内臓の炎症や熱をとる．黄疸，慢性肝炎，慢性腎炎などに応用する．
古典の記載	「神農本草経」上品．心腹を主る．腸胃中の結気，飲食積聚，寒熱の邪気を去り，陳きを推し新しきを致す． 「名医別録」傷寒，心下の煩熱，諸痰熱の結実，胸中の邪逆，五臓間の遊気，大腸の停積水脹，及び湿痺拘攣を除くを主り，亦た浴湯を作すもよし． 「重校薬徴」胸脇苦満を主治し，往来寒熱，腹中痛，黄疸を兼治す． 「古方薬議」心腹を主り，寒熱邪気を去り，煩を除き，驚を止める．痰を消し，嗽を止める．婦人産前産後の諸熱および，血熱室に入り経水調わざるを治す．血気を宣暢し，気を下し，食を消す．
処 方 例	乙字湯，加味帰脾湯，加味逍遙散，荊芥連翹湯，柴陥湯，柴胡加竜骨牡蛎湯，柴胡桂枝湯，柴胡桂枝乾姜湯，柴胡清肝湯，柴朴湯，柴苓湯，滋陰至宝湯，四逆散，十味敗毒湯，小柴胡湯，小柴胡湯加桔梗石膏，神秘湯，大柴胡湯，竹筎温胆湯，補中益気湯，抑肝散，抑肝散加陳皮半夏

36 細辛（サイシン）　　Asiasari Radix（日局）

基　　原	ケイリンサイシン *Asiasarum heterotropoides* F. Maekawa var. *mandshuricum* F. Maekawa またはウスバサイシン *A. sieboldii* F. Maekawa（ウマノスズクサ科 Aristolochiaceae）の根および根茎．
成　　分	精油（2 ～ 3 ％）：methyleugenol, elemicin. 辛味成分：pellitorin. アルカロイド：higenamine.
薬　　性	辛，温．水剤．
適　　用	血をめぐらし，体を温める．また，鎮咳，鎮静薬として，薄い痰が出る咳，頭痛，歯痛，関節の痛みなどに応用する．口内炎に粉末を酢で練って臍につめる（本草綱目）．
古典の記載	「神農本草経」上品．欬逆，頭痛脳動，百節の拘攣，風湿痺痛，死肌を主る．

「名医別録」中を温め，気を下し，痰を破り，水道を利し，胸中を開き，喉痺，齆鼻，風癇癲疾を除き，乳結を下し，汗の出ぬもの，血の行らざるものを主る．五臓を安んじ，肝胆を益し精気を通す．

「重校薬徴」宿食停水を主治し，水気心下にありて発熱，咳し胸満つる者を治す．

「古方薬議」欬逆を主り，中を温め，気を下し，痰を破り，水道を利し，胸中を開く．汗出でず，血行らざるを治す．

| 備　　考 | 地上部には，腎障害を起こすアリストロキア酸が含まれているので注意する． |
| 処　方　例 | 三黄湯，小青竜湯，当帰四逆湯，当帰四逆加呉茱萸生姜湯，麻黄附子細辛湯，立効散，苓甘姜味辛夏仁湯 |

37　山査子（サンザシ）　　Crataegi Fructus（日局）

基　　原	サンザシ *Crataegus cuneata* Siebold et Zuccarini またはオオミサンザシ *C. pinnatifida* Bunge var. *major* N.E. Brown（バラ科 Rosaceae）の偽果をそのまま，または縦切もしくは横切したもの．
成　　分	フラボノイド：hyperoside, quercetin, vitexin, rutin．トリテルペノイド：ursolic acid, oleanolic acid．脂肪酸．
薬　　性	酸・甘，微温．脾胃剤，血剤．
適　　用	消化を助け，瘀血を改善するものとして，消化不良，胃酸過多，腹部の膨満，下痢，生理痛，無月経，産後の腹痛などに用いる．
古典の記載	「新修本草」汁は服すれば水痢を主り，頭を沐い，身上の瘡癢を洗う． 「本草図経」痢疾および腰疼を治す． 「本草綱目」飲食を化し，肉積を消し，癥瘕，痰飲，痞満，呑酸，滞血，痛脹を治す．
処　方　例	啓脾湯

38　山梔子（サンシシ）　　Gardeniae Fructus（日局）

基　　原	クチナシ *Gardenia jasminoides* Ellis（アカネ科 Rubiaceae）の果実で，ときに湯通しまたは蒸したもの．
成　　分	イリドイド：geniposide（2.7％以上），genipin．カロテノイド：crocin．
薬　　性	苦，寒．血剤．
適　　用	炎症，充血，排膿，黄疸などに応用する．
古典の記載	「神農本草経」梔子．中品．五内の邪気，胃中の熱気，面赤酒皰，皶鼻，白癩，赤癩，瘡瘍を主る．

「名医別録」目の赤熱痛，胸心，大小腸の大熱，心中の煩悶，胃中の熱気を主治す．

「重校薬徴」心煩を主治し，身熱発黄を兼治す．

「古方薬議」胸心，大小腸の大熱，心中煩悶を療じ，小便を通じ，五種の黄病を解し，大病を治し，労復を起こす．

| 備　考 | 薬典の名は梔子である．生薬としては小型で丸味のあるものがよい． |
| 処方例 | 茵蔯蒿湯，温清飲，黄連解毒湯，加味帰脾湯，加味逍遙散，荊芥連翹湯，五淋散，柴胡清肝湯，辛夷清肺湯，清上防風湯，清肺湯，防風通聖散，竜胆瀉肝湯 |

39　山茱萸（サンシュユ）　　Corni Fructus（日局）

基　原	サンシュユ Cornus officinalis Siebold et Zuccarini（ミズキ科 Cornaceae）の偽果の果肉．
成　分	イリドイド配糖体：loganin（0.4 % 以上）．トリテルペノイド：ursolic acid, oleanolic acid．有機酸：malic acid, tartaric acid．
薬　性	酸，平．水剤．
適　用	腰膝を温め，小便の利を調節する．腰や膝がだるく無力なもの，腰膝の疼痛，盗汗，頻尿などに応用する．
古典の記載	「神農本草経」中品．心下の邪気，寒熱を主る．中を温め，寒湿痺を逐い，三蟲を去る． 「名医別録」腸胃の風邪，寒熱，疝瘕頭脳風，風気の去来するもの，鼻塞，目黄，耳聾，面皰を主治する．中を温め，気を下し，汗をだし，陰を強め，精を益し，五臓を安んじ，九竅を通じ，小便の利するを止める． 「古方薬議」温中を主り，寒湿痺を逐い，腰膝を温め，水道を助け，小便不利及び老人尿不節を止める．耳鳴，頭風を療す．
処方例	杞菊地黄丸，牛車腎気丸，八味地黄丸，六味丸

40　山椒（サンショウ）　　Zanthoxyli Piperiti Pericarpium（日局）

基　原	サンショウ Zanthoxylum piperitum De Candolle（ミカン科 Rutaceae）の成熟した果皮で，果皮から分離した種子をできるだけ除いたもの．
成　分	精油：limonene, citronellal．辛味成分：hydroxy-α-sanshool, α-sanshool, γ-sanshool．
薬　性	辛，温．気剤．
適　用	胃腸を温め，機能を向上させる．消化不良，腹部の冷痛，下痢，悪心，嘔吐，鎮

痙などに応用される．

古典の記載　「神農本草経」下品．邪気欬逆を主り，中を温め，骨節，皮膚，死肌，寒湿痺痛を逐い，気を下し，久しく服すれば頭白からず，身を軽くし，年を増す．
　「名医別録」大熱，有毒．五臓六府の寒冷を除き，傷寒，温瘧，大風，汗出ず，心腹の留飲，宿食を主る．腸澼，下痢，洩精を止め，女子の宇乳餘疾，風邪，癖結，水腫，黄疸，鬼疰，蠱毒を散じ，蟲，魚毒を殺す．久しく服すれば腠理を開き，血脈を通じ，歯髪を堅くし，関節を調え，寒暑に耐える．膏薬と作すも可．多食すれば人の気を乏せしむ．

処方例　大建中湯

41　酸棗仁（サンソウニン）　　Zizyphi Semen（日局）

基原　サネブトナツメ Zizyphus jujuba Miller var. spinosa Hu ex H. F. Chow（クロウメモドキ科 Rhamnaceae）の種子．

成分　トリテルペノイドサポニン：jujuboside A, B．トリテルペノイド：betulinic acid, betulin．脂肪油．

薬性　酸，平．気剤．

適用　精神安定作用，鎮静作用があり，焦躁，熱感，不眠，多眠，動悸，健忘などに応用する．また虚弱者，疲れやすいものに用いる．

古典の記載　「神農本草経」上品．心腹の寒熱，邪結して気聚まり，四肢酸疼，湿痺を主る．
　「名医別録」煩心して眠ることを得ず，臍の上下の痛み，血轉，久洩，虚汗，煩渇を主治する．中を補し，肝気を益し，筋骨を堅くし，陰気を除き，人を肥健ならしむ．
　「重校薬徴」煩燥して眠ること能わざるを主治す．
　「古方薬議」心腹寒熱，邪結気聚，煩して眠るを得ず，臍の上下の痛み，虚汗久しく洩れるを主る．

処方例　加味帰脾湯，帰脾湯，酸棗仁湯

42　山薬（サンヤク）　　Dioscoreae Rhizoma（日局）

基原　ヤマノイモ Dioscorea japonica Thunberg またはナガイモ D. batatas Decaisne（ヤマノイモ科 Dioscoreaceae）の周皮を除いた根茎（担根体）．

成分　多糖類：デンプン．アミノ酸：arginine．

薬性　寒，温．脾胃剤．

適用　滋養・強壮薬で，腎と脾の機能低下を改善する．身体疲労，遺精，食欲不振，小

便不利，頻尿などに応用する．

古典の記載 「神農本草経」薯蕷．上品．傷中を主り，虚羸を補し，寒熱邪気を除き，中を補し，気力を益し，肌肉を長ずる．

「名医別録」頭面の遊風，風頭，眼眩を主り，気を下し，腰痛を止め，虚労羸痩を補し，五臓を充たし，煩熱を除き，陰を強くする．

「古方薬議」邪気を除き，腰痛，洩利を止め，痰涎を化し，虚労，羸痩を主る．

処方例 啓脾湯，牛車腎気丸，八味地黄丸，六味丸

43 地黄（ジオウ）　Rehmanniae Radix（日局）

基原 アカヤジオウ *Rehmannia glutinosa* Liboschitz var. *purpurea* Makino または *R. glutinosa* Liboschitz（ゴマノハグサ科 Scrophulariaceae）の根（乾地黄）またはそれを蒸したもの（熟地黄）．

成分 イリドイド配糖体：catalpol, aucubin．ヨノン配糖体：rehmaionoside A～D．

薬性 甘，寒．血剤．

適用 熱をとり止血する作用があり，吐血，尿血，子宮の不正出血，煩渇および精神不安などに応用する．

古典の記載 「神農本草経」乾地黄．上品．折跌，絶筋，傷中を主る．血痺を逐い，骨髄を填め，肌肉を長ず．湯に作れば，寒熱積聚を除き，痺を除く．生は尤も良し．

「名医別録」乾地黄，男子の五労，七傷，女子の傷中，胞漏下血を主治す．悪血，溺血を破り，大小腸を利し，胃中の宿食，飽力の断絶を去り，五臓の内傷，不足を補し，血脈を通じ，気力を益し，耳目を利す．

生地黄，婦人の崩中で血の止まらざるもの，および産後の血が上がって心に薄って悶絶するもの，身を傷め，胎動，下血，胎の落ちざるもの，堕墜，踠折，瘀血，留血，衄血，吐血を主治する．

「重校薬徴」血証及び水病を主治す．

「古方薬議」寒熱積聚を除き，痺を除き，大小腸を利し，血脈を通じ，驚気，労劣，吐血，鼻衄，婦人の崩中血運を治す．

備考 地黄は以下のように調製法で薬効が異なるので，本来は使い分ける必要がある．

生地黄（鮮地黄）…………生のもの．身体を冷やす作用，止血作用が強い．
乾地黄（日局の地黄）……乾燥したもの．薬効は生地黄に近い．
熟地黄（日局の地黄）……蒸して乾燥したもの．甘，微温で補血作用が強い．

処方例 温清飲，芎帰膠艾湯，荊芥連翹湯，牛車腎気丸，五淋散，柴胡清肝湯，三物黄芩湯，滋陰降火湯，七物降下湯，四物湯，炙甘草湯，十全大補湯，潤腸湯，消風散，疎経活血湯，大防風湯，猪苓湯合四物湯，当帰飲子，人参養栄湯，八味地黄丸，竜

肝瀉肝湯，六味丸

44 地骨皮（ジコッピ）　　Lycii Cortex（日局）

基　原	クコ *Lycium chinense* Miller または *L. barbarum* Linné（ナス科 Solanaceae）の根皮．
成　分	アルカロイド：kukoamine A．環状ペプタイド：lyciumin A．脂肪酸．アミノ酸．
薬　性	苦，微寒．水（血）剤．
適　用	疲労による発熱（潮熱：いつも同じ時間に発熱が起きたり，熱勢が強くなること），盗汗，肺の熱による咳，吐血，切り傷，消渇，高血圧，化膿性の腫れ物に用いる．
古典の記載	「神農本草経」五内の邪気，熱中消渇，周痺風湿を主る． 「名医別録」風湿，下胸脇気，客熱頭痛を主り，内傷，大労，呼吸を補い，筋骨を堅くし，陰を強くし，大小腸を利す．
備　考	神農本草経では枸杞として，根，茎，葉，果実を含めている．
処方例	滋陰至宝湯，清心蓮子飲

45 紫根（シコン）　　Lithospermi Radix（日局）

基　原	ムラサキ *Lithospermum erythrorhizon* Siebold et Zuccarini（ムラサキ科 Boraginaceae）の根．
成　分	ナフトキノン類（色素）：shikonin, acetylshikonin．
薬　性	苦，寒．血剤．
適　用	消炎，解熱，解毒作用があり，内服されるほか，紫雲膏に配合し，火傷，湿疹，痔などに外用する．
古典の記載	「神農本草経」紫草．中品．心腹の邪気，五疸を治し，中を補い，気を益す．九竅を利し，水道を通ず． 「名医別録」腹の腫脹，満痛を主治す．膏と合わせて小児の瘡及び面皯を治す．
処方例	紫雲膏

46 蒺藜子（シツリシ）　　Tribuli Fructus（日局）

基　原	ハマビシ *Tribulus terrestris* Linné（ハマビシ科 Zigophyllaceae）の果実．
成　分	ケイヒ酸アミド誘導体：terrestriamide．リグナンアミド誘導体：tribuluamide

A，B． フラボノイド．ステロイドサポニン．

薬　　性 　辛苦，平．血剤．

適　　用 　血をめぐらし，上衝した気を下げる．頭痛，めまい，胸脇脹痛，乳房の脹痛，皮膚の熱や瘙痒，眼の充血に用いる．

古典の記載 　「神農本草経」悪血を主り，血癥積聚を破る．喉痺，乳難．久しく服すれば肌肉を長じ，目を明らかにする．

「名医別録」身体の風癢，頭痛，咳逆，傷肺，肺痿，煩を止め，気を下す．小児の頭瘡，癰腫，陰癢を主る．

処方例 　当帰飲子

47　芍薬（シャクヤク）　　Paeoniae Radix（日局）

基　　原 　シャクヤク *Paeonia lactiflora* Pallas（ボタン科 Paeoniaceae）の根．

成　　分 　モノテルペノイド配糖体：paeoniflorin（2.0 %以上）．ガロタンニン．

薬　　性 　苦，平．血剤（水剤）．

適　　用 　疼痛，腹直筋の攣急，腹痛，下痢，便秘，四肢の筋肉の痙攣，月経痛，月経不順などに応用する．

古典の記載 　「神農本草経」中品．邪気，腹痛を主る．血痺を除き，堅積，寒熱，疝瘕を破り，痛を止め，小便を利し，気を益す．

「名医別録」血脈を通順し，中を緩め，悪血を散じ，賊血を逐い，水気を去り，膀胱大小腸を利し，癰腫を消し，時行の寒熱，中悪，腹痛，腰痛を主る．

「重校薬徴」結実して拘攣するを主治す．故に腹満，腹痛，頭痛，身体疼痛，不仁を治し，下利，煩悸，血証，癰膿を兼治す．

「古方薬議」血痺を除き，堅積を破り，痛を止め，中を緩め，悪血を散らす．臓腑の壅気を通宣す．女人一切の疾ならびに産前産後の諸疾を主る．

備　　考 　芍薬には白芍，赤芍がある．両者の基原植物や調製方法は混乱していたが，現代の薬典には芍薬は収載されておらず，白芍，赤芍が載っている．シャクヤクの根を沸騰水中で煮た後，外皮を剝いて乾燥したものを白芍，シャクヤクあるいは *P. veitchii* Lynch の根を乾燥したものを赤芍とし，白芍の効能を「平肝止痛，養血調経，斂陰止汗」，赤芍の効能を「清熱涼血，散瘀止痛」と使い分けている．

処方例 　温経湯，温清飲，黄耆建中湯，葛根湯，葛根湯加川芎辛夷，加味逍遙散，芎帰膠艾湯，荊芥連翹湯，桂枝湯，桂枝加芍薬湯，桂枝加芍薬大黄湯，桂枝加朮附湯，桂枝加竜骨牡蛎湯，桂枝茯苓丸，桂枝茯苓丸加薏苡仁，五積散，五淋散，柴胡桂枝湯，柴胡清肝湯，滋陰降火湯，滋陰至宝湯，四逆散，七物降下湯，四物湯，芍薬甘草湯，十全大補湯，小建中湯，小青竜湯，升麻葛根湯，真武湯，疎経活血湯，大柴胡湯，

大防風湯，猪苓湯合四物湯，当帰飲子，当帰建中湯，当帰四逆加呉茱萸生姜湯，当帰芍薬散，当帰湯，人参養栄湯，排膿散及湯，防風通聖散，麻子仁丸，薏苡仁湯

48 縮砂（シュクシャ）　　Amomi Semen（日局）

基原　*Amomum villosum* Loureiro var. *xanthioides* T. L. Wu et S. J. Chen, *A. villosum* Loureiro var. villosum または A. *longiligulare* T. L. Wu（ショウガ科 Zingiberaceae）の種子の塊．

成分　精油 1.5〜3％：*d*-borneol, *d*-camphor.

薬性　辛，温．気剤．

適用　腹部の冷えが原因の腹痛，嘔吐，食欲不振，消化不良，下痢に用いる．西洋医学でも芳香性健胃薬である．

古典の記載　「開宝本草」虚労の冷瀉，宿食の消えぬもの，赤白洩痢，腹中の虚痛を主る．気を下す．

処方例　安中散，胃苓湯

49　生姜（ショウキョウ），乾生姜（カンショウキョウ）　　Zingiberis Rhizoma（日局）
50　乾姜（カンキョウ）　　Zingiberis Rhizoma Processum（日局）

基原　日局の生姜，乾生姜はショウガ *Zingiber officinale* Roscoe（ショウガ科 Zingiberaceae）の根茎をそのまま乾燥したもの．乾姜は湯通し，または蒸したのち乾燥したもの．

成分　精油：α-zingiberene．辛味成分：[6]-gingerol, zingerone, [6]-shogaol（後二者は [6]-gingerol より加熱で生じたもの）．

薬性　生姜：辛，温．気剤（水剤），乾姜：辛，熱．気剤（水剤）．

適用　腹部の冷え，痛み，嘔吐，悪心，下痢，咳，四肢の冷え，吐下血などに用いる．生姜は水毒をとり，吐き気を止める作用が強く，乾姜は温める作用が強い．

古典の記載　以下の記載があるが，古典の乾姜は局方の乾姜よりむしろ局方の生姜（乾生姜）に近いものを指していると思われる．

「神農本草経」乾姜：中品．胸満，欬逆上気を主り，中を温め，血を止め，汗を出し，風湿痺を逐い，腸澼，下痢を逐う．生のもの尤も良し．

「名医別録」乾姜：寒冷による腹痛，中悪，霍乱，腸満，風邪による諸毒，皮膚間の結気を主治し，唾血を止める．

生姜：傷寒による頭痛，鼻塞，欬逆上気を主り，嘔吐を止める．

「重校薬徴」乾姜：結滞水毒を主治す．故に乾嘔，吐下，厥冷，煩燥，腹痛，胸

痛, 腰痛, 小便不利, 自利, 咳唾涎沫を兼治す.

「薬徴続編」生姜：嘔を主治する. ゆえに乾嘔, 噫, 噦逆を兼治する.

「古方薬議」乾姜：中を温め, 血を止める. 吐瀉, 腹臓の冷え, 心下寒痞, 腰腎中の疼冷, 夜小便多く, 凡そ病人虚し, 而して冷えるものを主る. 宜しく之を加えて用いるべし.

生姜：嘔吐を止め, 痰を去り, 気を下し, 煩悶を散じ, 胃気を開く.

[備考] 本来, 生姜は漢方では生（いわゆるひねしょうが）を用いる. 生の生姜は乾燥すると1/3くらいになるので, 生の生姜の代わりに日局の生姜（乾生姜）を用いる際には古典の記載量の1/3程度の分量が適当である.

[処方例] 生姜：胃苓湯, 温経湯, 越婢加朮湯, 黄耆建中湯, 藿香正気散, 葛根湯, 葛根湯加川芎辛夷, 加味帰脾湯, 加味逍遙散, 帰脾湯, 桂枝湯, 桂枝加芍薬湯, 桂枝加芍薬大黄湯, 桂枝加朮附湯, 桂枝加竜骨牡蛎湯, 香蘇散, 五積散, 呉茱萸湯, 柴陥湯, 柴胡加竜骨牡蛎湯, 柴胡桂枝湯, 柴朴湯, 柴苓湯, 四君子湯, 炙甘草湯, 十味敗毒湯, 小建中湯, 小柴胡湯, 小柴胡湯加桔梗石膏, 小半夏加茯苓湯, 升麻葛根湯, 参蘇飲, 真武湯, 清肺湯, 疎経活血湯, 大柴胡湯, 竹筎温胆湯, 釣藤散, 当帰建中湯, 当帰四逆加呉茱萸生姜湯, 二朮湯, 二陳湯, 排膿散及湯, 半夏厚朴湯, 半夏白朮天麻湯, 茯苓飲, 茯苓飲合半夏厚朴湯, 平胃散, 防已黄耆湯, 防風通聖散, 補中益気湯, 六君子湯

乾姜：黄連湯, 桂枝人参湯, 柴胡桂枝乾姜湯, 小青竜湯, 大建中湯, 大防風湯, 当帰湯, 人参湯, 半夏瀉心湯, 半夏白朮天麻湯, 苓甘姜味辛夏仁湯, 苓姜朮甘湯

51　升麻（ショウマ）　　Cimicifugae Rhizoma（日局）

[基原] *Cimcifuga. dahurica* Maximowicz, *C. heracleifolia* Komarov, *C. foetida* Linné またはサラシナショウマ *C. simplex* Turczaninow,（キンポウゲ科 Ranunculaceae）の根茎.

[成分] トリテルペノイド：cimigenol. クロモン：visamminol, visnagin. フェニルプロパノイド：ferulic acid, isoferulic acid.

[薬性] 苦, 微寒. 血剤.

[適用] 消炎, 解熱薬として, 感冒, 頭痛, 咽喉痛, 麻疹, 痔などに応用する.

[古典の記載] 「神農本草経」上品. 百毒を解すを主る. 百精の老物殃鬼を殺し, 温疫, 瘴, 蠱毒を辟ける.

「名医別録」口に入れたものを皆吐き出させて解毒し, 中悪腹痛, 時気の毒癘, 頭痛寒熱, 風腫の諸毒, 喉痛, 口瘡を主る.

「古方薬議」寒熱, 風腫, 諸毒, 喉痛, 口瘡, 悪臭を去り, 癰腫, 豌豆瘡を療す.

第3章　漢方で使う主要生薬

|同類生薬| アメリカ先住民は *Cimicifuga racemosa* Nutt. の根と根茎を婦人病，特に更年期障害に使用してきた．これが最近，アメリカで Black Cohosh の名でサプリメントとして盛んに使われており，日本にも輸入されている．

|処方例| 乙字湯，升麻葛根湯，辛夷清肺湯，補中益気湯，立効散

52　辛夷（シンイ）　　Magnoliae Flos（日局）

|基原| *Magnolia biondii* Pampanini, ハクモクレン *M. heptapeta* Dandy（*M. denudata* Desrousseaux），*M. sprengeri* Pampanini, タムシバ *M. salicifolia* Maximowicz またはコブシ *M. kobus* De Candolle（モクレン科 Magnoliaceae）のつぼみ．

|成分| 精油：α-pinene, cineole, citral, methylchavicol. アルカロイド：coclaurine. リグナン：magnosalin.

|薬性| 辛，温．気剤．

|適用| 頭痛，鼻閉，歯痛などに用いる．

|古典の記載| 「神農本草経」上品．五臓，身体の寒熱，風頭脳痛，面皯を主る．久しく服すれば気を下し，身を軽くし，目を明らかにし，年を益し，老に耐える．

「名医別録」無毒．中を温め，肌を解し，九竅を利し，鼻塞，涕出を通じ，面腫の歯に引いて痛むもの，眩冒し，身兀兀として車舩の上に在るが如くなる者を治し，鬚髪を生じ，白蟲を去る．

|処方例| 葛根湯加川芎辛夷，辛夷清肺湯

53　石膏（セッコウ）　　Gypsum Fibrosum（日局）

|基原| 天然の含水硫酸カルシウム．

|成分| $CaSO_4 \cdot 2H_2O$

|薬性| 辛，寒．気剤．

|適用| 炎症性疾患の解熱，止渇薬として炎症，口渇などに用い，また鎮静薬とする．

|古典の記載| 「神農本草経」中品．中風の寒熱，心下の逆気，驚喘を主る．口乾き舌焦げて息する能わぬもの，腹中の堅痛を主る．邪鬼を除き，産乳，金瘡を除く．

「名医別録」時気の頭痛，身熱，三焦の大熱，皮膚の熱，腸胃中の鬲熱を除き肌を解し，汗を発し，消渇，煩逆，腹脹，暴気喘息，咽熱を止め，また湯にして浴を作すも可なり．

「重校薬徴」煩渇を主治し，讝語，煩燥，身熱，頭痛，喘を兼治す．

「古方薬議」中風の寒熱，口乾，舌焦を主り，大渇引飲，中暑，潮熱，牙痛を止め，発斑，発疹の要品と為す．

| 処　方　例 | 越婢加朮湯，五虎湯，小柴胡湯加桔梗石膏，消風散，辛夷清肺湯，釣藤散，白虎加人参湯，防風通聖散，麻杏甘石湯，木防已湯 |

54　川芎（センキュウ）　**Cnidii Rhizoma**（日局）

基　　原	センキュウ *Cnidium officinale* Makino（セリ科 Umbelliferae）の根茎を，通例，湯通したもの．
成　　分	精油（フタリド類）：cnidilide, ligustilide.
薬　　性	辛，温．血剤．
適　　用	駆瘀血薬として，冷え症，貧血，血行障害，月経障害，打撲による腫痛などに応用する．
古典の記載	「神農本草経」芎藭．中品．中風が脳に入り，頭痛，寒痺，筋攣緩急，金瘡，婦人が血閉して子無きを主る． 「名医別録」脳中の冷動，面上の遊風の去来するを除く，目から涙出で，涕唾多く，忽忽として酔うが如く，諸の寒冷気，心腹の堅痛，中悪，卒急の腫痛，脇風痛，温中内寒を主る． 「古方薬議」頭痛，金瘡，血閉，心腹堅痛，半身不随，鼻洪，吐血，溺血を主り，膿を排し，気を行らし，鬱を開く．
処　方　例	温経湯，温清飲，葛根湯加川芎辛夷，芎帰膠艾湯，荊芥連翹湯，五積散，柴胡清肝湯，酸棗仁湯，七物降下湯，四物湯，十全大補湯，十味敗毒湯，清上防風湯，川芎茶調散，疎経活血湯，大防風湯，治頭瘡一方，治打撲一方，猪苓湯合四物湯，当帰飲子，当帰芍薬散，女神散，防風通聖散，抑肝散，抑肝散加陳皮半夏

55　前胡（ゼンコ）　**Peucedani Radix**（日局）

処　方　例	① *Peucedanum praeruptorum* Dunn の根（白花ゼンコ）または②ノダケ *Angelica decursiva* Franchet et Savatier（= *Peucedanum decursivum* Maximowicz）（セリ科 Umbelliferae）の根（紫花ゼンコ）．
成　　分	①はクマリン：praeruptolin A，B，C, nodakenin, nodakenetin．②はクマリン：decursin, decursidin, decuroside Ⅰ～Ⅲ, nodakenin．精油．
薬　　性	苦・辛，微寒．気剤．
適　　用	上衝した気を下し，熱や炎症をさます．頭痛，発熱，咳，黄色く粘稠な痰をとり，吐き気，胸膈部の煩悶感に応用する．
古典の記載	「名医別録」痰満，胸脇中の痞，心腹の結気，風頭痛を療するを主り，痰実を去り，気を下す．傷寒の寒熱を治し，陳きを推し新しきを致し，目を明らかにし精を益

す．

「本草綱目」肺熱を清め，痰熱を化し，風邪を去る．

[処方例] 参蘇飲

56 蒼朮（ソウジュツ）　Atractylodis Lanceae Rhizoma（日局）
57 白朮（ビャクジュツ）　Atractylodis Rhizoma（日局）

[基原]　蒼朮：ホソバオケラ *Atractylodes lancea* De Candolle，シナオケラ *A. chinensis* Koidzumi またはそれらの雑種の根茎．白朮：オケラ *A. japonica* Koidzumi ex Kitamura の根茎（和ビャクジュツ）またはオオバナオケラ *A. macrocephala* Koidzumi（*A. ovata* De Candolle）（キク科 Compositae）の根茎（唐ビャクジュツ）．

[成分]　蒼朮　精油：β-eudesmol, hinesol, atractylodinol, acetylatractylodinol, atractylodin, l-α-bisabolol, β-selinene, elemol.

白朮　精油：atractylon（白朮に特異的），γ-cadinene, γ-patchoulene, eudesma-4(14), 7(11)-dien-8-one, atractylenolide I〜III.

[薬性]　苦，温．水剤．

[適用]　水毒の要薬．利尿，発汗，めまい，身体の疼痛に用いる．また，胃内停水をとり，健胃，整腸薬として消化不良，下痢に応用する．蒼朮は白朮に比べて燥湿の力が勝れ，利水の効が強い．白朮は利水のほかに補脾益気の効がある．

[古典の記載]　「神農本草経」上品．風寒湿痺，死肌，痙，疸を主り，汗を止め，熱を除き，食を消す．

「名医別録」大風が身面に在り，風眩し，頭痛し，目から涙出ずるを主治す．痰水を消し，皮間の風水，結腫を逐い，心下の急満および霍乱，吐下止まざるを除く．腰臍間の血を利し，津液を益し，胃を暖め，穀を消し，食を嗜む．

「重校薬徴」利水を主る．故に能く小便不利，自利，浮腫，支飲冒眩，失精下利を治し，沈重疼痛，骨節疼痛，嘔渇，喜唾を兼治す．

「古方薬議」風寒湿痺を主り，胃を開き，痰涎を去り，下泄を止め，小便を利し，心下急満をのぞき，腰腹冷痛を治す．

[備考]　蒼朮，白朮は宗代以前は区別されず，単に朮と呼ばれていた．

[処方例]　白朮と蒼朮が配合される処方：胃苓湯，二朮湯

白朮が配合される処方：藿香正気散，帰脾湯，滋陰至宝湯，人参養栄湯，半夏白朮天麻湯，防風通聖散，苓姜朮甘湯

蒼朮が配合される処方：茵蔯五苓散，越婢加朮湯，加味帰脾湯，加味逍遙散，桂枝加朮附湯，桂枝人参湯，啓脾湯，五積散，五苓散，柴苓湯，滋陰降火湯，四君子湯，十全大補湯，消風散，真武湯，清暑益気湯，疎経活血湯，大防風湯，治頭瘡一

方，当帰芍薬散，女神散，人参湯，茯苓飲，茯苓飲合半夏厚朴湯，平胃散，防已黄耆湯，補中益気湯，薏苡仁湯，抑肝散，抑肝散加陳皮半夏，六君子湯，苓桂朮甘湯

58 桑白皮（ソウハクヒ）　Mori Cortex（日局）

基原	マグワ *Morus alba* Linné（クワ科　Moraceae）の根皮．
成分	フラボノイド：morusin, kuwanon A～H．クマリン：umbelliferone, scopoletin．トリテルペノイド．
薬性	甘，寒．水剤．
適用	消炎，解熱，鎮咳，小便を利する作用があり，咳嗽，尿量減少，浮腫などに応用する．
古典の記載	「神農本草経」桑根白皮．中品．傷中，五労六極，羸痩，崩中，絶脈を主り，虚を補し，気を益す． 「名医別録」肺中の水気を去り，唾血を止め，熱渇，水腫，腹満，臚脹を主り，水道を利し，寸白を去り，以て金瘡を縫うべし．
処方例	五虎湯，清肺湯

59 蘇葉（ソヨウ）　Perillae Herba（日局）

基原	シソ *Perilla frutescens* Britton var. *crispa* W. Deane（シソ科 Labiatae）の葉および枝先．
成分	精油：perillaldehyde（0.07％以上），*l*-limonene．アントシアン配糖体：shisonin．
薬性	辛，温．気剤．
適用	発汗，解熱，鎮静，鎮咳作用があり，感冒，のぼせ，神経症などに用いる．
古典の記載	「名医別録」気を下し，寒中を除くを主る． 「古方薬議」気を下し，寒を除き，中を寛め，上気咳逆を主り，胃を開き，食を下し，魚蟹の毒を解す．
処方例	藿香正気散，香蘇散，柴朴湯，参蘇飲，神秘湯，半夏厚朴湯，茯苓飲合半夏厚朴湯

60 大黄（ダイオウ）　Rhei Rhizoma（日局）

| 基原 | *Rheum palmatum* Linné, *R. tanguticum* Maximowicz, *R. officinale* Baillon, *R. coreanum* Nakai またはそれらの種間雑種（タデ科 Polygonaceae）の，通例，根茎． |

| 成　　分 | アントラキノン誘導体：chrysophanol, emodin, aloe-emodin, rhein. ジアントロン誘導体：sennoside A ～ F（sennoside A 0.25 % 以上）．タンニン：rhatannin.

| 薬　　性 | 苦，寒．血剤．

| 適　　用 | 体内の熱をとり，瀉下により体内の毒を出す．便秘とそれに伴う腹痛，高血圧症，皮膚疾患などに応用される．また，体内の熱による精神錯乱に用いる場合もある．

| 古典の記載 | 「神農本草経」下品．瘀血，血閉を下し，寒熱を主り，癥瘕積聚，溜飲宿食を破り，腸胃を蕩滌し，陳きを推し新に致る．水穀を利し中を調え，食を化し，五臓を安和する．
　「名医別録」胃を平にし，気を下し，痰実，腸間の結熱，心腹脹満するもの，女子の寒血閉脹，小腹の痛むもの，諸老血の留結を除く．
　「重校薬徴」結毒を通利するを主る．故に能く胸満，腹満，腹痛，大便不通，宿食，瘀血，腫膿を治し，発黄，讝語，潮熱，小便不利を兼治す．
　「古方薬議」腸胃を蕩滌し，陳きを推し新に致る．大小便に利し，瘀血を下し，癥瘕を破り，実熱を瀉す．

| 備　　考 | 大黄は成分が無害のまま胃を通過して，大腸で初めて有効成分に変わるというすぐれた特徴を持った生薬である．なお，大黄は収穫時にはアントロン誘導体が含まれているので，一年以上放置して，アントロン誘導体を空気酸化によりアントラキノン誘導体にしてから使うとよいといわれている．

| 処方例 | 茵蔯蒿湯，乙字湯，桂枝加芍薬大黄湯，三黄瀉心湯，潤腸湯，小承気湯，大黄甘草湯，大黄牡丹皮湯，大柴胡湯，大承気湯，治頭瘡一方，治打撲一方，調胃承気湯，通導散，桃核承気湯，防風通聖散，麻子仁丸

61　大棗（タイソウ）　Zizyphi Fructus（日局）

| 基　　原 | ナツメ Zizyphus jujuba Miller var. inermis Rehder（クロウメモドキ科 Rhamnaceae）の果実．

| 成　　分 | 糖類：D-fructose, D-glucose, sucrose. 有機酸：malic acid, tartaric acid. トリテルペノイド：oleanolic acid, ursolic acid. トリテルペノイドサポニン：zizyphus saponin I ～ III, jujuboside A, B. cyclic AMP（一般植物の 1,000 倍含まれる）．

| 薬　　性 | 甘，平．脾胃剤．

| 適　　用 | 緩和薬として，筋肉の急迫，腹痛などに用いる．また，滋養・強壮，補気薬として精神不安などに応用する．

| 古典の記載 | 「神農本草経」上品．心腹の邪気を主る．中を安んじ，脾を養い，十二経を助け，

胃気を平にし，九竅を通じ，少気少津，身中の不足，大驚，四肢重きものを補し，百薬を和す．

「名医別録」中を補し，気を益し，力を強くし，煩悶を除き，心下懸，腸澼を治す．

「重校薬徴」攣引強急するを主治す．故に能く胸脇引痛，咳逆，上気，裏急，腹痛を治し，奔豚，煩躁，身疼，頸項の強り，涎沫するを兼治す．

「古方薬議」中を安んじ，脾を養い，胃気を平にする．百薬を和し，心下懸痛を療し，嗽を止める．

処方例 胃苓湯，越婢加朮湯，黄耆建中湯，黄連湯，藿香正気散，葛根湯，葛根湯加川芎辛夷，加味帰脾湯，甘麦大棗湯，帰脾湯，桂枝湯，桂枝加芍薬湯，桂枝加芍薬大黄湯，桂枝加朮附湯，桂枝加竜骨牡蛎湯，五積散，呉茱萸湯，柴陥湯，柴胡加竜骨牡蛎湯，柴胡桂枝湯，柴朴湯，柴苓湯，四君子湯，炙甘草湯，小建中湯，小柴胡湯，小柴胡湯加桔梗石膏，参蘇飲，清肺湯，大柴胡湯，大防風湯，当帰建中湯，当帰四逆加呉茱萸生姜湯，排膿散及湯，麦門冬湯，半夏瀉心湯，平胃散，防已黄耆湯，補中益気湯，六君子湯

62 沢瀉（タクシャ）　Alismatis Tuber（日局）

基原 サジオモダカ *Alisma orientale* Juzepczuk（オモダカ科 Alismataceae）の塊茎で，通例，周皮を除いたもの．

成分 トリテルペノイド：alisol A, B. デンプン．lecitin, choline.

薬性 甘，寒．水剤．

適用 利尿，止渇薬としてめまい，口渇，胃内停水，浮腫，小便不利などに用いる．

古典の記載 「神農本草経」上品．風寒湿痺，乳難，水を消し，五臓を養い，気力を益し，肥健ならしめるを主る．

「名医別録」虚損，五労を補し，五臓の痞満を除き，陰気を起こし，洩精を止め，消渇，淋瀝，膀胱三焦の停水を逐うを主る．

「重校薬徴」小便不利を主治し，支飲，冒眩を治し，吐，渇，涎沫を兼治す．

「古方薬議」痞満，消渇，淋瀝，頭旋を除く．膀胱熱を利し，尤も行水に長ず．

処方例 胃苓湯，茵蔯五苓散，啓脾湯，牛車腎気丸，五淋散，五苓散，柴苓湯，猪苓湯，猪苓湯合四物湯，当帰芍薬散，八味地黄丸，半夏白朮天麻湯，竜胆瀉肝湯，六味丸

63 竹茹（チクジョ）　Bambusae Cauris（局外）

基原 *Bambusa textilis* McClure, *B. pervariabilis* McClure, *B. beecheyana* Munro, *B.*

tuldoides Munro, ハチク *Phyllostachys nigra* Munro var. *henonis* Stapf ex Rendle またはマダケ *P. bambusoides* Siebold et Zuccarini（イネ科 Gramineae）の稈の内層．

成　　分	ハチク由来の竹筎は 2,5-dimethoxy-*p*-benzoquinone, *p*-hydroxybenzaldehyde を含む．
薬　　性	苦，微寒．血剤．
適　　用	主に上半身の熱をとる．嘔吐，吐血，つわり，子供の夜泣き，ひきつけなどに応用する．
古典の記載	「名医別録」淡竹皮筎，嘔噦，温気寒熱，吐血，崩中，溢筋を主る． 「古方薬議」嘔噦，寒熱，肺痿，唾血，傷寒の労復を主る．
処 方 例	清肺湯，竹筎温胆湯

64　竹節人参（チクセツニンジン）　Panacis Japonici Rhizoma（日局）

基　　原	トチバニンジン *Panax japonicus* C. A. Meyer（ウコギ科 Araliaceae）の根茎を，通例，湯通ししたもの．
成　　分	トリテルペノイドサポニン：chikusetsusaponin 類．
薬　　性	甘微苦，温．気剤（血剤）．
適　　用	人参に比べて滋養・強壮，補気の効果は劣るが，解熱，健胃，去痰作用は強い．
古典の記載	日本では江戸時代に人参の代用として使うようになったもので，古典には記載が少ない． 「綱目拾遺」竹節三七，瘀損を去り，吐衄を止め，不竣を補い，大いに痰を消し，跌僕損傷，積血不行を療す．
処 方 例	小柴胡湯や半夏瀉心湯などに，人参と区別して用いられることがある．

65　知母（チモ）　Anemarrhenae Rhizoma（日局）

基　　原	ハナスゲ *Anemarrhena asphodeloides* Bunge（ユリ科 Liliaceae）の根茎．
成　　分	ステロイドサポニン：timosaponin A-I 〜 A-IV．キサントン：mangiferin, isomangiferin．
薬　　性	苦，寒．血剤．
適　　用	体内の熱をとる作用があり口渇，便秘などに応用する．
古典の記載	「神農本草経」中品．消渇，熱中を主る．邪気，肢体の浮腫を除き，水を下し，不足を補し，気を益す． 「名医別録」傷寒で久瘧の煩熱，脇下の邪気，膈中悪および風汗内疸を主治す． 「古方薬議」消渇，熱中を主り，邪気を除き，結熱を亦療す．瘧の熱煩，患人虚

にして口乾くには之を加えて用う．

処方例　酸棗仁湯，滋陰降火湯，滋陰至宝湯，消風散，辛夷清肺湯，白虎加人参湯

66　釣藤鈎・釣藤鉤（チョウトウコウ）　Uncariae Uncis cum Ramulus（日局）

基　原　カギカズラ *Uncaria rhynchophylla* Miquel，*U. sinensis* Haviland または *U. macrophylla* Wallich（アカネ科 Rubiaceae）の通例とげで，ときには湯通しまたは蒸したもの．

成　分　アルカロイド：rhynchophylline, hirsutine（rhynchophylline および hirsutine, 0.03％以上），isorhynchophylline, hirsuteine.

薬　性　苦，微寒．血剤．

適　用　高血圧，発熱などによる頭痛，めまい，痙攣，ひきつけなどに用いる．精神不安にも使われる．

古典の記載　「名医別録」小児の寒熱，十二の驚癇を主治する．

備　考　カギカズラと *U. sinensis* は，主要アルカロイド成分が異なっており，同じ薬効の生薬と見なしてよいか疑問がある．

処方例　七物降下湯，釣藤散，抑肝散，抑肝散加陳皮半夏

67　猪苓（チョレイ）　Polyporus（日局）

基　原　チョレイマイタケ *Polyporus umbellatus* Fries（サルノコシカケ科 Polyporaceae）の菌核．

成　分　ステロール：ergosterol．脂肪酸．多糖類：pachyman.

薬　性　甘，寒．水剤．

適　用　利水，解熱，止渇作用があり，口渇，浮腫，小便不利などに応用する．

古典の記載　「神農本草経」中品．痎瘧を主る．蠱注，不祥の毒を解す．水道を利す．

「重校薬徴」渇して小便不利を主治す．

「古方薬議」水道を利し，傷寒，温疫，大熱を解し，腫脹満を主る．渇を治し，湿を除く．

処方例　胃苓湯，茵蔯五苓散，五苓散，柴苓湯，猪苓湯，猪苓湯合四物湯

68　天麻（テンマ）　Gastrodiae Tuber（日局）

基　原　オニノヤガラ *Gastrodia elata* Blume（ラン科 Orchidaceae）の塊茎を湯通しまたは蒸したもの．

|成　分| フェノール誘導体：vanillin, gastrodin.
|薬　性| 甘，平．気剤．
|適　用| めまい，熱性のひきつけ，小児の疳の虫，言語障害，身体麻痺，半身不随に応用する．
|古典の記載| 「神農本草経」鬼精物，蠱毒の悪気を殺すを主る．
　　　　　「名医別録」癰腫を消し，下腹の満疝，下血を主る．
|処方例| 半夏白朮天麻湯

69　天門冬（テンモンドウ）　**Asparagi Radix**（日局）

|基　原| クサスギカズラ *Asparagus cochinchinensis* Merrill（ユリ科 Liliaceae）の根被の大部分を除いた根を，通例，湯通しまたは蒸したもの．
|成　分| ステロイドサポニン：asparocoside, asparacosin A, B．アミノ酸：citrulline, asparagine, serine, threonine.
|薬　性| 甘，平．水剤．
|適　用| 虚した人の滋養・強壮薬とし，気管支炎，肺炎，口渇，咳に応用する．
|古典の記載| 「神農本草経」上品．諸の暴風湿で偏痺するを主り，骨髄を強くし，三蟲を殺し，伏尸を去る．
　　　　　「名医別録」大寒無毒．肺気を保定し，寒熱を去り，肌膚を養い，気力を益し，小便を利す．冷にして能く補す．
|処方例| 滋陰降火湯，清肺湯

70　冬瓜子（トウガシ）　**Benincasae Semen**（日局）

|基　原| トウガン *Benincasa cerifera* Savi または *B. cerifera* Savi forma *emarginata* K. Kimura et Sugiyama（ウリ科 Cucurbitaceae）の種子．
|成　分| 脂肪油（48％）：oleic acid, linoleic acid. trigonelline. 安息香酸誘導体．
|薬　性| 甘，寒．水剤．
|適　用| 水分代謝を調整し，肺を潤して痰を除く．化膿性の腫物を治す．
|古典の記載| 「神農本草経」人をして悦澤にし，顔色を好くすることを主る．気を益し，飢えない．久しく服すれば身を軽くし，老いに耐える．
　　　　　「名医別録」煩満，不楽を主る．久服すれば寒に中る．
|処方例| 大黄牡丹皮湯

71　当帰（トウキ）　　Angelicae Acutilobae Radix （日局）

基　原　トウキ Angelica acutiloba Kitagawa またはホッカイトウキ A. acutiloba Kitagawa var. sugiyamae Hikino（セリ科 Umbelliferae）の根を，通例，湯通ししたもの．

成　分　精油（フタリド類）：ligustilide, butylidene phthalide, butylphthalide. そのほかの精油成分：p-cymene, safrole. ポリアセチレン化合物：falcarindiol, falcarinol. クマリン：scopoletin, umbelliferone.

薬　性　甘，温．血剤．

適　用　温性の駆瘀血として，貧血，低血圧，冷え症，血行障害，月経不順，月経痛，更年期障害，腹痛，身体疼痛などに応用する．

古典の記載　「神農本草経」中品．欬逆上気，温瘧で寒熱の洗洗として皮膚中に在るもの，婦人の漏下，絶子，諸悪瘡瘍，金瘡を主る．煮て之を飲む．
　「名医別録」中を温め，痛を止めるを主る．客の血内塞，中風痙，汗出ず，湿痺，中悪，客気虚冷を除き，五臓を補し，肌肉を生ず．
　「古方薬議」欬逆上気，婦人漏下，心腹諸痛を主り，腸胃，筋骨，皮膚を潤し，中を温め痛みを止める．

処方例　温経湯，温清飲，乙字湯，加味帰脾湯，加味逍遙散，帰脾湯，芎帰膠艾湯，荊芥連翹湯，五積散，五淋散，柴胡清肝湯，滋陰降火湯，滋陰至宝湯，紫雲膏，七物降下湯，四物湯，十全大補湯，潤腸湯，消風散，清暑益気湯，清肺湯，疎経活血湯，大防風湯，猪苓湯合四物湯，通導散，当帰飲子，当帰湯，当帰建中湯，当帰四逆加呉茱萸生姜湯，当帰芍薬散，女神散，人参養栄湯，防風通聖散，補中益気湯，薏苡仁湯，抑肝散，抑肝散加陳皮半夏，竜胆瀉肝湯

72　桃仁（トウニン）　　Persicae Semen （日局）

基　原　モモ Prunus persica Batsch または P. persica Batsch var. davidiana Maximowicz （バラ科 Rosaceae）の種子．

成　分　青酸配糖体：amygdalin（1.2％以上）．酵素：emulsin. 油脂：oleic acid, palmitic acid, stearic acid のグリセリド．タンパク質．

薬　性　苦，平．血剤．

適　用　駆瘀血薬として下腹部の痛み，月経不順，月経困難，痔などに応用する．また，潤腸作用がある．

古典の記載　「神農本草経」桃核仁．中品．瘀血，血閉瘕，邪気を主り，小蟲を殺す．
　「名医別録」欬逆上気を主り，心下の堅を消し，卒暴の撃血を除き，癥瘕を破り，

第3章　漢方で使う主要生薬

月水を通じ，痛みを止める．

「古方薬議」瘀血，血閉瘕を主り，欬逆（がいぎゃく），上気，疼痛を止め，大便を通潤す．

|同類生薬| 杏仁と近縁の生薬であるが，漢方での用途は異なる．
|処　方　例| 桂枝茯苓丸，桂枝茯苓丸加薏苡仁，潤腸湯，折衝飲，疎経活血湯，大黄牡丹皮湯，桃核承気湯

73　独活（ドクカツ）　　Araliae Cordatae Rhizoma（日局）

|基　　原| ウド *Aralia cordata* Thunberg（ウコギ科 Araliaceae）の，通例，根茎．
|成　　分| 精油．カウラン系ジテルペノイド：*ent*-kaur-16-en-19-oic acid．ピマラン系ジテルペノイド：*ent*-pimara-8(14), 15-dien-19-oic acid．
|薬　　性| 辛・苦，温．水・血（水・気）剤．
|適　　用| 水分代謝と血行を良くし，体を温め，痛みを止める．リウマチの痛み，腰膝の疼痛，手足の筋肉の痺れ，骨折，頭痛，歯痛などに応用する．
|古典の記載| 「本草綱目」風を除き，血を和す．
|処　方　例| 十味敗毒湯

74　人参（ニンジン）　　Ginseng Radix（日局）
75　紅参（コウジン）　　Ginseng Radix Rubra（日局）

|基　　原| オタネニンジン *Panax ginseng* C. A. Meyer（*Pamax schinseng* Nees）（ウコギ科 Araliaceae）の細根を除いた根またはこれを軽く湯通ししたもの（人参）．根を蒸したもの（紅参）．種子から栽培して5〜6年目に収穫する．
|成　　分| トリテルペノイド：(20*S*)-protopanaxadiol，(20*S*)-protopanaxatriol．トリテルペノイドサポニン：ginsenoside Ro，Ra〜Rh（ginsenoside Rg_1 0.10％および ginsenoside Rb_1 0.20％以上）．ポリアセチレン化合物：panaxynol（＝falcarinol），panaxydol．
|薬　　性| 甘，微寒．水剤．
|適　　用| 滋養・強壮，補気，健胃，抗疲労薬として，胃腸の衰弱，胃部停滞感，食欲不振，消化不良，弛緩性下痢，疲労，体力低下などに応用する．免疫賦活作用がある．
|古典の記載| 「神農本草経」上品．五臓を補し，精神を安んじ，魂魄（こんぱく）を定め，驚悸（きょうき）を止め，邪気を除き，目を明らかにし，心を開き，智を益（ま）すを主（つかさど）る．

「名医別録」腸胃中の冷え，心腹の鼓痛（こつう），胸脇の逆満（きょうきょうぎゃくまん），霍乱吐逆（かくらんとぎゃく）を主治し，中（ちゅう）を調え（ととのえ），消渇（しょうかつ）を止め，血脈を通じ，堅積（けんせき）を破り，人をして忘れざらしむ．

「重校薬徴」心下痞硬（しんかひこう），支結（しけつ）を主治し，心胸停飲，嘔吐，不食，唾沫（だまつ），心痛，腹

痛，煩悸を兼治す．

「古方薬議」渇を止め，津液を生じ，能く諸薬の力を達する．

処方例 温経湯，黄連湯，加味帰脾湯，帰脾湯，桂枝人参湯，啓脾湯，呉茱萸湯，柴陥湯，柴胡加竜骨牡蛎湯，柴胡桂枝湯，柴朴湯，柴苓湯，四君子湯，炙甘草湯，十全大補湯，小柴胡湯，小柴胡湯加桔梗石膏，参蘇飲，清暑益気湯，清心蓮子飲，大建中湯，大防風湯，竹茹温胆湯，釣藤散，当帰湯，女神散，人参湯，人参養栄湯，麦門冬湯，半夏瀉心湯，半夏白朮天麻湯，白虎加人参湯，茯苓飲，茯苓飲合半夏厚朴湯，補中益気湯，木防已湯，六君子湯

76 忍冬（ニンドウ）　Lonicerae Folium Cum Caulis （日局）

基　　原 スイカズラ *Lonicera japonica* Thunberg（スイカズラ科 Caprifoliaceae）の葉および茎．

成　　分 イリドイド配糖体：loganin．タンニン．フラボノイド．

薬　　性 甘，温（名医別録に味甘温とあるが，中医学では甘寒が一般的）．水剤．

適　　用 鎮痙，利尿，抗炎症，抗菌作用があり，解熱，解毒，下痢，血便，伝染性肝炎，化膿性疾患，神経痛，関節痛などに用いる．

古典の記載「名医別録」味甘温，無毒．寒熱，身腫を主治する．久しく服すれば身を軽くし，年を長じ，寿を益す．

「本草綱目」一切の風湿気，諸腫毒，癰疽，疥癬，楊梅諸悪瘡を治し，熱を散じ，毒を解す．

同類生薬 スイカズラのつぼみを金銀花（局外）と称し，主に中医学で清熱，抗炎症を目的に中医処方に配合される．

処方例 治頭瘡一方

77 貝母（バイモ）　Fritillariae Bulbus （日局）

基　　原 アミガサユリ *Fritillaria verticillata* Willdenow var. *thunbergii* Baker（ユリ科 Liliaceae）のりん茎．

成　　分 ステロイドアルカロイド：peimine, peiminine, zhebeinine, verticine.

薬　　性 苦，平．水剤．

適　　用 鎮咳・去痰，排膿薬として咳，気管支炎，肺壊疽などの肺の疾患に用いる．熱をとる作用を期待して，口渇，化膿性の腫れ物に応用する．

古典の記載「神農本草経」中品．傷寒の煩熱，淋瀝，邪気，疝瘕，喉痺，乳難，金瘡，風痙を主る．

第3章　漢方で使う主要生薬

「名医別録」腹中の結実, 心下満, 洗洗たる悪風寒, 目眩, 項直, 欬逆上気を主治する. 煩熱の渇を止め, 汗を出し, 五臓を安んじ, 骨髄を利す.

「重校薬徴」胸膈の鬱結, 痰飲を主治す.

「古方薬議」傷寒煩熱, 淋瀝, 喉痺, 邪気, 咳嗽, 上気, 吐血, 喀血, 肺痿, 肺癰を主り, 腹中の結実, 心下満, 胸脇の逆気を療す.

[処方例] 滋陰至宝湯, 清肺湯

78 麦門冬（バクモンドウ） Ophiopogonis Radix（日局）

[基原] ジャノヒゲ *Ophiopogon japonicus* Ker-Gawler（ユリ科 Liliaceae）の根の膨大部.

[成分] ステロイドサポニン：ophiopogonin A〜D. ホモイソフラボノイド：ophiopogonone A, B.

[薬性] 甘, 平. 水剤.

[適用] 体内の水分を補う作用があり, 口渇を治し, 肺を潤して, 乾いた咳を治める. 滋養・強壮の目的で用いる.

[古典の記載] 「神農本草経」上品. 心腹の結気, 傷中, 傷飽で胃の絡脈絶し, 羸痩し短気するものを主る.

「名医別録」身重, 目黄, 心下支満, 虚労, 客熱, 口乾, 燥渇を主治し, 嘔吐を止め, 痿蹶を癒し, 陰を強くし, 精を益し, 穀を消し, 中を調え, 神を保ち, 肺気を定め, 五臓を安んじ, 人をして肥健ならしめ, 顔色を美しくし, 子を有らしめる.

「古方薬議」心腹の結気, 胃の絡脈絶ち, 羸痩短気, 客熱, 口乾, 燥渇を主り, 嘔吐を止め, 痰飲を下し, 肺痿吐膿を治す.

[処方例] 温経湯, 滋陰降火湯, 滋陰至宝湯, 炙甘草湯, 辛夷清肺湯, 清暑益気湯, 清心蓮子湯, 清肺湯, 竹筎温胆湯, 釣藤散, 麦門冬湯

79 薄荷（ハッカ） Menthae Herba（日局）

[基原] ハッカ *Mentha arvensis* Linné var. *piperascens* Malinvaud（シソ科 Labiatae）の地上部.

[成分] 精油：*l*-menthol（主成分）, *l*-menthone, 1,8-cineole.

[薬性] 辛, 温. 気剤.

[適用] 発汗, 解熱作用があり, 頭痛, めまい, 暑さまけ, 咽頭痛などに用いる. 健胃薬として消化不良, 心腹脹満に応用する.

[古典の記載] 「新修本草」賊風, 傷寒の発汗, 悪気, 心腹の脹満, 霍乱, 宿食の不消化を主り, 気を下す.

| 処方例 | 加味逍遙散，荊芥連翹湯，柴胡清肝湯，滋陰至宝湯，清上防風湯，川芎茶調散，防風通聖散 |

80 半夏（ハンゲ）　Pinelliae Tuber（日局）

基原	カラスビシャク *Pinellia ternata* Breitenbach（サトイモ科 Araceae）のコルク層を除いた塊茎．
成分	フェノール誘導体：homogentisic acid, 3,4-dihydroxybenzaldehyde, 3,4-dihydroxybenzaldehyde diglucoside．セレブロシド．アミノ酸．脂肪酸．
薬性	辛，平．水剤．
適用	吐き気止めの薬として知られている．胃内停水による悪心や嘔吐を止め，妊娠悪阻などに使われる．また，咳，痰，咽痛などに応用する．
古典の記載	「神農本草経」下品．傷寒の寒熱，心下堅，気を下し，喉咽の腫痛，頭眩，胸脹，欬逆，腸鳴，止汗を主る． 「名医別録」心腹，胸の中隔に痰熱が満結するを消し，欬逆上気，心下急痛，堅痞，時気の嘔逆を主り，癰腫を消し，胎を堕ろし，痿黄を治し，面目を悦澤にす．生は人をして吐かせ，熟は人をして下せしむ． 「重校薬徴」痰飲，嘔吐を主治す．心痛，逆満，腹中雷鳴，咽痛，咳悸を兼治す． 「古方薬議」気を下し，胃を開き，痰涎を消す．嘔吐を止め，欬逆，喉咽の腫痛を主る．
備考	口腔粘膜刺激．生姜は半夏の刺激を緩和するといわれており，漢方処方の多くで半夏と生姜が同時に配合されている． 「名医別録」に胎を堕ろすとあり，中医学でも妊婦に慎重に使う生薬とされているが，小半夏加茯苓湯は妊娠悪阻にしばしば使われ，特に問題はない． 半夏はしばしば生姜，甘草，石灰などと煮て修治する．これは強いえぐ味を除くとともに，薬効の方向を変えるためでもある．
処方例	温経湯，黄連湯，藿香正気散，五積散，柴陥湯，柴胡加竜骨牡蛎湯，柴胡桂枝湯，柴朴湯，柴苓湯，小柴胡湯，小柴胡湯加桔梗石膏，小青竜湯，小半夏加茯苓湯，参蘇飲，大柴胡湯，竹筎温胆湯，釣藤散，当帰湯，二朮湯，二陳湯，麦門冬湯，半夏厚朴湯，半夏瀉心湯，半夏白朮天麻湯，茯苓飲合半夏厚朴湯，抑肝散加陳皮半夏，六君子湯，苓甘姜味辛夏仁湯

81 百合（ビャクゴウ）　Lilii Bulbus（日局）

| 基原 | オニユリ *Lilium lancifolium* Thunberg，ハカタユリ *L. brownii* F. E. Brown var. |

colchesteri Wilson, *L. brownii* F. E. Brown または *L. pumilum* De Candolle（ユリ科 Liliaceae）のりん片葉を，通例，蒸したもの．

|成　　分| グリセリン誘導体：regaloside A, B．スクロース誘導体：3,6′-di-*O*-feruloylsucrose など．ステロイドサポニン．ステロイドアルカロイド．

|薬　　性| 甘，平．水剤．

|適　　用| 肺を潤し，咳を止める．また，精神安定作用がある．長引く咳，熱病後期の清熱，腫れ物，動悸，不眠，精神の恍惚に用いる．

|古典の記載| 「神農本草経」邪気，腹脹，心痛を主る．大小便を利し，中を補し，気を益す．
「名医別録」浮腫，臚脹，痞満，寒熱，通身の疼痛，および乳難，喉痺腫を除き，涕涙を止めるを主る．
「古方薬議」邪気腹脹心痛を主り，咳嗽を止む．

|処 方 例| 辛夷清肺湯

82　白芷（ビャクシ）　Angelicae Dahuricae Radix（日局）

|基　　原| ヨロイグサ *Angelica dahurica* Bentham et Hooker filius ex Franchet et Savatier（セリ科 Umbelliferae）の根．

|成　　分| クマリン：byak-angelicin, byak-angelicol．精油．

|薬　　性| 辛，温．血剤．

|適　　用| 頭痛，歯痛，神経痛，化膿性の腫れ物に用いる．また，婦人病，神経症に応用する．

|古典の記載| 「神農本草経」中品．女人の漏下赤白，血閉，陰腫，寒熱，風頭を主り，目を侵して涙に出るもの，肌膚を長じ，潤沢にす．面脂と作すべし．
「名医別録」風邪，久渇，吐嘔，両脇満，風痛，頭眩，目癢を主治す．膏薬として面脂を作るに良い．顔色を潤にす．

|処 方 例| 藿香正気散，荊芥連翹湯，五積散，清上防風湯，川芎茶調散，疎経活血湯

83　枇杷葉（ビワヨウ）　Eriobotryae Folium（日局）

|基　　原| ビワ *Eriobotrya japonica* Lindley（バラ科 Rosaceae）の葉．

|成　　分| メガスチグマン配糖体：eriojaponiside A．トリテルペノイド：ursolic acid, oleanolic acid．青酸配糖体：amygdalin．精油．chlorogenic acid.

|薬　　性| 苦，微寒．水剤．

|適　　用| 肺の炎症と咳，胃の炎症のよる嘔吐に用いる．

|古典の記載| 「名医別録」卒啘止まざるを主り，気を下す．

「新修本草」咳逆,食下さざるを主る.

|備　　考| 葉裏の綿毛は煎液に混ざると喉を刺激するので,なるべく除いた後に生薬にする.民間的に浴湯料として,あせも,湿疹に使われたことがある.

|処 方 例| 辛夷清肺湯

84　檳榔子（ビンロウジ）　　Arecae Semen（日局）

|基　　原| ビンロウ *Areca catechu* Linné（ヤシ科 Palmae）の種子.

|成　　分| アルカロイド：arecoline, arecaidine. タンニン. 脂肪油.

|薬　　性| 辛苦,温.水剤.

|適　　用| 食物を消化し,駆水して渋り腹を治し,膨満感を除く.また,腸内寄生虫を駆除する.

|古典の記載| 「名医別録」穀を消し,水を逐い,痰癖を除き,三蟲を殺し,伏戸を去り,寸白を治するを主る.

「新修本草」腹脹を主る.生の搗末を服すれば,穀道を利水する.瘡に敷けば肌肉を生じ,痛みを止める.焼いて灰となし,口吻白瘡を主る.

|処 方 例| 女神散

85　茯苓（ブクリョウ）　　Poria（日局）

|基　　原| マツホド *Wolfiporia cocos* Ryvarden et Gilbertson（*Poria cocos* Wolf）（サルノコシカケ科 Polyporaceae）の菌核で,通例,外層をほとんど除いたもの.

|成　　分| ステロール：ergosterol. トリテルペノイド：eburicoic acid, pachymic acid. 多糖類：pachyman.

|薬　　性| 甘,平.水剤.

|適　　用| 水毒を除く.胃内停水,浮腫,小便不利,めまい,心悸亢進,精神不安,失眠,筋肉の痙攣などに応用する.

|古典の記載| 「神農本草経」上品.胸脇の逆気,憂恚,驚邪,恐悸,心下の結痛,寒熱,煩満,欬逆を主り,口焦,舌乾を止め,小便を利す.

「名医別録」消渇,好唾,大腹の淋瀝,隔中の痰水,水腫,淋結を止める.胸府を開き,臓気を調え,腎の邪を伐ち,陰を長じ,気力を益し,神を保ち,中を守る.

「重校薬徴」利水を主る.故に能く停飲,宿水,小便不利,眩,悸,瞤動を治し,煩燥,嘔渇,不利,咳,短気を兼治す.

「古方薬議」胸脇の逆気,恐悸,心下の結痛,煩満を主り,小便を利し,消渇を止め,胃を開き,瀉を止む.

| 備　考 | マツホドの菌糸はマツ科（Pinaceae）マツ属 *Pinus* の植物の根の周りで生育し，伐採後3～4年を経た根の周囲に菌核を形成する．菌核の中央に根が貫通したものを「茯神」といい，高価で扱われるが，薬効が特に優れているとは思えない．人工的に後から根を通した偽物もある．近年，松の切った枝や幹に菌糸を植え付けて育てた栽培品が多い．

| 処方例 | 胃苓湯，茵蔯五苓散，藿香正気散，加味帰脾湯，加味逍遙散，帰脾湯，桂枝茯苓丸，桂枝茯苓丸加薏苡仁，啓脾湯，五積散，牛車腎気丸，五淋散，五苓散，柴胡加竜骨牡蛎湯，柴朴湯，柴苓湯，酸棗仁湯，滋陰至宝湯，四君子湯，十全大補湯，十味敗毒湯，小半夏加茯苓湯，参蘇飲，真武湯，清心蓮子飲，清肺湯，疎経活血湯，竹筎温胆湯，釣藤散，猪苓湯，猪苓湯合四物湯，当帰芍薬散，二朮湯，二陳湯，人参養栄湯，八味地黄丸，半夏厚朴湯，半夏白朮天麻湯，茯苓飲，茯苓飲合半夏厚朴湯，抑肝散，抑肝散加陳皮半夏，六君子湯，苓甘姜味辛夏仁湯，苓姜朮甘湯，苓桂朮甘湯，六味丸

86　附子（ブシ），加工ブシ Aconiti Radix Processa（日局）

| 基　原 | ハナトリカブト *Aconitum carmichaeli* Debeaux またはオクトリカブト *A. japonicum* Thunberg（キンポウゲ科 Ranunculaceae）の塊根を1，2または3の加工法により製したもの．
  1　高圧蒸気処理により加工する．
  2　食塩，岩塩または塩化カルシウムの水溶液に浸せきした後，加熱または高圧蒸気処理により加工する．
  3　食塩の水溶液に浸せきした後，水酸化カルシウムを塗布することにより加工する．

| 成　分 | アコニチン系アルカロイド（強毒性）：aconitine, hypaconitine, mesaconitine, jesaconitine．アチシン系アルカロイド（低毒性）：atisine, kobusine, pseudokobusine, songorine, atidine, ignavine．上記1，2および3の加工法により製したものを，それぞれブシ1，ブシ2およびブシ3とする．ブシ1，ブシ2およびブシ3は，それぞれ総アルカロイド（benzoylaconin として）0.7～1.5％，0.1～0.6％および0.5～0.9％を含む．その他：hygenamine, coryneine, yokonoside.

| 薬　性 | 辛，温．水剤．
| 適　用 | 虚した人の新陳代謝機能失調を回復し，厥冷，腹痛，下痢を治す．身体四肢，特に下半身の水毒による関節の麻痺，疼痛に応用する．
| 古典の記載 | 「神農本草経」下品．風寒の欬逆，邪気，温中，金瘡，癥堅，積聚を破り，血瘕，寒湿，踒躄拘攣し，膝痛して歩行不能なるものを主る．

「名医別録」大毒あり．脚疼き冷弱なるもの，腰脊の風寒で心腹の冷痛するもの，霍乱轉筋，下痢赤白を主治し，肌骨を堅くし，陰を強くす．また胎を堕ろし，百薬の長と為す．

「重校薬徴」水を逐うことを主る．故に能く悪寒，腹痛，厥冷，失精，不仁，身体骨節疼痛，四肢沈重疼痛を治し，下利，小便不利，胸痺，癰膿を兼治す．

「古方薬議」附子．中を温め，寒を逐い，虚を補い，壅を散らし，肌骨を堅め，厥逆を治し，百薬の長と為す．

烏頭．乾湿痺を除き，積聚を破り，胸上の痰冷，食下らず，心腹冷疾，臍間痛，肩甲痛み俛仰すべからざるを消す．

天雄．筋骨を強め，陰気に長じ，冷気虚損を補う．

| 同類生薬 | 日局では区別していないが，本来は親株の根に付く来年用の子根を附子，親株の根を烏頭，子根を生じなかった根を天雄という．また，減毒の方法により加工附子（無毒附子），炮附子，塩附子，白河附子などの名称がある． |

| 備　考 | 漢方では重要な生薬であるが，最も扱いが難しい生薬である．基原植物の種類，産地，採集時期によりアルカロイドの量が大きく違う．また虚証と実証で感受性が異なり，実証の人は中毒になりやすい．さらに煎じる時間によっても毒性に差が生じ，短時間ではアルカロイドの加水分解が進まず毒性が強い．

昔から毒性を減ずるための工夫がされており，苦汁に漬けて乾燥したもの（炮附子），塩漬け（塩附子），石灰をまぶして乾燥したもの（白河附子）などがある．また，近年は有毒アルカロイドを高温で加水分解したものが使われている． |

| 処方例 | 桂枝加朮附湯，牛車腎気丸，真武湯，大防風湯，八味地黄丸，麻黄附子細辛湯 |

87　防已（ボウイ）　Sinomeni Caulis et Rhizoma（日局）

基　原	オオツヅラフジ *Sinomenium acutum* Rehder et Wilson（ツヅラフジ科 Menispermaceae）のつる性の茎および根茎を，通例，横切したもの．
成　分	イソキノリンアルカロイド：sinomenine．青酸配糖体：menisdaurin．アミド化合物：*N*-feruloyltyramine．
薬　性	苦，温．水剤．
適　用	水毒をとる作用があり，浮腫，小便不利，神経痛，リウマチ，関節炎などの関節の痛みに応用する．
古典の記載	「神農本草経」中品．風寒の温瘧，熱気，諸癇を主り，邪を除き，大小便を利す．

「名医別録」水腫，風腫を主治し，膀胱の熱，傷寒，寒熱の邪気，中風，手脚の攣急を去り，洩れを止め，癰腫，悪結，諸蝸，疥癬，蟲瘡を散じ，腠理を通じ，九竅を利す． |

第3章　漢方で使う主要生薬　　209

「重校薬徴」水を主治す．

「古方薬議」邪を除き，大小便を利し，膝理を通じ，癰腫，悪結を散らし，脚気を洩らし，血水湿熱を瀉す．風水気を治療する要薬とす．

|同類生薬| 薬典には，防已として *Stephania tetrandra*（ツヅラフジ科 Menispermaceae）の根，広防已として *Aristolochia fangchi*（ウマノスズクサ科 Aristolochiaceae）の根が規定されている．また，*Sinomenium acutum* と *S. acutum* var. *cinereum* の茎が青風藤の名で収載されている．これらの薬能は似ているが，薬典では使い分けている．広防已の基原植物である *Aristolochia* 属植物には aristolochic acid が含まれ，この成分による腎障害が知られているので，誤用しないように注意する．

|備　　考| 局方生薬は防已（ボウイ），薬典の生薬は防已（ボウキ）である．

|処 方 例| 疎経活血湯，防已黄耆湯，木防已湯

88　芒硝（ボウショウ）　　Sal Mirabilis（日局）

|基　　原| 天然の含水硫酸ナトリウム，またはその精製品．

|成　　分| $Na_2SO_4 \cdot 10H_2O$ を主とし，微量の $NaCl$，$MgCl_2$，$MgSO_4$，$CaSO_4$ などを含む．

|薬　　性| 苦，寒．血剤．

|適　　用| 寒性の緩下薬で，裏に熱があって便秘するものや腹満に用いる．また，小便不利にも用いる．

|古典の記載| 「神農本草経」硝石．上品．五臓の積熱，胃の脹閉を主り，飲食の蓄結を滌去し，古きを推し，新しきを致し，邪気を除く．

「名医別録」五臓，十二経脈中の百二十の疾，暴寒に傷れ，腹中大熱するを主治し，煩満，消渇をとめ，小便及び瘻蝕瘡を利す．

「重校薬徴」堅を軟かにするを主り，結胸，心下石鞕，鞕満，燥屎，大便鞕，宿食，腹満，小腹急結，堅痛，腫痞等諸般の解し難き毒を治し，潮熱，譫語，瘀血，黄疸，小便不利を兼治す．

「古方薬議」五臓の積聚，久熱，胃閉を主り，邪気を除き，留血を破り，大小便を利す．

|備　　考| 芒硝は，古くは結晶硫酸マグネシウム $MgSO_4 \cdot 7H_2O$ であった．正倉院に保存されている芒硝も結晶硫酸マグネシウムである．漢方エキス製剤の製造の際には，無水芒硝が用いられる．

|処 方 例| 大黄牡丹皮湯，大承気湯，調胃承気湯，通導散，桃核承気湯，防風通聖散

89　防風（ボウフウ）　Saposhnikoviae Radix（日局）

|基　　原|*Saposhnikovia divaricata* Schischkin（セリ科 Umbelliferae）の根および根茎．
|成　　分|クロモン：cimifugin, 4′-*O*-glucosyl-5-*O*-methylvisamminol．クマリン：fraxidin．ポリアセチレン化合物：falcarindiol．多糖類．
|薬　　性|辛，温．気剤．
|適　　用|発汗・解熱・鎮痛薬として，感冒，頭痛，めまい，身体疼痛に応用する．
|古典の記載|「神農本草経」上品．大風，頭眩痛，悪風，風邪，目盲で見る所無きもの，風が身を行周して，骨節疼痺するもの，煩満を主る．
「名医別録」脇痛，脇風が頭面に去来し，四肢の攣急するもの，字乳，金瘡，内痙を主治する．
「古方薬議」風周身を行り，骨節疼痺するを主り，頭目中の滞気を散ずる．頭眩痛，四肢攣急を治す．
|同類生薬|浜防風（日局）は，ハマボウフウ *Glehnia littoralis* Fr. Schmidt et Miquel（セリ科 Umbelliferae）の根および根茎で，江戸時代に防風の代用として使われていた．医療用エキス剤のなかには，防風通聖散や清上防風湯に浜防風を用いているものもある．
|処方例|荊芥連翹湯，十味敗毒湯，消風散，清上防風湯，川芎茶調散，疎経活血湯，大防風湯，治頭瘡一方，釣藤散，当帰飲子，防風通聖散，立効散

90　樸樕（ボクソク）Quercus Cortex（日局）

|基　　原|クヌギ *Quercus acutissima* Carruthers，コナラ *Q. serrata* Murray，ミズナラ *Q. mongolica* Fischer et Ledebour var. *crispula* Ohashi またはアベマキ *Q. variabilis* Blume（ブナ科 Fagaceae）の樹皮．
|成　　分|フラボノイド：quercitrin．タンニン．
|薬　　性|苦・渋，平．血剤．
|適　　用|内服では下痢を止め，外用では各種の腫れ物に用いる．
|古典の記載|「本草拾遺」悪瘡，風に中り，毒露に犯された者は煎汁を取って瘡を洗い，膿血を尽くして止めるを主る．また，痢を治す．
|同類生薬|十味敗毒湯では，樸樕の代用として桜皮を使うことがある．
|処方例|十味敗毒湯，治打撲一方

91 牡丹皮（ボタンピ）　　Moutan Cortex（日局）

基　　原	ボタン *Paeonia suffruticosa* Andrews（= *P. moutan* Sims）（ボタン科　Paeoniaceae）の根皮．
成　　分	フェノール誘導体：paeonol（0.9％以上），paeonolide, paeonoside．モノテルペノイド配糖体：paeoniflorin, oxypaeoniflorin．タンニン．
薬　　性	辛，温．血剤．
適　　用	消炎性の駆瘀血薬として，頭痛，腹痛，腰痛，月経不順，月経困難などに応用する．
古典の記載	「神農本草経」中品．寒熱の中風，瘈瘲痙，驚癇，邪気を主り，癥堅，瘀血の腸胃に留舎するを除き五臓を安んじ，癰瘡を治す． 「名医別録」時気の頭痛，客熱，五労，労気，頭腰痛，風噤，癲疾を除くを主る． 「古方薬議」癥堅，瘀血を除き，癰瘡を療し，月経を通じ，撲損を消し，腰痛を治し，煩熱を除く．
備　　考	paeonol に各種の薬効が見られることから，これが主たる有効成分と思われるが，この物質は極めて揮散しやすく，煎じる過程でほとんどが水蒸気とともに揮散する．paeonol の薬効を期待する場合は散または丸として使うべきである．
処方例	温経湯，加味逍遙散，桂枝茯苓丸，桂枝茯苓丸加薏苡仁，牛車腎気丸，折衝飲，大黄牡丹皮湯，八味地黄丸，六味丸

92 牡蛎（ボレイ）　　Ostreae Testa（日局）

基　　原	カキ *Ostrea gigas* Thunberg（イタボガキ科 Ostreidae）の貝がら．
成　　分	主成分は $CaCO_3$，そのほか，$Ca_3(PO_4)_2$，ケイ酸塩．微量のたん白質．
薬　　性	鹹，平．気剤．
適　　用	寒性の鎮静薬として，心悸亢進，盗汗，むねやけ，不眠，夢精，精神不安などに応用する．
古典の記載	「神農本草経」上品．傷寒の寒熱，温瘧で洒洒たるもの，驚恚怒気を主り，拘緩，鼠瘻，女子の帯下赤白を除く．久しく服すれば骨節を強くし，邪気を殺し，年を延ばす． 「名医別録」留熱の関節営衛に在るを除き，虚熱の去来し不定なるものを主り，煩満，止汗，心痛，気血，渇を止め，老血を除き，大小腸を渋し，大小便を止め，泄精，喉痺，欬嗽，心脇下の痞熱を治す． 「重校薬徴」胸腹の動を主治し，驚狂，煩躁，失精を兼治す．

「古方薬議」傷寒寒熱，温瘧洒洒，驚恚怒気を主り，盗汗を止め，洩精を療し，心脇下の病熱を治す．

| 備 考 | 煎液のアルカリ化によるほかの生薬成分の変化，溶解補助などが牡蛎の薬効に関係しているとも思われる．焼いて製した牡蛎は一部の $CaCO_3$ が CaO になり，これが $Ca(OH)_2$ として水に溶けるためにアルカリ性が強く，Ca イオンの溶出量も多い． |

| 処方例 | 安中散，桂枝加竜骨牡蛎湯，柴胡加竜骨牡蛎湯，柴胡桂枝乾姜湯 |

93 麻黄（マオウ）　Ephedrae Herba（日局）

基 原	*Ephedra sinica* Stapf, *E. intermedia* Schrenk et C. A. Meyer または *E. equisetina* Bunge（マオウ科　Ephedraceae）の地上茎．
成 分	エフェドリン型アルカロイド：*l*-ephedrine, *d*-pseudoephedrine, *l*-norephedrine, *l*-*N*-methylephedrine. 総アルカロイド（ephedrine および pseudoephedrine）0.7％以上．
薬 性	苦，温．水剤．
適 用	発汗，解熱・鎮痛薬として，太陽病期の悪寒，浮腫，頭痛，身体疼痛，関節の痛みなどに応用する．また，鎮咳薬として咳，喘息などに用いる．
古典の記載	「神農本草経」中品．中風，傷寒の頭痛，温瘧を主り，表を発して汗を出す，邪熱の気を去り，欬逆上気を止め，寒熱を除き，癥堅，積聚を破る．

「名医別録」五臓の邪気の緩急，風の脇痛，字乳の餘疾を主治し，好く唾するを止め，腠理を通じ，傷寒の頭痛を疎にし，肌を解し，邪悪の気を洩らし，赤黒斑の毒を消す．多服すべからず，人を虚せしめる．

「重校薬徴」喘咳水気を主治し，一身黄腫，悪風，悪寒，無汗を治し，頭痛，発熱，身疼，骨節痛を兼治す．

「古方薬議」表を発し，汗を出し，邪熱気を去り，欬逆上気を止め，寒熱を除き，傷寒を療し，肌を解すこと第一なり． |
| 備 考 | 麻黄は地上部，地下部の作用が逆である．地上部は発汗，血圧上昇の作用があるが，地下部（麻黄根）は逆である．

弘景は麻黄は根節を去って使うものだと書いている．そこで根と節を除いて使う人がいるが，節の成分は節間より少ないが同じである．去根節は根節を去る，すなわち株立ちしているマオウの地際の根の塊を除けという意味と思われる． |
| 処方例 | 越婢加朮湯，葛根湯，葛根湯加川芎辛夷，五虎湯，五積散，小青竜湯，神秘湯，大青竜湯，防風通聖散，麻黄湯，麻黄附子細辛湯，麻杏甘石湯，麻杏薏甘湯，薏苡仁湯 |

94 麻子仁（マシニン）　Cannabis Fructus（日局）

基　　原	アサ *Cannabis sativa* Linné（クワ科　Moraceae）の果実.
成　　分	脂肪油（30％）：linoleic acid, linolenic acid, oleic acid のエステル.
薬　　性	甘, 平. 水剤.
適　　用	緩和な粘滑性下剤で, 体力のないものの便秘などに応用する.
古典の記載	「神農本草経」麻蕡. 上品. 中を補し, 気を益するを主る. 「名医別録」中風で汗出ずるを主治し, 水を逐い, 小便を利し, 積血を破り, 血脈, 乳婦, 産後の餘疾を復し, 髪を長ず. 沐薬と為すべし. 「古方薬議」血脈を復し, 五臓を潤し, 大腸の風熱血渋および熱淋を治す.
処方例	炙甘草湯, 潤腸湯, 麻子仁丸

95 木通（モクツウ）　Akebiae Caulis（日局）

基　　原	アケビ *Akebia quinata* Decaisne またはミツバアケビ *Akebia trifoliata* Koidzumi のつる性の茎を, 通例, 横切したもの.
成　　分	トリテルペノイドサポニン：akeboside 類.
薬　　性	苦, 微温. 水剤.
適　　用	消炎性利尿, 鎮痛薬として, 水腫, 小便不利, 関節痛に応用する.
古典の記載	「神農本草経」通草. 中品. 悪虫を去り, 脾の寒熱を除くことを主り, 九竅, 血脈, 関節を通利し, 人をして忘れざらしむ. 「名医別録」脾疸, 常に眠らんと欲す, 心煩, 噦して音声を出すを主治し, 耳聾を治し, 癰腫, 諸結の消せぬもの及び金瘡, 悪瘡, 鼠瘻, 踒折, 齆鼻, 息肉を散じ, 胎を堕ろし, 三蟲を去る. 「古方薬議」九竅, 血脈, 関節を通利し, 小便を利し, 水腫浮大を主り, 煩熱を除く.
同類生薬	川木通（薬典）は, *Clematis armandii* Franch., *C. montana* Buch.（キンポウゲ科 Ranunculaceae）のつるである. 関木通（薬典）は *Aristolochia manshuriensis* Kom.（ウマノスズクサ科 Aristolochiaceae）のつるで, aristolochic acid を含み, 腎障害を起こす危険性がある. 預知子（薬典）はアケビ, ミツバアケビの果実である.
処方例	五淋散, 消風散, 通導散, 当帰四逆加呉茱萸生姜湯, 竜胆瀉肝湯

96　木香（モッコウ）　Saussureae Radix（日局）

基　原	*Saussurea lappa* Clarke（キク科 Compositae）の根.
成　分	セスキテルペノイド：costunolide, dehydrocostuslactone.
薬　性	辛，温．気剤．
適　用	温性の健胃，整腸薬として，嘔吐，腹痛，消化不良，下痢などに応用する．
古典の記載	「神農本草経」上品．邪気を主り，毒疫，温鬼を辟け，志を強くし，淋露を主る． 「名医別録」気劣，肌中の偏寒を治す．気の不足，毒を消し，鬼精の物を殺し，温瘧，蠱毒を主る．
同類生薬	ここに記載した木香は，唐木香，広木香，雲木香，インド木香の別名がある．原植物はワシントン条約で絶滅危惧植物に指定されており，野生品の輸出入は禁止されている．北海道で栽培に成功している． 別の生薬で，木香と名前の類似したものに川木香，土木香，青木香がある．川木香はキク科の *Vladimiria souliei* Ling の根で，成分的に木香に似ている．土木香はキク科のオオグルマ *Inula helenium* Linné の根で，精油を含んでいるが，主成分はセスキテルペンの alantolactone である．青木香は，ウマノスズクサ科（Aristolochiaceae）のウマノスズクサ *Aristolochia debilis* Siebold et Zuccarini またはマルバウマノスズクサ *A. contorta* Bunge の根で，aristolochic acid を含み，腎障害を起こす危険性がある．
処方例	加味帰脾湯，帰脾湯，女神散

97　薏苡仁（ヨクイニン）　Coicis Semen（日局）

基　原	ハトムギ *Coix lacryma-jobi* Linné var. *mayuen* Stapf（イネ科 Gramineae）の種皮を除いた種子．
成　分	デンプン．多糖類．脂肪油．
薬　性	甘，微寒．水剤．
適　用	消炎，利尿，鎮痛，排膿薬として，浮腫や関節痛，身体疼痛，化膿性の疾患に用いる．また，滋養・強壮薬とする．
古典の記載	「神農本草経」上品．筋急，拘攣し屈伸するを得ず，風湿痺，気を下すを主る． 「名医別録」筋骨の邪気で不仁するを除き，腸胃を利し，水腫を消すを主る．人をして能く食せしむ． 「重校薬徴」癰膿を主治し，浮腫身疼を兼治す． 「古方薬議」筋脈の拘攣，風湿痺を主り，気を下し，腸胃を利し，水腫を消し，

第3章　漢方で使う主要生薬　　215

熱を清め，肺痿，肺気膿血吐するを主る．

|処　方　例| 桂枝茯苓丸加薏苡仁，麻杏薏甘湯，薏苡仁湯

98　竜骨（リュウコツ）　　Fossilia Ossis Mastodi（日局）

|基　　原| 大型哺乳動物の化石化した骨．
|成　　分| $CaCO_3$．$Ca_3(PO_4)_2$．hydroapatite．SiO_2．
|薬　　性| 甘，微寒．気剤．
|適　　用| 鎮静薬として，心悸亢進，異常興奮，不安，不眠，子供のひきつけなどに応用する．
|古典の記載| 「神農本草経」上品．心腹の鬼注，精物の老魅，欬逆，膿血を洩利する，女子の漏下，癥瘕の堅結，小児の熱気，驚癇を主る．
　　　　　　「名医別録」心腹の煩満を主治し，四肢の痿枯，汗出で，夜臥し自ら驚くもの，恚怒，伏気心下に在り，喘息を得ず，腸癰，内疽，陰蝕，汗，小便利，溺血を止め，精神を養い，魂魄を定め，五臓を安んず．
　　　　　　「重校薬徴」臍下の動を主治し，驚狂，煩燥，失精を兼治す．
　　　　　　「古方薬議」小児の熱気驚癇，心腹煩満を主り，夢寐洩精，小便洩利を療す．
|備　　考| 牡蛎を参照．
|処　方　例| 桂枝加竜骨牡蛎湯，柴胡加竜骨牡蛎湯

99　連翹（レンギョウ）　　Forsythiae Fructus（日局）

|基　　原| レンギョウ Forsythia suspensa Vahl（モクセイ科 Oleaceae）の果実．
|成　　分| トリテルペノイド：betulinic acid, ursolic acid, oleanolic acid．リグナン配糖体：arctiin．フェニルエタノイド配糖体：forsythiaside, acteoside．
　　　　　フラボノイド：rutin, quercitrin．
|薬　　性| 苦，平．血剤．
|適　　用| 消炎，利尿，排膿薬として各種の炎症に用いる．特に，温病による喉の腫れに使われる．
|古典の記載| 「神農本草経」下品．寒熱鼠瘻，瘰癧癰腫，悪瘡，癭瘤，結熱蠱毒を主る．
　　　　　　「名医別録」白蟲を去る．
　　　　　　「古方薬議」癰腫，結熱，小便不利を主り，諸経の血結気聚を散じ，腫れを消し痛みを止める．
|処　方　例| 荊芥連翹湯，柴胡清肝湯，清上防風湯，治頭瘡一方，防風通聖散

100　蓮肉（レンニク）　　Nelumbis Semen（日局）

|基　原| ハス *Nelumbo nucifera* Gaertner（スイレン科 Nymphaeaceae）の通例，内果皮についた種子でときに胚を除いたもの．

|成　分| デンプン．アルカロイド（胚の成分）：lotusine など．

|薬　性| 甘渋，平．水剤．

|適　用| 脾虚による下痢，腎虚による遺精，失禁，不正子宮出血，帯下，不眠などに用いる．

|古典の記載| 「神農本草経」中を補し，神を養い，気力を益すを主る．
　「本草綱目」心，腎を交え，腸，胃を厚くし，精気を固くし，筋骨を強くし，虚損を補し，耳目を利し，寒湿を除き，脾泄久利，赤白濁，婦人の帯下，崩中，諸血病を止める．

|処方例| 啓脾湯，清心蓮子飲

II 主要用語解説

各生薬の 古典の記載 にでてくる主な古典用語を簡単に解説する.

悪虫	あくちゅう	悪性の寄生虫
安和	あんわ	調和
痿黄	いおう	身体が黄色くなっているが,白目は黄色くなっていない状態
胃気	いき	胃の消化作用
痿蹶	いけつ	手足が衰え,力が入らず冷える状態
痿枯	いこ	四肢の骨が弱り果てて,意のままにならない状態
踒躄	いへき	下肢の運動麻痺
胃を開き	いをひらき	胃のつかえをとる
陰腫	いんしゅ	生殖器の腫れ
陰蝕	いんしょく	陰部の腐蝕
癮疹	いんしん	くり返して起こる痒い発疹
陰㿉	いんたい	陰嚢の腫れ,陰嚢ヘルニア
陰中	いんちゅう	生殖器
陰陽蝕瘡	いんようしょくそう	性交によるただれ
営衛	えいえい	営気と衛気のこと.体内の血,気の機能
翳膜	えいまく	かげりのある膜
瘿瘤	えいりゅう	こぶ
噦	えつ	しゃっくり
悦澤	えつたく	うちとけて喜ぶこと
豌豆瘡	えんどうそう	天然痘
嘔啘	おうえん	乾嘔の激しいもの
黄汗	おうかん	浮腫があり汗が出てのどが乾くこと,汗のため衣服が黄色くなること
嘔逆	おうぎゃく	吐き気がして,腹からつき上げてくる状態
黄腫	おうしゅ	疲労し,食欲がなく,貧血して動悸の強い病気
齆鼻	おうび,ようび	鼻がふさがること

黄病	おうびょう	黄疸
往来寒熱	おうらいかんねつ	一日のうちに寒気と熱感をくり返す状態
悪阻	おそ	妊婦の吐き気
悪風	おふう	さむけ
温疫	おんえき，うんえき	急性熱性伝染病
温鬼	おんき，うんき	死者のたたりによる病気
温瘧（虐）	おんぎゃく，うんぎゃく	まず熱して後に寒のある病，夏に暑熱を受けて起こる
瘕	か	腹の中の移動性の塊
痎瘧	かいぎゃく	各種の瘧の総称，なかなか治らない瘧
欬逆	がいぎゃく	咳が込みあげてくること
欬逆上気	がいぎゃくじょうき	頻発する咳
蛔心痛	かいしんつう	回虫による心痛
欬嗽	がいそう	咳
膈	かく	横隔膜のあたり
膈気	かくき	食道と胃の働き
膈熱	かくねつ	胸にある膜の熱，口内炎，気管支炎，食道炎の原因になる
霍乱	かくらん	急性の下痢
牙痛	がつう	歯の痛み
瘕熱	かねつ	仮熱，すなわち外見は熱症に似ているが，実際は寒症であること
乾嘔	かんおう	吐き気はあるが，食べものは吐かない状態
癇痙	かんけい	ひきつけ，痙攣
眼眩	がんげん	めまい
寒湿痿痺	かんしついひ	寒と湿による運動神経麻痺
寒痺	かんぴ	寒の邪が激しく，強い痛みとなること
悸気	きき	動悸を起こす邪気
鬼疰	きしゅ	慢性伝染性結核のこと
鬼精物	きせいぶつ	ものの怪
喜唾	きだ	唾が多く出ること
鬼注	きちゅう	一族のほとんどが死ぬ病気
吃逆	きつぎゃく	しゃっくりと嘔吐
客	きゃく	客気と同じ
瘧	ぎゃく	マラリアのような病気
客気	きゃくき，かくき	虚に乗じて新たに入り込んだ病邪

逆気	ぎゃくき	気が腹から上に向ってつき上げてくること
客熱	きゃくねつ，かくねつ	虚証のときに，外からの熱が加わって発する熱
逆満	ぎゃくまん	充満して上に押し上げられること
久瘧	きゅうぎゃく	瘧がなかなか治らないこと
九竅	きゅうきょう	人体にある9個の穴．目，耳，鼻，口，尿道，肛門
泣出	きゅうしゅつ	泣いているように涙が出る
久洩	きゅうせつ	長く下痢をすること，あるいは汗が止らないこと
急迫	きゅうはく	身体にあらわれる急で激しい症状，痙攣など
竅	きょう	人体の9個の穴，九竅と同じ
驚恚	きょうい	驚き腹をたてること
驚癇	きょうかん	身体が強直して反り返ること，てんかん，ひきつけ
驚悸	きょうき	ものに驚いて心悸亢進すること
驚恐	きょうきょう	精神不安の状態
驚狂	きょうきょう	神経症
驚邪	きょうじゃ	邪気による精神不安
行水	ぎょうすい	水をめぐらすこと
驚喘	きょうぜん	精神不安でものに驚いてあえぐこと
胸張	きょうちょう	胸が張る状態
虚損	きょそん	乱れた生活や病後で体内が傷付き，虚した状態
虚羸	きょるい	精気乏しく，身体がやせるもの
虚労	きょろう	過労のために極度に心身が弱っている状態
筋急	きんきゅう	筋肉の引きつれ
金瘡	きんそう	刃物による傷
狗毒	くどく	狂犬病
痙	けい	筋肉が痙攣して収縮すること
瘈瘲	けいしょう	手足が引きつったり，だらりとしたりし続ける病気
経水	けいすい	月経
経脈	けいみゃく	気が身体のなかをめぐる通路，経絡と同じ
下血	げけつ	腸出血，痔出血，性器出血の総称
血運	けつうん	産後のめまい
血瘕	けつか	婦人の癥瘕の一種，血が邪気と結聚して小腹の間に蓄積すること
結気	けつき	形のないものが集まること，抑うつ症のようなもの
厥逆	けつぎゃく	強く冷えること
血結	けっけつ	血の凝塊のこと

結痼	けつこ	持病の塊
血渋	けつじゅう	血の流れが滞ること
月水	げっすい	月経
血癥	けっちょう	腹中にできる不動性の血の堅い塊
血痺	けっぴ	知覚障害，知覚異常
血閉	けっぺい	月経の止った状態
血閉瘕	けっぺいか	月経の止る病
厥冷	けつれい	他覚的に四肢が冷えているが自覚がないこと
下利	げり	下痢と同じ
堅積	けんせき	腹のなかの堅い塊
堅痛	けんつう	堅くしこって痛い状態
口噤	こうきん	歯を食いしばって，口が開けない状態
好唾	こうだ	よく唾が出る状態
項直	こうちょく	うなじの強直
絞痛	こうつう	絞るような痛み
項背	こうはい	首筋
拘攣	こうれん	引きつって痙攣すること
五痔	ごじ	5種類の痔
蠱毒	こどく	ある種の急性感染症の毒にあたった病気，または古代の知覚を失わせる毒薬の一種
痼熱	こねつ	長く治らない病気の熱
五淋	ごりん	尿に関する5種の病気，尿の異常や結石など
五労	ごろう	5種類の過労によって起こる病気
魂魄	こんぱく	たましい
皶鼻	さび	赤鼻，鼻頭が赤～紫黒色になり，腫れていぼ状の隆起がある状態
痠	さん	痛むこと
三焦	さんしょう	胸の上部から下腹部までをいう．上焦，中焦，下焦にわかれる
三蟲	さんちゅう	回虫，蟯虫，条虫をいう
酸疼	さんとう	だるい痛み
産乳	さんにゅう	出産時に突然意識を失うこと
痓	し	はげしい身体の強直
眥	し	まなじり
支飲	しいん	水毒が胸部に停滞するもの，心臓機能障害

死肌	しき	知覚全麻痺
時気	じき	季節の変わりめの病気
衄血	じくけつ	鼻血
時行	じこう	流行病
子臓	しぞう	子宮
七傷	しちしょう	7つの心身の過労，男子の7つの精力減退
湿痺	しっぴ	関節炎，脚気のような状態
字乳	じにゅう	養って乳を飲ませること
支満	しまん	膨満と同じ
邪鬼	じゃき	病気の原因となる外因
積結	しゃくけつ	鬱（循環障害）の重症なもの
積聚，癪聚	しゃくじゅ，しゃくしゅう	積もり集まった病毒，腹中の腫瘤，疲労やストレスが原因の腹痛，癇癪
聚	じゅ	集まるの意
十二経	じゅうにけい	手と足にあるとされる12の経脈
周痺	しゅうひ	風顫湿邪による疼痛，麻痺
宿食	しゅくしょく	消化不良
酒皰	しゅほう	酒の飲みすぎによるニキビのような発疹
瞤	じゅん	まばたき
膧	しょう	足の腫れ物
瘴	しょう	山や川の悪気にあたって起こる熱病
消渇	しょうかつ，しょうかち	糖尿病のように，ひどくのどが乾く病気
上気	じょうき	喘息，逆気
衝逆	しょうぎゃく	激しい気のつき上げ，のぼせ
上衝	じょうしょう	気が腹から上につき上げてくること
傷中	しょうちゅう	内臓の機能に傷がつくこと
小蟲	しょうちゅう	寄生虫の一種
丈夫	じょうふ	一人前の男，健康な人
小腹（少腹）	しょうふく	臍より下の腹部
傷飽	しょうほう	飲み過ぎ食べ過ぎにより傷んだ胃腸
耳聾	じろう	耳が聞こえないこと
津液	しんえき	正常な体液
心下懸痛	しんかけんつう	みぞおちのひきつれるような痛み
身重	しんじゅう	妊娠していること
心煩	しんぱん	胸部に熱感があって苦悶すること

心腹	しんぷく	胸と腹の部分
水脹	すいちょう	水腫のこと
頭眩	ずげん	頭がくらくらとし，めまいがする状態
頭旋	ずせん	冒眩と同じ
頭脳風	ずのうふう	風の邪が脳に入って起こる病気，頭風の一種
頭風	ずふう	頭部に風の邪を受けて起こる病気の総称
寸白	すんぱく	女性の疝痛，足の静脈瘤
赤白洩痢	せきはくせつり	便にときに血が混ざり，ときに混ざらない下痢
赤癩	せきらい	赤斑を生じるハンセン病のような病気
洩	せつ	体液が外に洩れること
絶子	ぜっし	子供ができないこと
絶傷を続す	ぜっしょうをぞくす	切られた傷を繋ぐ
折跌	せつふ	足の甲の骨を折る
洩澼	せつへき（えいへき）	下痢の一種
洩痢・洩利	せつり（えいり）	下痢の一種
喘	ぜん	喘息様のせき
疝瘕	せんか	腹部に堅い塊があって痛みを訴えるもの
譫語	せんご	うわごと
疽	そ	熱があり比較的根が深い腫れ物，悪性の腫れ物で，化膿しないもの
嗽	そう	せき
瘡瘍	そうよう	皮膚のでき物
腠理	そうり	体液のにじみ出るところ，汗腺
賊血	ぞくけつ	害をする悪い血
燥屎	そうし	乾燥し，硬くなった宿便
息肉	そくにく	ぜい肉，ポリープ
賊風	ぞくふう	風邪，悪い風
卒急	そっきゅう	突然おこること
卒暴	そつぼう	にわかの，だしぬけの，卒急に同じ
鼠瘻	そろう	リンパ腺腫のような腫れ物，瘰癧の別名
損	そん	損傷
洒洒	そんそん	寒気がするさま
大驚	だいきょう	いちじるしい精神不安の状態，痙攣
帯下	たいげ	子宮の不正出血，性器からの異常なおりもの．こしけ
大風	だいふう	ハンセン病のようなもの．重篤なかぜ症状や脳卒中の

		脱落証候もいう
大風癩疾	だいふうらいしつ	ハンセン病
大腹	だいふく	へその上
濁唾	だくだ	濁った唾液
堕墜	だつい	高いところから落ちる
痰	たん	体内にある水のうち粘稠なもの
痰飲	たんいん	水滞，水毒とほぼ同義語
短気	たんき	息切れ
痰熱	たんねつ	水毒，熱毒の合併したもの，リンパ腺腫
痰癖	たんへき	水飲が長く停滞して痰となり，脇の下に固まって痛いもの
中	ちゅう	中焦，すなわち上腹部
中悪	ちゅうあく	急に驚き恐れることにより顔面蒼白，意識もうろう，うわ言を発する状態
中暑	ちゅうしょ	暑気あたり
中風	ちゅうふう	急性熱性病の初期で軽い状態，あるいは突然意識不明となる卒中のこと
中風痓	ちゅうふうし	風の邪にあたって悪くなった状態
癥	ちょう	腹のなかで1か所に固定した塊
癥瘕	ちょうか	腹のなかで久しくかたまった瘀血
癥堅	ちょうけん	腹のなかのしこりが堅くなったもの
丁腫	ちょうしゅ	疔腫に同じ．ねぶと．皮膚が赤く腫れて硬く，中央が化膿して痛みの強い腫れ物
潮熱	ちょうねつ	夕方になると潮が満ちてくるように発熱すること
腸風	ちょうふう	血便，出血性大腸炎
腸澼	ちょうへき	下痢の一種
腸鳴幽幽	ちょうめいゆうゆう	腸がひそひそと鳴ること
腸癰	ちょうよう	腹内の化膿性の病気，虫垂炎を指すこともある
停積	ていせき	積聚と同じ
涕	てい	涙のこと
涕唾	ていだ	鼻水とよだれ
跌僕損傷	てつぼくそんしょう	つまずいて，ぶつけて起こった怪我
轉筋	てんきん	筋肉の痙攣，こむら返り
癲疾	てんしつ	精神病の一種
盗汗	とうかん	睡眠中に出る汗，寝汗のこと

溏洩	とうせつ	下痢の一種
蕩滌	とうでき	洗い流すこと
吐吸	ときゅう	どっと吐いたり，息をひゅうひゅうと吸う病気
慝	とく	毒気
毒疫	どくえき	激しい伝染病
毒癘	どくれい	毒気，強烈な伝染病
呑酸	どんさん	むねやけ
内崩	ないほう	内出血
乳難	にゅうなん	乳汁分泌の不足，お産に伴う難病
溺血	にょうけつ	尿血，溺の字はおぼれるという意味のときは「でき」と読む
溺に餘瀝有る	にょうによれきある	尿が出切らないで残尿感があること
熱結	ねっけつ	病気の原因となる熱が体内の1か所に集まった状態
熱毒	ねつどく	熱のためにできた腫れ物
熱淋	ねつりん	熱によって尿が赤味を帯び，放尿後尿道が痛むこと
脳風	のうふう	頭脳風と同じ
敗瘡	はいそう	腐敗した傷
白癩	はくらい	皮膚が白くなることからはじまり，発熱，麻痺，疼痛があらわれる病気，ハンセン病のような病気
破血	はけつ	強い薬物を使って瘀血をとること
発黄	はつおう	軽度の黄疸
煩渇	はんかつ	強い渇き
煩悸	はんき	動悸がして気分が悪いこと
煩燥	はんそう	胸に熱感があり，悶え苦しむこと
煩熱	はんねつ	煩悶するような熱
煩満	はんまん	胸腹部が膨満して煩わしいこと
煩悶	はんもん	精神的な苦しみ
痞	ひ	ものがつかえるような感じ
痺	ひ	麻痺
鼻洪	びこう	鼻血のはなはだしいもの
皮水	ひすい	浮腫
脾泄	ひせつ	腹が張って下痢をし，食べれば吐くこと
痞熱	ひねつ	つかえふさがった熱
痞満	ひまん	心窩がつかえて充満している状態
皮毛	ひもう	皮膚と毛髪

第3章　漢方で使う主要生薬

百節	ひゃくせつ	全身の関節
風	ふう	病気の原因となる六淫（風寒暑湿燥火）の一つ
風癇	ふうかん	発作的に身体が強直して人事不省になること，小児のかんの虫
風痙	ふうけい	風などの病邪によって起こる痙攣で，突然倒れて強直し，てんかんのような発作を起こすこと
風湿	ふうしつ	風と湿の邪によって起こる病気
風腫	ふうしゅ	汗をかいたのち風にあたり，風水の邪が皮膚に留まり腫れる病気
風頭	ふうず	風の気が頭にあり，痛んだり目眩がする状態
風瘡	ふうそう	風疹
風痛	ふうつう	胸部が虚し，そこに風を受けて痛む状態
風熱	ふうねつ	風や熱による喉や肺の障害
風痺	ふうひ	知覚麻痺
風癢	ふうよう	風疹のかゆみ
伏瘕	ふくか	腹のなかに長く隠れている病気，瘀血性の塊
伏尸	ふくし	五臓の間に隠れていた邪気によって，胸や腹が刺されるように痛み呼吸が苦しくなる病気
不仁	ふじん	知覚麻痺
偏痺	へんぴ	半身のみにあらわれる痛みや痺れ
暴気	ぼうき	突然激しく起こる病気
冒悸	ぼうき	冒眩と動悸
冒眩	ぼうげん	頭に物が被ったような感じで目眩がすること
崩中	ほうちゅう	子宮の不正出血
胞漏	ほうろう	妊娠中の子宮出血
撲損	ぼくそん	打撲による損傷
奔豚	ほんとん	下から激しく突き上げてくる心悸亢進
賁豚	ほんとん	奔豚と同じ
面䵟	めんかん	病気により顔にできる黒気
俛仰	めんぎょう	下を向いたり上を向いたりすること
面皻	めんさ	隆起して赤くなった鼻のあたりの吹き出物
面皰	めんぽう	にきび
目癢	もくよう	目がかゆいこと
憂恚	ゆうい	憂いたり怒ったりしやすいこと
遊風	ゆうふう	蕁麻疹

幽幽	ゆうゆう	ひそひそと
壅	よう	ふさがること
癰	よう	根の浅い腫れ物
擁気	ようき	かかえている邪気
餘疾	よしつ	本病以外の偶発的疾病のこと
癰腫	ようしゅ	化膿性の悪い腫れ物
癰疽	ようそ	癰腫と同じ
癰膿	ようのう	化膿性疾患の総称
楊梅瘡	ようばいそう	梅毒により生じる皮膚や体表の諸症状
裏急	りきゅう	腹のなかが拘攣して引っ張られるような感じ
痢疾	りしつ	伝染性，細菌性の下痢
溜飲	りゅういん	飲邪が胸のあたりに滞ること，胃内停水
留結	りゅうけつ	尿路結石
留舎	りゅうしゃ	1か所に滞ること
癃閉	りゅうへい	排尿困難で下腹が張る病気
淋瀝	りんれき	淋病のこと
淋露	りんろ	産後の子宮からの排泄物が止らない状態，汗が滴るように出ること
羸痩	るいそう	痩せること
瘰癧	るいれき	頸のリンパ節にできた結核性の腫れ物
攣急	れんきゅう	ひきつけ，痙攣して疼痛があること
瘻	ろう	長く治らない皮膚炎，化膿性のでき物
労極	ろうきょく	肺結核のような消耗性疾患
漏下	ろうげ	性器出血
漏下赤白	ろうげせきはく	血液と粘液が混ざった性器出血
労傷	ろうしょう	疲労等で心身ともに弱りきった状態
労復	ろうふく	大病の治った後，疲れ過ぎて再発すること
老物殃鬼	ろうぶつおうき	古くて役に立たないもの
臚脹	ろちょう	腹が膨満する病気
六極	ろっきょく	風，熱，湿，火，燥，寒の6気に激しくおかされた病
蹉折	わせつ	つまずき骨折すること

参 考 文 献

1) 鈴木真海（訳），国訳本草綱目，春陽堂（1929-34）
2) 浅田宗伯（木村長久訓），和訓古方薬議，日本漢方医学会（1936）

3) 西山英雄, 和訓類聚方広義・方機・方極・重校薬徴, 池中商事 (1969)
4) 西山英雄, 漢方医語事典, 自家版 (1971)
5) 合田幸広, 袴塚高志 (監修), 日本漢方生薬製剤協会 (編集), 新一般用漢方処方の手引き, じほう (2013)
6) 浜田善利, 小曽戸丈夫, 意釈神農本草経, 築地書店 (1976)
7) 藤平 健, 小倉重成, 漢方概論, 創元社 (1979)
8) 山田光胤, 丁 宗鉄 (監修), 生薬ハンドブック, ツムラ (1994)
9) 創医会学術部 (主編), 漢方用語大事典, 燎原 (1984)
10) 薬食審査発1030第1号, 日本薬局方外生薬規格2012 (2012)
11) 渡邊 武, 平成薬証論, メディカルユーコン (1995)
12) 高木敬次郎 (監修), 木村正康 (編集), 漢方薬理学, 南山堂 (1997)
13) 中華本草編集委員会, 中華本草, 上海科学技術出版 (1999)
14) 木村孟淳, 読みもの漢方生薬学, 不知火書店 (2001)
15) 佐竹元吉, 伊田善光, 根本幸夫 (監修), 漢方210処方生薬解説, じほう (2001)
16) 菅谷英一, 菅谷愛子, 漢方の新しい理解と展望, 学建書院 (2001)
17) 田家照生, 現代本草集成, 源草社 (2001)
18) 難波恒雄 (監修), 富山医薬大和漢薬研究所 (編集), 和漢薬の事典, 朝倉書店 (2002)
19) 田畑隆一郎, 漢方ルネサンス, 源草社 (2002)
20) 肖 培根 (主編), 新編中薬誌I-V, 化学工業出版 (2002-07)
21) 伊田喜光, 寺澤捷年 (監修), 鳥居塚和生 (編著), モノグラフ 生薬の薬効・薬理, 医歯薬出版 (2003)
22) 中華人民共和国薬典 2005年版 (2005)
23) 第十七改正日本薬局方解説書, 廣川書店 (2016)
24) 趙 中振, 肖 培根 (主編), 当化薬用植物典I-III, 香港賽馬会中薬研究院 (2006-07)
25) 竹谷孝一, 鳥居塚和生 (編集), パートナー生薬学 改訂第2版, 南江堂 (2012)

日本語索引

ア

アカヤジオウ　186
阿膠（アキョウ）　165
悪虫（あくちゅう）　217
アケビ　213
アコニチン　23
アサ　212
浅田宗伯（あさだそうはく）　8
アベマキ　210
アミガサユリ　202
アリストロキア酸　22
アルコール性肝炎　133
アルツハイマー型認知症　155
アンズ　176
安中散（アンチュウサン）　125
安和（あんわ）　217

イ

痿黄（いおう）　217
医界の鉄椎（いかいのてっつい）　8
胃気（いき）　217
痿蹶（いけつ）　217
痿枯（いこ）　217
胃食道逆流症　145
医心方（いしんほう）　8
出雲広貞（いずものひろさだ）　8
イトヒメハギ　169
イネ　178, 179
異病同治　10
踦躄（いへき）　217
いらいら感　152
胃苓湯（イレイトウ）　96
胃を開き（いをひらき）　217
陰（いん）　10
陰腫（いんしゅ）　217
陰蝕（いんしょく）　217
癮疹（いんしん）　217
陰殰（いんたい）　217
陰中（いんちゅう）　217

茵陳蒿（インチンコウ）　165
茵蔯蒿湯（インチンコウトウ）　87
茵蔯五苓散（インチンゴレイサン）　95
インフルエンザ　132
陰陽蝕瘡（いんようしょくそう）　217

ウ

茴香（ウイキョウ）　166
ウスバサイシン　182
うっ血性心不全　44
温疫論（うんえきろん）　7
温経湯（ウンケイトウ）　105
ウンシュウミカン　174
温清飲（ウンセイイン）　111
温病学（うんびょうがく）　7

エ

営衛（えいえい）　217
営気（えいき）　13
翳膜（えいまく）　217
瘻瘤（えいりゅう）　217
衛気（えき）　13
エキス剤　30
噦（えつ）　217
悦澤（えつたく）　217
越婢加朮湯（エッピカジュツトウ）　65
エボジアミン　38
延胡索（エンゴサク）　166
豌豆瘡（えんどうそう）　217

オ

嘔啘（おうえん）　217
黄汗（おうかん）　217
黄耆（オウギ）　166
黄耆建中湯（オウギケンチュウトウ）　56
嘔逆（おうぎゃく）　217
黄芩（オウゴン）　77, 167
黄腫（おうしゅ）　217
黄柏（オウバク）　168
桜皮（オウヒ）　168

黄病（おうびょう）　218
齆鼻（おうび，ようび）　217
往来寒熱（おうらいかんねつ）　218
黄連（オウレン）　78, 168
黄連解毒湯（オウレンゲドクトウ）　78
黄連湯（オウレントウ）　80
オオカラスウリ　171
オオツヅラフジ　208
オオバナオケラ　193
オオミサンザシ　183
オクトリカブト　207
瘀血（おけつ）　14
オケラ　193
悪阻（おそ）　218
尾台榕堂（おだいようどう）　8
オタネニンジン　201
乙字湯（オツジトウ）　77
オニノヤガラ　198
オニユリ　204
悪風（おふう）　218
温（おん）　24
温疫（おんえき，うんえき）　218
温鬼（おんき，うんき）　218
温瘧（虐）（おんぎゃく，うんぎゃく）　218
遠志（オンジ）　169

カ

瘕（か）　218
痎瘧（かいぎゃく）　218
欬逆（がいぎゃく）　218
欬逆上気（がいぎゃくじょうき）　218
外邪（がいじゃ）　10
蚘心痛（かいしんつう）　218
欬嗽（がいそう）　218
解体新書（かいたいしんしょ）　8
開腹術後イレウス　138
開宝本草（かいほうほんぞう）　7
潰瘍性大腸炎　153
化学療法　147
カキ　211
カギカズラ　198
膈（かく）　218
膈気（かくき）　218
鬲熱（かくねつ）　218
霍乱（かくらん）　218
加工ブシ　23, 207
何首烏（カシュウ）　170
カスミザクラ　168
滑（かつ）　18
牙痛（がつう）　218
藿香（カッコウ）　170
葛根（カッコン）　170
葛根湯（カッコントウ）　59
葛根湯加川芎辛夷（カッコントウカセンキュウシンイ）　60
滑石（カッセキ）　171
疳熱（かねつ）　218
過敏症　47
加味帰脾湯（カミキヒトウ）　102
加味逍遙散（カミショウヨウサン）　46, 104, 139, 140
カラスビシャク　204
栝楼根（カロコン）　171
カワラヨモギ　165
寒（かん）　11, 24
緩（かん）　17
乾嘔（かんおう）　218
肝機能異常　47
肝機能障害　45
乾姜（カンキョウ）　23, 189
癇痙（かんけい）　218
眼眩（がんげん）　218
丸剤　30
乾地黄（カンジオウ）　23
寒湿痿痺（かんしついひ）　218
間質性肺炎　42
乾生姜（カンショウキョウ）　189
含水ケイ酸アルミニウム　171
含水硫酸カルシウム　191
含水硫酸ナトリウム　209
甘草（カンゾウ）　40, 172
甘麦大棗湯（カンバクタイソウトウ）　120
寒痺（かんぴ）　218
漢方医学　3
漢方エキス剤　31
　禁忌　40

重大な副作用　41
小児の服用量　39
慎重投与　48
相互作用　49
日本薬局方収載　32
副作用　47
服用期間　39
服用方法　39
漢方薬　27
　剤形　30
　再評価　38
　調製法　30
　配合原則　30
　副作用　33
　薬価収載　37
甘味　25
鹹味　26
関木通（カンモクツウ）　22

キ

気（き）　13
偽アルドステロン症　42
気鬱（きうつ）　14
キカラスウリ　171
気管支喘息　150
悸気（きき）　218
帰耆建中湯（キギケンチュウトウ）　56
気逆（きぎゃく）　14
気虚（ききょ）　14
桔梗（キキョウ）　173
桔梗根　173
キク　174
菊花（キクカ）　174
枳実（キジツ）　174
鬼疰（きしゅ）　218
鬼精物（きせいぶつ）　218
喜唾（きだ）　218
鬼注（きちゅう）　218
吃逆（きつぎゃく）　218
キハダ　168
キバナオウギ　166
客（きゃく）　218
瘧（ぎゃく）　218

逆気（ぎゃくき）　219
客気（きゃくき，かくき）　218
客熱（きゃくねつ，かくねつ）　219
逆満（ぎゃくまん）　219
キャッサバ　178
芎帰膠艾湯（キュウキキョウガイトウ）　112
久瘧（きゅうぎゃく）　219
九竅（きゅうきょう）　219
泣出（きゅうしゅつ）　219
久洩（きゅうせつ）　219
急迫（きゅうはく）　219
虚（きょ）　11
竅（きょう）　219
驚恚（きょうい）　219
羌活（キョウカツ）　175
驚癇（きょうかん）　219
驚悸（きょうき）　219
行気薬（ぎょうきやく）　14
胸脇（きょうきょう）　18
驚恐（きょうきょう）　219
驚狂（きょうきょう）　219
胸脇苦満（きょうきょうくまん）　18
驚邪（きょうじゃ）　219
行水（ぎょうすい）　219
驚喘（きょうぜん）　219
胸張（きょうちょう）　219
杏仁（キョウニン）　176
虚証　11
虚損（きょそん）　219
虚羸（きょるい）　219
虚労（きょろう）　219
気淋（きりん）　28
緊（きん）　18
筋急（きんきゅう）　219
金匱要略（きんきようりゃく）　5
金瘡（きんそう）　219

ク

駆瘀血薬（くおけつやく）　14
クコ　187
クサスギカズラ　199
苦参（クジン）　176
クズ　170

駆水薬（くすいやく）　15
クチナシ　183
狗毒（くどく）　219
クヌギ　210
苦味　25
クララ　176

ケ

痙（けい）　219
荊芥（ケイガイ）　177
荊芥連翹湯（ケイガイレンギョウトウ）　111
桂枝加芍薬大黄湯（ケイシカシャクヤクダイオウトウ）　55
桂枝加芍薬湯（ケイシカシャクヤクトウ）　54
桂枝加朮附湯（ケイシカジュツブトウ）　57
桂枝加竜骨牡蛎湯（ケイシカリュウコツボレイトウ）　58
桂枝加苓朮附湯（ケイシカリョウジュツブトウ）　57
経史証類大観本草（けいししょうるいたいかんほんぞう）　7
経史証類備急本草（けいししょうるいびきゅうほんぞう）　7
桂枝湯（ケイシトウ）　54
桂枝人参湯（ケイシニンジントウ）　100
桂枝茯苓丸（ケイシブクリョウガン）　107, 139
瘈瘲（けいしょう）　219
経水（けいすい）　219
桂皮（ケイヒ）　59, 177
啓脾湯（ケイヒトウ）　93
桂麻各半湯（ケイマカクハントウ）　61
経脈（けいみゃく）　219
ケイリンサイシン　182
下血（げけつ）　219
外台秘要方（げだいひようほう）　7
血（けつ）　14
血運（けつうん）　219
血液透析患者　142
血瘕（けつか）　219
結気（けつき）　219
厥逆（けつぎゃく）　219
血虚（けっきょ）　14
月経困難症　139
月経随伴性気胸　141

月経前症候群　139
血結（けっけつ）　219
結痼（けつこ）　220
血渋（けつじゅう）　220
月水（げっすい）　220
血癥（けっちょう）　220
厥陰病（けっちんびょう）　13
血痺（けっぴ）　220
血閉（けっぺい）　220
血閉瘕（けっぺいか）　220
厥冷（けつれい）　220
下利（げり）　220
弦（げん）　18
堅積（けんせき）　220
堅痛（けんつう）　220
ケンペル　8

コ

洪（こう）　18
膠飴（コウイ）　178
紅花（コウカ）　178
広藿香（コウカッコウ）　170
皇漢医学（こうかんいがく）　8
降気薬（こうきやく）　14
口噤（こうきん）　220
膏剤　30
紅参（コウジン）　201
降性薬（こうせいやく）　25
香蘇散（コウソサン）　125, 139
好唾（こうだ）　220
項直（こうちょく）　220
絞痛（こうつう）　220
黄帝内経（こうていだいけい）　5
口内炎　147
更年期障害様症状　140
項背（こうはい）　220
香附子（コウブシ）　179
粳米（コウベイ）　179
厚朴（コウボク）　179
膏淋（こうりん）　28
高齢者糖尿病　157
拘攣（こうれん）　220
コガネバナ　167

五気（ごき）　24
五行説（ごぎょうせつ）　7, 15
五虎湯（ゴコトウ）　65
五痔（ごじ）　220
牛膝（ゴシツ）　180
五積散（ゴシャクサン）　63
牛車腎気丸（ゴシャジンキガン）　109, 157, 158
呉茱萸湯（ゴシュユトウ）　122, 137
呉茱萸（ゴシュユ）　180
こじれた感冒　144
後世方（ごせいほう）医学　8
五臓六腑（ごぞうろっぷ）　15
コデイン抵抗性咳嗽　134
後藤艮山（ごとうこんざん）　8
蠱毒（こどく）　220
コナラ　210
痼熱（こねつ）　220
コブシ　191
ゴボウ　181
牛蒡子（ゴボウシ）　181
五味（ごみ）　25
五味子（ゴミシ）　181
こむら返り症　133
五淋（ごりん）　220
五淋散（ゴリンサン）　117
五苓散（ゴレイサン）　95, 142
コレステロール系胆石　142
五労（ごろう）　220
魂魄（こんぱく）　220

サ

柴陥湯（サイカントウ）　74
柴胡（サイコ）　182
柴胡加竜骨牡蛎湯（サイコカリュウコツボレイトウ）　72, 152
柴胡桂枝乾姜湯（サイコケイシカンキョウトウ）　73
柴胡桂枝湯（サイコケイシトウ）　71
柴胡剤　69
柴胡清肝湯（サイコセイカントウ）　112
臍上（さいじょう）　18
臍上悸（さいじょうき）　19
細辛（サイシン）　182
臍傍（さいぼう）部圧痛　19

柴朴湯（サイボクトウ）　75, 150, 152
柴苓湯（サイレイトウ）　76, 149, 153
数（さく）　18
サジオモダカ　196
サツマイモ　178
サネブトナツメ　185
皻鼻（さび）　220
サラシナショウマ　190
疝（さん）　220
三陰三陽（さんいんさんよう）　12
三黄瀉心湯（サンオウシャシントウ）　78
散剤　30
山査子（サンザシ）　183
山梔子（サンシシ）　183
山茱萸（サンシュユ）　184
山椒（サンショウ）　21, 184
三焦（さんしょう）　220
散性薬（さんせいやく）　25
酸棗仁（サンソウニン）　185
酸棗仁湯（サンソウニントウ）　125
三蟲（さんちゅう）　220
酸疼（さんとう）　220
産乳（さんにゅう）　220
酸味　25
三物黄芩湯（サンモツオウゴントウ）　109
山薬（サンヤク）　185

シ

痓（し）　220
眥（し）　220
支飲（しいん）　220
滋陰降火湯（ジインコウカトウ）　123
滋陰至宝湯（ジインシホウトウ）　124
地黄（ジオウ）　186
地黄剤　107
死肌（しき）　221
時気（じき）　221
四逆散（シギャクサン）　72, 144
子宮内膜症　141
衄血（じくけつ）　221
四君子湯（シクンシトウ）　90
時行（じこう）　221
地骨皮（ジコッピ）　187

紫根（シコン）　187	証（しょう）　10
シソ　194	牊（しょう）　221
子臓（しぞう）　221	瘴（しょう）　221
七傷（しちしょう）　221	少陰病（しょういんびょう）　13
七情（しちじょう）　10, 26	ショウガ　189
七物降下湯（シチモツコウカトウ）　113	消化器障害　47
実（じつ）　11	消渇（しょうかつ，しょうかち）　221
実証　11	小陥胸湯（ショウカンキョウトウ）　74
湿疹　47	傷寒雑病論（しょうかんざつびょうろん）　5
湿痺（しっぴ）　221	傷寒論（しょうかんろん）　5
蒺藜子（シツリシ）　187	上気（じょうき）　221
字乳（じにゅう）　221	衝逆（しょうぎゃく）　221
シーボルト　8	生姜（ショウキョウ）　23, 189
支満（しまん）　221	小建中湯（ショウケンチュウトウ）　55
四物湯（シモツトウ）　107, 110	小柴胡湯（ショウサイコトウ）　41, 69, 144
ジャガイモ　178	小柴胡湯エキス　32
炙甘草湯（シャカンゾウトウ）　123	小柴胡湯加桔梗石膏（ショウサイコトウカキキョウセッコウ）　75
邪気（じゃき）　10, 221	
積結（しゃくけつ）　221	上衝（じょうしょう）　221
積聚，磧聚（しゃくじゅ，しゃくしゅう）　221	小承気湯（ショウジョウキトウ）　83
芍薬（シャクヤク）　188	升性薬（しょうせいやく）　25
芍薬甘草湯（シャクヤクカンゾウトウ）　43, 44, 120, 133	小青竜湯（ショウセイリュウトウ）　38, 62
	傷中（しょうちゅう）　221
瀉性薬（しゃせいやく）　24	小蟲（しょうちゅう）　221
ジャノヒゲ　203	小半夏加茯苓湯（ショウハンゲカブクリョウトウ）　88
聚（じゅ）　221	
渋（じゅう）　18	丈夫（じょうふ）　221
重校薬徴（じゅうこうやくちょう）　8	消風散（ショウフウサン）　119
収性薬（しゅうせいやく）　25	小腹（少腹）（しょうふく）　19, 221
十全大補湯（ジュウゼンダイホトウ）　115, 156	小腹急結（しょうふくきゅうけつ）　19
修治　22	小腹不仁（しょうふくふじん）　19
修治ブシ　23	上腹部不定愁訴　144
十二経（じゅうにけい）　221	小腹満（しょうふくまん）　19
周痺（しゅうひ）　221	傷飽（しょうほう）　221
十味敗毒湯（ジュウミハイドクトウ）　127	升麻（ショウマ）　190
熟地黄（ジュクジオウ）　23	升麻葛根湯（ショウマカッコントウ）　126
縮砂（シュクシャ）　189	少陽病（しょうようびょう）　13
宿食（しゅくしょく）　221	濇（しょく）　18
手術後冷え症　156	食欲低下　148
酒皰（しゅほう）　221	耳聾（じろう）　221
瞤（じゅん）　221	白花ゼンコ　192
潤性薬（じゅんせいやく）　24	辛夷（シンイ）　191
潤腸湯（ジュンチョウトウ）　42, 86	辛夷清肺湯（シンイセイハイトウ）　124

津液（しんえき）　221
心下（しんか）　18
心下懸痛（しんかけんつう）　221
心下支飲（しんかしいん）　18
心下痞（しんかひ）　18
心下痞硬（しんかひこう）　18
神経症状　152
心室細動　44
心室頻拍　44
身重（しんじゅう）　221
新修本草（しんしゅうほんぞう）　7
参蘇飲（ジンソイン）　94
神農本草経（しんのうほんぞうきょう）　5
心煩（しんぱん）　221
神秘湯（シンピトウ）　68
心腹（しんぷく）　222
真武湯（シンブトウ）　98
辛味　26

ス

水（すい）　14
スイカズラ　202
随証（ずいしょう）治療　10
水滞（すいたい）　14, 15
水脹（すいちょう）　222
水毒（すいどく）　14
杉田玄白（すぎたげんぱく）　8
図経本草（ずきょうほんぞう）　7
頭眩（ずげん）　222
頭旋（ずせん）　222
頭痛　142
ステロイド剤離脱　149
頭脳風（ずのうふう）　222
頭風（ずふう）　222
スマトリプタンコハク酸塩　38
寸白（すんぱく）　222

セ

清上防風湯（セイジョウボウフウトウ）　79
清暑益気湯（セイショエッキトウ）　102
清心蓮子飲（セイシンレンシイン）　103
清肺湯（セイハイトウ）　124
西洋医学　4

赤白洩痢（せきはくせつり）　222
赤癩（せきらい）　222
石淋（せきりん）　28
洩（せつ）　222
石膏（セッコウ）　64, 191
石膏剤　117
絶子（ぜっし）　222
絶傷を続す（ぜっしょうをぞくす）　222
切診（せっしん）　17
舌診（ぜっしん）　16
折跌（せつふ）　222
洩澼（せつへき（えいへき））　222
洩痢・洩利（せつり（えいり））　222
喘（ぜん）　222
痃瘕（せんか）　222
川芎（センキュウ）　21, 192
川芎茶調散（センキュウチャチョウサン）　127
千金方（せんきんほう）　7
千金翼方（せんきんよくほう）　7
譫語（せんご）　222
前胡（ゼンコ）　192
川木通（センモクツウ）　22

ソ

疽（そ）　222
嗽（そう）　222
相畏（そうい）　26
相悪（そうお）　27
相剋（そうこく）関係　15
相殺（そうさい）　26
相使（そうし）　26
燥屎（そうし）　222
蒼朮（ソウジュツ）　193
相生（そうじょう）関係　15
相須（そうす）　26
燥性薬（そうせいやく）　24
桑白皮（ソウハクヒ）　194
相反（そうはん）　27
瘡瘍（そうよう）　222
腠理（そうり）　222
賊血（ぞくけつ）　222
息肉（そくにく）　222
賊風（ぞくふう）　222

疎経活血湯（ソケイカッケツトウ） 114
卒急（そっきゅう） 222
卒暴（そつぼう） 222
蘇葉（ソヨウ） 194
鼠瘻（そろう） 222
損（そん） 222
洒洒（そんそん） 222

タ

太陰病（たいいんびょう） 13
大黄（ダイオウ） 81, 194
大黄甘草湯（ダイオウカンゾウトウ） 38, 81
大黄牡丹皮湯（ダイオウボタンピトウ） 84
大驚（だいきょう） 222
帯下（たいげ） 222
大建中湯（ダイケンチュウトウ） 101, 138
大柴胡湯（ダイサイコトウ） 71, 142
大承気湯（ダイジョウキトウ） 82
大青竜湯（ダイセイリュウトウ） 63
大棗（タイソウ） 195
ダイダイ 174
大同類聚方（だいどうるいじゅうほう） 8
大風（だいふう） 222
大風癩疾（だいふうらいしつ） 223
大腹（だいふく） 223
太平恵民和剤局方（たいへいけいみんわざいきょくほう） 7
大防風湯（ダイボウフウトウ） 115
太陽病（たいようびょう） 12
沢瀉（タクシャ） 196
濁唾（だくだ） 223
田代三喜（たしろさんき） 8
堕墜（だつい） 223
タムシバ 191
痰（たん） 223
痰飲（たんいん） 14, 223
短気（たんき） 223
単行（たんこう） 26
痰熱（たんねつ） 223
丹波康頼（たんばやすより） 8
痰癖（たんへき） 223

チ

遅（ち） 18
竹筎（チクジョ） 196
竹筎温胆湯（チクジョウンタントウ） 92
竹節人参（チクセツニンジン） 197
治打撲一方（ヂダボクイッポウ） 87
治頭瘡一方（ヂヅソウイッポウ） 88
知母（チモ） 197
中（ちゅう） 223
中悪（ちゅうあく） 223
中暑（ちゅうしょ） 223
中風（ちゅうふう） 223
中風痊（ちゅうふうし） 223
癥（ちょう） 223
調胃承気湯（チョウイジョウキトウ） 82
癥瘕（ちょうか） 223
腸間膜静脈硬化症 46
癥堅（ちょうけん） 223
丁腫（ちょうしゅ） 223
チョウセンゴミシ 181
釣藤鉤・釣藤鈎（チョウトウコウ） 198
釣藤散（チョウトウサン） 118
潮熱（ちょうねつ） 223
腸風（ちょうふう） 223
腸澼（ちょうへき） 223
腸鳴幽幽（ちょうめいゆうゆう） 223
腸癰（ちょうよう） 223
猪苓（チョレイ） 198
猪苓湯（チョレイトウ） 97
猪苓湯合四物湯（チョレイトウゴウシモツトウ） 110
チョレイマイタケ 198
沈（ちん） 17
陳皮（チンピ） 22, 174

ツ

通導散（ツウドウサン） 84
ツュンベリー 8
ツルドクダミ 170

テ

涕（てい） 223

日本語索引

停積（ていせき） 223
涕唾（ていだ） 223
跌僕損傷（てつぼくそんしょう） 223
轉筋（てんきん） 223
癲疾（てんしつ） 223
天麻（テンマ） 198
天門冬（テンモンドウ） 199

ト

桃核承気湯（トウカクジョウキトウ） 83, 141
冬瓜子（トウガシ） 199
盗汗（とうかん） 223
トウガン 199
当帰（トウキ） 21, 199
当帰飲子（トウキインシ） 113, 158
当帰建中湯（トウキケンチュウトウ） 56
当帰四逆加呉茱萸生姜湯（トウキシギャクカゴシュユショウキョウトウ） 58
当帰芍薬散（トウキシャクヤクサン） 104
湯剤 30
溏洩（とうせつ） 224
蕩滌（とうでき） 224
桃仁（トウニン） 200
トウモロコシ 178
吐吸（ときゅう） 224
慝（とく） 224
毒疫（どくえき） 224
独活（ドクカツ） 201
毒癘（どくれい） 224
トチバニンジン 197
呑酸（どんさん） 224

ナ

内崩（ないほう） 224
ナガイモ 185
名古屋玄医（なごやげんい） 8
ナツミカン 174
ナツメ 195
軟滑石（ナンカッセキ） 171
難治性アトピー性皮膚炎 158

ニ

2型糖尿病 135

二酸化ケイ素 171
二朮湯（ニジュツトウ） 91
二陳湯（ニチントウ） 89
乳難（にゅうなん） 224
溺血（にょうけつ） 224
溺に餘瀝有る（にょうによれきある） 224
女神散（ニョシンサン） 45, 106
人参（ニンジン） 201
人参湯（ニンジントウ） 99
人参養栄湯（ニンジンヨウエイトウ） 116
忍冬（ニンドウ） 202

ネ

熱（ねつ） 11, 24
熱結（ねっけつ） 224
熱毒（ねつどく） 224
熱淋（ねつりん） 29, 224

ノ

脳風（のうふう） 224
ノダケ 192
喉の違和感 154

ハ

肺がん 134
敗瘡（はいそう） 224
排膿散及湯（ハイノウサンキュウトウ） 126
貝母（バイモ） 202
ハカタユリ 204
白苔（はくたい） 16
ハクモクレン 191
麦門冬（バクモンドウ） 203
麦門冬湯（バクモンドウトウ） 121, 134
白癩（はくらい） 224
パクリタキセル 158
破血（はけつ） 224
ハス 216
ハチク 197
八味地黄丸（ハチミジオウガン） 108
発黄（はつおう） 224
薄荷（ハッカ） 203
ハトムギ 214
華岡青洲（はなおかせいしゅう） 8

ハナスゲ　197
ハナトリカブト　207
パニック障害　152
ハマスゲ　179
ハマビシ　187
煩渇（はんかつ）　224
煩悸（はんき）　224
半夏（ハンゲ）　204
半夏厚朴湯（ハンゲコウボクトウ）　89, 154
半夏瀉心湯（ハンゲシャシントウ）　80, 145, 147
半夏白朮天麻湯（ハンゲビャクジュツテンマトウ）　94
煩燥（はんそう）　224
煩熱（はんねつ）　224
半表半裏（はんひょうはんり）　12
煩満（はんまん）　224
煩悶（はんもん）　224

ヒ

痞（ひ）　224
痺（ひ）　224
鼻洪（びこう）　224
微小変化型ネフローゼ症候群　149
皮水（ひすい）　224
脾泄（ひせつ）　224
ヒナタイノコズチ　180
痞熱（ひねつ）　224
皮膚炎　47
肥満　135
痞満（ひまん）　224
皮毛（ひもう）　224
百合（ビャクゴウ）　204
白芷（ビャクシ）　205
白朮（ビャクジュツ）　193
百節（ひゃくせつ）　225
白虎加人参湯（ビャッコカニンジントウ）　117
表（ひょう）　12
病因　10
病邪（びょうじゃ）　10
ビワ　205
枇杷葉（ビワヨウ）　205
ビンロウ　206
檳榔子（ビンロウジ）　206

フ

浮（ふ）　17
風（ふう）　225
風癇（ふうかん）　225
風痙（ふうけい）　225
風湿（ふうしつ）　225
風腫（ふうしゅ）　225
風頭（ふうず）　225
風瘡（ふうそう）　225
風痛（ふうつう）　225
風熱（ふうねつ）　225
風痺（ふうひ）　225
風痒（ふうよう）　225
深根輔仁（ふかねのすけひと）　8
伏瘕（ふくか）　225
伏尸（ふくし）　225
腹診（ふくしん）　18
腹皮拘急（ふくひこうきゅう）　19
茯苓（ブクリョウ）　206
茯苓飲（ブクリョウイン）　92
茯苓飲合半夏厚朴湯（ブクリョウインゴウハンゲコウボクトウ）　93
附子（ブシ）　207
不仁（ふじん）　225
不眠　152
聞診（ぶんしん）　17
粉末飴　178

ヘ

平（へい）　24
平胃散（ヘイイサン）　90
ベニバナ　178
ベンゾイルアコニン　23
ベンゾジアゼピン系抗不安薬　152
偏痺（へんぴ）　225
便秘　135

ホ

防已（ボウイ）　208
防已黄耆湯（ボウイオウギトウ）　99
暴気（ぼうき）　225
冒悸（ぼうき）　225

方極（ほうきょく）　8
冒眩（ぼうげん）　225
膀胱炎　48
芒硝（ボウショウ）　209
望診（ぼうしん）　16
崩中（ほうちゅう）　225
防風（ボウフウ）　210
防風通聖散（ボウフウツウショウサン）　66, 135
胞漏（ほうろう）　225
ホオノキ　179
補気薬（ほきやく）　14
樸樕（ボクソク）　210
撲損（ぼくそん）　225
補血薬（ほけつやく）　14
補性薬（ほせいやく）　24
ホソバオケラ　193
ボタン　211
牡丹皮（ボタンピ）　211
補中益気湯（ホチュウエッキトウ）　101, 156
ホッカイトウキ　200
ホルモン療法　140
牡蛎（ボレイ）　211
ホンアンズ　176
本草衍義（ほんぞうえんぎ）　7
本草綱目（ほんぞうこうもく）　7
本草和名（ほんぞうわめい）　8
奔豚（ほんとん）　225
賁豚（ほんとん）　225
ポンペ　8

マ

麻黄（マオウ）　59, 64, 67, 212
麻黄湯（マオウトウ）　60, 132
麻黄附子細辛湯（マオウブシサイシントウ）　68
麻杏甘石湯（マキョウカンセキトウ）　64
麻杏薏甘湯（マキョウヨクカントウ）　67
マグワ　194
麻子仁（マシニン）　213
麻子仁丸（マシニンガン）　85
マツホド　206
曲直瀬道三（まなせどうさん）　8
慢性頭痛　137
万病回春（まんびょうかいしゅん）　7

ミ

ミオパチー　42
ミシマサイコ　182
ミズナラ　210
ミツバアケビ　213
脈診（みゃくしん）　17
民間薬　27

ム

ムラサキ　187
紫花ゼンコ　192

メ

名医別録（めいいべつろく）　5
メチルフェニデート　148
面皯（めんかん）　225
俛仰（めんぎょう）　225
瞑眩（めんげん）　33
面皰（めんさ）　225
面皰（めんぽう）　225

モ

木通（モクツウ）　22, 213
木防已湯（モクボウイトウ）　118
目癢（もくよう）　225
木香（モッコウ）　214
モモ　200
問診（もんしん）　17

ヤ

薬徴（やくちょう）　8
ヤマザクラ　168
ヤマノイモ　185
山脇東洋（やまわきとうよう）　8

ユ

憂恚（ゆうい）　225
遊風（ゆうふう）　225
幽幽（ゆうゆう）　226
湯本求真（ゆもときゅうしん）　8

ヨ

陽（よう）　10
壅（よう）　226
癰（よう）　226
擁気（ようき）　226
癰腫（ようしゅ）　226
癰疽（ようそ）　226
癰膿（ようのう）　226
楊梅瘡（ようばいそう）　226
陽明病（ようめいびょう）　13
薏苡仁（ヨクイニン）　214
薏苡仁湯（ヨクイニントウ）　61
抑うつ状態　156
抑肝散（ヨクカンサン）　121, 155
抑肝散加陳皮半夏（ヨクカンサンカチンピハンゲ）　121
餘疾（よしつ）　226
吉益東洞（よしますとうどう）　8
ヨロイグサ　205

リ

裏（り）　12
理気薬（りきやく）　14
裏急（りきゅう）　226
六淫（りくいん）　10
痢疾（りしつ）　226
利水薬（りすいやく）　15, 88
六君子湯（リックンシトウ）　91, 148
溜飲（りゅういん）　226
留結（りゅうけつ）　226
竜骨（リュウコツ）　215
留舎（りゅうしゃ）　226
竜胆瀉肝湯（リュウタンシャカントウ）　128
癃閉（りゅうへい）　226
涼（りょう）　24
苓甘姜味辛夏仁湯（リョウカンキョウミシンゲニントウ）　97
苓姜朮甘湯（リョウキョウジュツカントウ）　97
苓桂甘棗湯（リョウケイカンソウトウ）　96
苓桂朮甘湯（リョウケイジュツカントウ）　96
淋瀝（りんれき）　226
淋露（りんろ）　226

ル

類聚方（るいじゅうほう）　8
羸痩（るいそう）　226
瘰癧（るいれき）　226

レ

攣急（れんきゅう）　226
連翹（レンギョウ）　215
連珠飲（レンジュイン）　111
蓮肉（レンニク）　216

ロ

痩（ろう）　226
労極（ろうきょく）　226
漏下（ろうげ）　226
漏下赤白（ろうげせきはく）　226
労傷（ろうしょう）　226
労復（ろうふく）　226
老物殃鬼（ろうぶつおうき）　226
労淋（ろうりん）　29
六病位（ろくびょうい）　12
六味丸（ロクミガン）　107
臚脹（ろちょう）　226
六極（ろっきょく）　226
ロバ　165

ワ

跨折（わせつ）　226
和田啓十郎（わだけいじゅうろう）　8

外国語索引

A

Achyranthes bidentata Blume　　180
Achyranthes fauriei Leveillé et Vaniot　　180
Achyranthis Radix　　180
Aconiti Radix Processa　　207
Aconitum carmichaeli Debeaux　　207
Aconitum japonicum Thunberg　　207
Akebiae Caulis　　213
Akebia quinata Decaisne　　213
Akebia trifoliata Koidzumi　　213
Alisma orientale Juzepczuk　　196
Alismatis Tuber　　196
Amomi Semen　　189
Amomum xanthioides Wallich　　189
Anemarrhena asphodeloides Bunge　　197
Anemarrhenae Rhizoma　　197
Angelica acutiloba Kitagawa　　200
Angelica acutiloba Kitagawa var. *sugiyamae* Hikino　　200
Angelica dahurica Bentham et Hooker filius ex Franchet et Savatier　　205
Angelica decursiva Franchet et Savatier　　192
Angelicae Acutilobae Radix　　200
Angelicae Dahuricae Radix　　205
Araliae Cordatae Rhizoma　　201
Arctii Fructus　　181
Arctium lappa Linné　　181
Areca catechu Linné　　206
Arecae Semen　　206
Armeniacae Semen　　176
Artemisia capillaris Thunberg　　165
Artemisiae Capillaris Flos　　165
Asiasari Radix　　182
Asiasarum heterotropoides F. Maekawa var. *mandshuricum* F. Maekawa　　182
Asiasarum sieboldii F. Maekawa　　182
Asini Corii Collas　　165
Asparagi Radix　　199
Asparagus cochinchinensis Merrill　　199
Astragali Radix　　166
Astragalus membranaceus Bunge　　166
Astragalus mongholicus Bunge　　166
Atractylodes chinensis Koidzumi　　193
Atractylodes japonica Koidzumi ex Kitamura　　193
Atractylodes lancea De Candolle　　193
Atractylodes macrocephala Koidzumi　　193
Atractylodes ovata De Candolle　　193
Atractylodis Lanceae Rhizoma　　193
Atractylodis Rhizoma　　193
Aurantii Fructus Immaturus　　174

B

Bambusa beecheyana Munro　　196
Bambusa pervariabilis McClure　　196
Bambusa textilis McClure　　196
Bambusa tuldoides Munro　　197
Bambusae Cauris　　196
Benincasa cerifera Savi　　199
Benincasa cerifera Savi forma *emarginata* K. Kimura et Sugiyama　　199
Benincasae Semen　　199
Bupleuri Radix　　182
Bupleurum falcatum Linné　　182

C

Cannabis Fructus　　213
Cannabis sativa Linné　　213
Carthami Flos　　178
Carthamus tinctorius Linné　　178
Chrysanthemi Flos　　174
Chrysanthemum indicum Linné　　174
Chrysanthemum morifolium Ramatulle　　174
Cimicifuga dahurica Maximowicz　　190
Cimicifuga foetida Linné　　190
Cimicifuga heracleifolia Komarov　　190
Cimicifuga simplex Turczaninow　　190
Cimicifugae Rhizoma　　190
Cinnamomi Cortex　　177
Cinnamomum cassia Blume　　177

Citrus aurantium Linné   174
Citrus aurantium Linné var. *daidai* Makino   174
Citrus natsudaidai Hayata   174
Citrus reticulata Blanco   174
Citrus unshiu Markovich   174
Cnidii Rhizoma   192
Cnidium officinale Makino   192
Coicis Semen   214
Coix lacryma-jobi Linné var. *mayuen* Stapf   214
Coptidis Rhizoma   168
Coptis chinensis Franchet   168
Coptis deltoidea C. Y. Cheng et Hsiao   168
Coptis japonica Makino   168
Coptis teeta Wallich   169
Corni Fructus   184
Cornus officinalis Siebold et Zuccarini   184
Corydalis Tuber   166
Corydalis turtschaninovii Besser forma *yanhusuo* Y. H. Chou et C. C. Hsu   166
Crataegi Fructus   183
Crataegus cuneata Siebold et Zuccarini   183
Crataegus pinnatifida Bunge var. *major* N.E. Brown   183
Cyperi Rhizoma   179
Cyperus rotundus Linné   179

D

Dioscorea batatas Decaisne   185
Dioscorea japonica Thunberg   185
Dioscoreae Rhizoma   185

E

Ephedrae Herba   212
Ephedra equisetina Bunge   212
Ephedra intermedia Schrenk et C. A. Meyer   212
Ephedra sinica Stapf   212
Equus asinus Linné   165
Eriobotryae Folium   205
Eriobotrya japonica Lindley   205
Euodia bodinieri Dode   180
Euodia officinalis Dode   180
Euodia ruticarpa Hooker filius et Thomson   180
Evodia bodinieri Dode   180
Evodia officinalis Dode   180
Evodia rutaecarpa Bentham   180
Euodiae Fructus   180

F

Foeniculi Fructus   166
Foeniculum vulgare Miller   166
Forsythia suspensa Vahl   215
Forsythiae Fructus   215
Fossilia Ossis Mastodi   215
Fritillariae Bulbus   202
Fritillaria verticillata Willdenow var. *thunbergii* Baker   202

G

Gardeniae Fructus   183
Gardenia jasminoides Ellis   183
Gastrodia elata Blume   198
Gastrodiae Tuber   198
Ginseng Radix   201
Ginseng Radix Rubra   201
Glycyrrhizae Radix   172
Glycyrrhiza glabra Linné   172
Glycyrrhiza uralensis Fischer   172
Gypsum Fibrosum   191

H

Hippocrates   3

I

Ipomoea batatas Poiret   178

K

Kampo Medicine   3
Kasseki   171
Koi   178

L

Lilii Bulbus   204
Lilium brownii F. E. Brown   205
Lilium brownii F. E. Brown var. *colchesteri* Wilson   204
Lilium lancifolium Thunberg   204

Lilium pumilum De Candolle   205
Lithospermi Radix   187
Lithospermum erythrorhizon Siebold et Zuccarini   187
Lonicerae Folium Cum Caulis   202
Lonicera japonica Thunberg   202
Lycii Cortex   187
Lycium barbarum Linné   187
Lycium chinense Miller   187

M

Magnolia biondii Pampanini   191
Magnolia denudata Desrousseaux   191
Magnolia heptapeta Dandy   191
Magnolia kobus De Candolle   191
Magnolia obovata Thunberg   179
Magnolia officinalis Rehder et Wilson   179
Magnolia officinalis Rehder et Wilson var. *biloba* Rehder et Wilson   179
Magnolia salicifolia Maximowicz   191
Magnolia sprengeri Pampanini   191
Magnoliae Cortex   179
Magnoliae Flos   191
Manihot esculenta Crantz   178
Mentha arvensis Linné var. *piperascens* Malinvaud   203
Menthae Herba   203
Mori Cortex   194
Morus alba Linné   194
Moutan Cortex   211
myopathy   42

N

Nelumbis Semen   216
Nelumbo nucifera Gaertner   216
Notopterygii Rhizoma   175
Notopterygium forbesii Boissieu   175
Notopterygium incisum Ting ex H. T. Chang   175

O

Ophiopogonis Radix   203
Ophiopogon japonicus Ker-Gawler   203
Oryzae Fructus   179
Oryza sativa Linné   178, 179
Ostrea gigas Thunberg   211
Ostreae Testa   211

P

Paeoniae Radix   188
Paeonia lactiflora Pallas   188
Paeonia moutan Sims   211
Paeonia suffruticosa Andrews   211
Panacis Japonici Rhizoma   197
Panax ginseng C. A. Meyer   201
Panax japonicus C. A. Meyer   197
Panax schinseng Nees   201
Perillae Herba   194
Perilla frutescens Britton var. *crispa* W. Deane   194
Persicae Semen   200
Peucedani Radix   192
Peucedanum decursivum Maximowicz   192
Peucedanum praeruptorum Dunn   192
Phellodendri Cortex   168
Phellodendron amurense Ruprecht   168
Phellodendron chinense Schneider   168
Phyllostachys bambusoides Siebold et Zuccarini   197
Phyllostachys nigra Munro var. *henonis* Stapf ex Rendle   197
Pinellia ternata Breitenbach   204
Pinelliae Tuber   204
Platycodi Radix   173
Platycodon grandiflorum A. De Candolle   173
Pogostemon cablin Bentham   170
Pogostemoni Herba   170
Polygalae Radix   169
Polygala tenuifolia Willdenow   169
Polygoni Multiflori Radix   170
Polygonum multiflorum Thunberg   170
Polyporus   198
Polyporus umbellatus Fries   198
Poria   206
Poria cocos Wolf   206
Pruni Cortex   168
Prunus armeniaca Linné   176
Prunus armeniaca Linné var. *ansu* Maximowicz   176
Prunus jamasakura Siebold ex Koidzumi   168
Prunus persica Batsch   200
Prunus persica Batsch var. *davidiana* Maximowicz

200
Prunus sibirica Linné　176
Prunus verecunda Koehne　168
Puerariae Radix　170
Pueraria lobata Ohwi　170

Q

Quercus acutissima Carruthers　210
Quercus Cortex　210
Quercus mongolica Fischer et Ledebour var. *crispula* Ohashi　210
Quercus serrata Murray　210
Quercus variabilis Blume　210

R

Rehmanniae Radix　186
Rehmannia glutinosa Liboschitz　186
Rehmannia glutinosa Liboschitz var. *purpurea* Makino　186
Rhei Rhizoma　194
Rheum coreanum Nakai　194
Rheum officinale Baillon　194
Rheum palmatum Linné　194
Rheum tanguticum Maximowicz　194

S

Sal Mirabilis　209
Saposhnikovia divaricata Schischkin　210
Saposhnikoviae Radix　210
Saussureae Radix　214
Saussurea lappa Clarke　214
Schisandra chinensis Baillon　181
Schisandrae Fructus　181
Schizonepetae Spica　177
Schizonepeta tenuifolia Briquet　177
Scutellaria baicalensis Georgi　167
Scutellariae Radix　167
Shosaikoto Extract　32

Sinomeni Caulis et Rhizoma　208
Sinomenium acutum Rehder et Wilson　208
Solanum tuberosum Linné　178
Sophorae Radix　176
Sophora flavescens Aiton　176

T

Traditional Chinese Medicine　3
Traditional Japanese Medicine　3
Tribuli Fructus　187
Tribulus terrestris Linné　187
Trichosanthes bracteata Voigt　171
Trichosanthes kirilowii Maximowicz　171
Trichosanthes kirilowii Maximowicz var. *japonicum* Kitamura　171
Trichosanthis Radix　171

U

Uncariae Uncis cum Ramulus　198
Uncaria macrophylla Wallich　198
Uncaria rhynchophylla Miquel　198
Uncaria sinensis Haviland　198

W

Wolfiporia cocos Ryvarden et Gilbertson　206

Z

Zanthoxyli Piperiti Pericarpium　184
Zanthoxylum piperitum De Candolle　184
Zea mays Linné　178
Zingiberis Rhizoma　189
Zingiberis Rhizoma Processum　189
Zingiber officinale Roscoe　189
Zizyphi Fructus　195
Zizyphi Semen　185
Zizyphus jujuba Miller var. *inermis* Rehder　195
Zizyphus jujuba Miller var. *spinosa* Hu ex H. F. Chow　185